案件現場直播

04 遲來的正義

Delayed Justice

退戈 著

目錄
CONTENTS

第一章　熟悉的字跡

何川舟戴上手套，站在客廳與書房的交界處，選了個視野開闊的位置，粗糙地掃視了一遍房屋結構。

偵查人員帶著自己的裝備，在各個地點進行細緻的勘察搜證。雖然工作節奏非常順利，然而氣氛就是有哪裡不對。

何川舟回過頭，瞄了客廳一眼。

田芮深陷在沙發中，一言不發，表情麻木，猶如一個被剪斷了線的木偶人，死氣沉沉。

她又偏過頭，看了書房一眼。

穹蒼站在靠牆的書櫃前面，查看書脊上的文字，判斷書本的用途。

或許是她的視線太過強烈，穹蒼朝她回望過來，做出了困惑的表情。

何川舟小聲表揚道：「工作做得不錯。」那麼快就把田芮說服了，又一次帶著下屬合理加班。

穹蒼不敢攬功，畢竟承擔醫藥費的人不是她，連忙介紹道：「全是Q哥的功勞。」

賀決雲謙虛道：「哪裡哪裡，主要是動之以情，曉之以理。」

穹蒼暗暗糾正，是動之以財，曉之以錢。無人能抵擋的誘惑。

新一派圓場大師何川舟道：「都不錯，都不錯。都幫了大忙。」

何川舟見穹蒼只是站著看看，一直沒有動手，靠近她問道：「妳要找的是什麼？」

穹蒼文藝地說：「愛。」

賀泱雲一把搭上她的肩膀，勾著手把她帶到陽臺，說：「嘆什麼氣啊？妳要是覺得累了，就去外面晒晒太陽。」

穹蒼抓住門框，無奈道：「我是說感情。能證明韓笑情感歷程的東西。情書、情詩、日記、簡報、照片，或者其他能證明的東西。我想知道韓笑對田兆華是懷著什麼樣的心態。她是否還有別的愛人。如果她的心另有所屬，對方是誰，是不是突然消失了。」

要找一個不知道什麼時候消失的空氣人，這似乎有點強人所難。

穹蒼拉開賀泱雲的手，問道：「明白？」

何川舟跟賀泱雲意會了下，覺得大概能明白，隨後憑藉著自己的理解，分散到各個房間裡去尋找。

從韓笑會對田芮念詩來看，她曾對某個人有過炙熱的情感。而她從未向田芮反駁過那個人是田兆華，說明她心底也認為這樣的行為是不光彩的。

一般來說，如果韓笑真的出軌，或者說精神出軌，她應該會把相關的證據藏在較為隱密的地方，避免讓田芮察覺異常。如果不是，為她送花寫詩的那個人，就是她親愛的丈夫，那她完全沒有必要把它們隱藏起來。

穹蒼在書房翻找，賀泱雲去了韓笑的臥室。

賀泱雲拉開臥室衣櫃最底下的抽屜，一個個檢查過去。除了不常用的工具箱、袋子、換洗衣襪外，還不出意外地翻到了一抽屜的女性貼身衣物。

賀泱雲面不改色地想把抽屜關上，可是仔細一瞧，又覺得這些內衣底下似乎墊了什麼東西，才把它們疊得那麼高。

賀泱雲左右看了一圈，發現沒人在注意這邊，就彎腰把擺放整齊的內衣撥開一點，看看下面墊的是什麼。

軟綿的觸感，白色，是一層不常使用的舊毛巾，應該是為了防潮。

賀泱雲用手指按了按，發覺還是有異，於是再次把毛巾撥開，從底下翻出了兩個文件袋。

賀泱雲拆開袋子，將裡面的東西全部倒出來檢查一遍。

存放著的是一些提款卡、房屋權狀，還有部分重要的產權文件。

賀泱雲想起穹蒼之前蒐集資料時，連計算紙都不放過的細緻，怕韓笑也有這種習慣，連幾張裝訂在一起的收據都沒有錯漏。

現在，他終於知道韓笑的股票帳號是什麼了，也知道她把資金用在了什麼地方。看來田芮在短時間內，是拿不到那麼多流動資金了。

韓笑家裡其實有一個小型保險櫃，擺在書房裡，但是她將最重要的物品都藏在這個地方，想法還挺巧妙的。不是變態或用地毯式搜索，真不容易找出來。

這想法剛從賀泱雲的腦海閃過，就被他察覺異常，他憤怒地朝旁邊「呸」了一口。

有毛病，轉個圈子還能把自己罵進去。

賀泱雲小心翼翼地把幾件內衣擺好，歸於原位，然後起身準備出去。他剛轉身，就看見穹蒼一臉意味深長地倚在門口，不知道已經看了多久。

賀泱雲愣了下，還沒吐乾淨的氣又被哽回了胸口，險些靈魂出竅。他連忙解釋道：「妳別誤會！」

穹蒼眨了眨眼，貼心地道：「我沒有誤會啊。」

賀泱雲想一頭撞暈在那櫃門上，著急解釋的樣子反而讓他顯得有些心虛：「我真的沒有什麼特殊癖好，我就是覺得底下有東西！妳別用這種眼神看著我好嗎？我至於嗎？」

穹蒼真誠地說：「不至於。」

她明明那麼配合，可賀泱雲總覺得她腦子裡正在想奇怪的東西，以致於她那靈魂之窗裡滿是猥瑣。可是她的表情又那麼無辜，讓賀泱雲懷疑真正猥瑣的人其實是自己。

他無奈地抬手抹了把臉，想起手裡還拿著一份東西，做最後的補救：「看，這是什麼？」

穹蒼瞥了一眼，不是很樂意地配合道：「哇……這難道是一份文件嗎？」

賀泱雲被她噎了一口，幾度心梗。那熟悉的心梗感覺，倒是將他已經出走的智商牽了回來。他直接用不太高明的手段轉移了話題。

「我沒發現什麼有用的東西，妳那邊呢？」

穹蒼遺憾搖頭：「也沒有。書房裡有很多醫學類的書，上面長滿了灰塵，可見韓笑沒有經常打掃，平時更不會看。剩下的……平平無奇。」

賀決雲想了想，又說：「我沒找到跟韓笑的愛有關的，但是找到了幾幅田芮的畫，妳要不要看看？」

那東西是賀決雲從雜物間裡翻出來的。應該是田芮小時候畫的畫，全部用塑膠膜一張張封好，整齊排列。因為保存妥善，所以紙張並沒有損壞，只是顏色變得有些暗沉。

擺在最上面的一張，是小女孩與一位穿著白裙子的女人手牽手站在戶外的場景。古老又素雅的木屋、白色零星的花朵，明媚燦爛的太陽，鬱鬱蔥蔥的樹林。周圍還有幽深的山道與蜿蜒的溪流，是一種恬靜淡然的田園生活。

穹蒼往下翻了幾張，除了見證田芮更加成熟的畫技以外，沒有別的發現，於是又一張張放了回去。

賀決雲見她看完，準備把東西接過去，兩手握住畫紙邊緣，結果穹蒼卻不鬆手了。

「喂？」賀決雲以為她是有了發現，蹲下身小聲問道：「怎麼了？」

穹蒼盯著面前的那幅畫，眉頭微微皺起，似在努力回憶。然而她讀取了兩遍記憶，都沒有結果，最後還是搖搖頭，把東西交還給他。

賀決雲把畫擺正，跟著多看了兩眼，疑惑道：「這畫有問題嗎？」

「沒問題，只是覺得畫裡的場景有點眼熟。」穹蒼覺得或許是自己太過敏感了，「童話故事裡描述的，大概都是這樣的風景吧。」

森林裡的小木屋，很尋常的主題。小朋友喜歡將所有美好的森林元素都畫上去，所以內容上並沒有什麼奇怪的地方。第一眼看的時候，穹蒼還沒過多在意，可是在看了第二眼的時候，她的視線不自覺多停留了兩秒。

自己都找不出來的原因，可能只是裡面的某個細節給了她這樣的錯覺。

賀決雲狐疑地呢喃道：「是嗎？」

穹蒼說：「嗯，沒關係，我已經記住細節了，你放回去吧。」

賀決雲重新把畫塞進箱子裡封好，並關上雜物間的木門。

何川舟從陽臺出來，朝著兩人搖搖頭，表示他們那邊的情況同樣不樂觀。又把賀決雲手上的文件拿走了，說會回去整理一下資料，看看它們之間是否存在關聯。

賀決雲失望道：「一無所獲啊。」

他說完沒有得到回應，才發現穹蒼正盯著沙發上的田芮，片刻後，淡淡吐出三個字：「不一定。」

「田芮。」穹蒼並沒有走過去，她隔著兩公尺多的距離喊了一聲。

田芮冷不防被她叫了名字，瞬間感覺有股陰涼爬上她的脊背，讓她下意識挺直腰身。

她的視線穿過櫃檯間的縫隙，望向穹蒼。哪怕離她還有一段距離，仍舊感到心裡發涼。

「妳說妳母親收到的情詩，後來去了哪裡？」

田芮內心有種極度悲觀的預感，那種預感讓她拒絕去面對所有事情。直覺告訴她，有時候無知要幸運得多，她已經走到深淵的邊界，不能繼續往前了。

「我不知道。」田芮以為自己的聲音可以很平靜，然而脫口而出的第一個字，就暴露了她的憤怒。

「我不知道。」她放慢語氣，又說了一遍。

「妳沒有保留任何東西嗎？」穹蒼那沒有多少起伏的聲調，在田芮聽來字字帶著尖刺，「妳母親處理那些東西的時候，妳沒有覺得可惜而留下一些嗎？或者，妳還記不記得那些禮物的細節？」

田芮最終還是忍不住，情緒跟山洪一樣爆發。她高聲打斷了穹蒼的話，反問道：「那妳呢？妳就沒有一點同理心嗎？」

穹蒼止住話頭。田芮崩潰地繼續道：「我不想要再查這件事情了，讓它結束吧，算我求你們了。我不想知道我媽有什麼過去，一點都不想！你們也不要再向我證明我的家人有多不堪，甚至還要我提供所謂的證據。你們夠了沒？你們不覺得這荒謬嗎？」

賀決雲對欺負一個小女孩沒什麼興趣，但是他對穹蒼那句「天真」的評價，實在是太過認可。

正在周圍工作的幾個員警停下工作，看著劍拔弩張的兩人。他們互相使了個眼色，卻不知道該怎麼打圓場。

穹蒼好笑地說：「同理心？」

田芮倏地站了起來，激動道：「這有什麼好笑的？妳知道疼愛自己的雙親相繼離開自己的感覺嗎？我已經很累了。我希望他們至少在我心中是完美的，這樣也不行嗎！」

「我確實不知道。」穹蒼冷淡地說：「在我學會分析情感的時候，他們早就不見了。」

田芮的胸膛劇烈起伏，發出兩聲乾笑：「妳沒有體會過，妳比我好。起碼妳不用那麼難過。」

「我不知道妳在胡言亂語什麼。」穹蒼穿過木櫃，與田芮面對面地站著。她臉上的表情陰沉，視線直勾勾地落在田芮身上，彷彿要將她掩埋，「是，我沒有體驗過什麼『疼愛自己的雙親』，可是妳又怎麼知道我不曾擁有過的痛苦？妳想逃避，妳可以後悔，妳可以裝作什麼都不知道，讓身邊那麼多人來安慰妳，等著他們給妳結果。妳以為人人都可以像妳一樣，不用清醒地面對這個世界，照舊可以生活得很好嗎？小妹妹，如果妳現在才十二歲，今天我就縱容妳，可是妳已經二十歲了，妳已經過了這種可以無畏天真的年紀。是不是應該清醒一點？」

穹蒼指向旁邊的警員，道：「妳以為這些沒有同理心的人加班在這裡工作，熬著夜，做著惡夢，領著微薄的薪水，是為了找妳麻煩？是為了探究妳爸媽之間的那點倫理關係？妳知不知道什麼叫職責？妳那寶貴的、沒有被現實消磨過的同理心，能夠感化這世間所有的罪惡，維持住社會的秩序嗎？那妳怎麼不用妳的同理心去拯救范淮呢？妳現在決定放棄妳的同盟了嗎？」

田芮用力吞咽了一口唾沫，抱著頭蹲到地上，捂住自己的耳朵。

穹蒼抬起下巴，半闔的眼幽深地望著她，腳步沉緩，卻又不容抗拒地朝她走近。

「我告訴妳，我像妳這麼大的時候，我正因為學生殺了人，而被帶到警局接受一遍遍的盤問。妳的同理心對我來說沒有用，我沒有辦法心安理得地當作事不關己，看著越來越多的人死亡，然後讓凶手走到我面前，指著我的鼻子告訴我，看！他們就是因為妳才死的！這是什麼同理心？這叫自私。」

田芮單薄的脊背一陣顫動。

穹蒼黑色的鞋尖離她只有不到二十公分的距離。冰冷堅硬的字一個個砸了下來。

「有，還是沒有？回答我。」

田芮呼吸紊亂，死死咬著嘴唇，內心的倔強與各種情緒不停地碰撞抗爭，始終不敢抬頭看穹蒼。

「所有的東西都燒掉了，她說不想睹物思人。」她緊閉雙眼啜泣著，聲音含糊，「我偷偷留了一張，被我夾在國小的國文課本裡……」

賀決雲最先反應過來，第一時間衝向雜物間，從堆疊在牆壁處的幾個箱子裡翻出了田芮的課本。何川舟跟過來，陪他一起查找。

很快，一張卡紙從書頁中落下，「是這個！」

那是一張粉紅色的卡紙，上面用黑色的墨水寫了一首短詩，沒有落款。角落被田芮畫了幾筆，加上了幾個愛心，帶著她的小心思。

這首現代詩的內容溫柔又委婉，並不是什麼直接的愛情詩。如果不是田芮意外說溜嘴，哪怕他們親眼看見，也不會把它和別的事情聯繫起來。

何川舟為了查這個案件，研究過所有的證據，當然也看過田兆華的字跡。粗略判斷，這張卡紙應該不是同一個人寫的，因為筆鋒差別很大。

「是鋼筆。」何川舟的語氣雖然平靜，可壓抑不住的唇角還是暴露了她的興奮，「現在會用鋼筆寫字的人不多，這個人有明顯訓練過的痕跡。說不定有相關專業的人能認得出來。」

數個月來密不通風的壓力，一直籠罩在眾人身上，此時終於窺見了一絲天光，霎時有種如釋重負的快感。幾位沉不住氣的警員差點叫出聲。

何川舟朝穹蒼點了點頭，小心地把卡片放入證物袋，交給一旁的偵查人員。

穹蒼蹲下身，在田芮的背上輕輕拍了一下，誇道：「幹得漂亮。」

穹蒼誇獎人的本領，就跟她的名字一樣，偶爾天晴，偶爾雷雨，讓人無法琢磨。

賀決雲以為「幹得漂亮」這四個字已經在網友的廣泛運用中，被賦予某種微妙的涵義，不適合用來作為安慰的詞語。

他攬住穹蒼，把她從田芮身邊帶離，以免她再刺激到這個神經脆弱的女生。現場已經搜查完畢，按理何川舟可以帶隊收工，但目前這種情況，她不敢放田芮一個人在家。

她手下沒幾個女性警員，大部分都是粗魯的漢子，而田芮又是女生，不太合適。三更半夜的，她找不到合適的人選，今晚大概得親自留下。

何川舟朝賀決雲使了個眼神，讓他們兩個先回去休息。賀決雲看天色不早，拉著穹蒼準備離開，最後說了一句：「有需要的話及時聯絡。」

何川舟走過去，在門口低聲道：「你找個可靠的心理諮商師，我明天一早過來。」

賀決雲應允：「好，我請人明早七點聯絡她，過來幫妳接班。」

他說著，瞧了還沒冷靜下來的田芮一眼，何川舟注意到他的視線，笑道：「花朵還是需要呵護的，晚安。」

何川舟將門闔上，抬手用力抹了把臉，而後吐出一口濁氣。

她睜開眼睛，看著滿屋還在等待指令的人，揮了揮手，讓他們將現場收拾一下，並帶著田芮去她自己的房間。

何川舟覺得到明早七點，是一段很漫長的時間，她迫不及待地想要飛奔回警局裡展開工作，且認為自己還能再連續轉個四十八個小時。每次案情有重大突破，她都會獲得這種宛如脫胎換骨的激勵。

然而她的下屬不那麼認為。興奮和高壓過後，是強烈的腹部空虛。

何川舟從屋裡出來的時候，幾位警員正排排坐在一起，臉上寫滿了可憐與疲憊，小心地徵詢道：「何隊長，我們可以先吃碗泡麵嗎？」

何川舟看見這一幕，失笑道：「吃吧。吃完記得讓味道散掉。」

「耶！」

幾人小小地歡呼了一下，搬出自帶的泡麵和香腸，開始吃這頓遲來的宵夜。

一位年輕警員將泡好的杯麵擺到她面前，殷勤道：「何隊長，您的。」

何川舟掀開蓋子攪了下麵條，隨口道：「吃完麵，回去把報告寫了。」

眾人表情僵住，一臉見鬼地哀號道：「不會吧！」

何川舟不悅道：「怎麼了？比對過證據了嗎？找到嫌犯了嗎？連目標都還沒確認，你們就開始鬆懈了？」

眾人扭扭捏捏地申訴道：「主要是現在都快一點了……大家都很累。」

何川舟這才後知後覺地拿出手機瞄了一眼，發現這時間的確不太合適。做他們刑偵這行的確實不好，一有事情，連命都不值錢了，尤其是基層人員。何川舟放緩語氣，批准道：「吃完先回去好好休息，明天準時報到。熬過這兩天就讓你們放假。」

人類的快樂是如此得簡單。一群年輕人頓時喜上眉梢，窸窸窣窣地吃完泡麵，迅速地把現場收拾好，帶著搜集好的證據回去。

何川舟叮囑道：「開車都給我小心一點。」

「知道啦！」

從出門到上車的一路，穹蒼都表現得非常冷靜，她覺得自己的心情也很平和，並沒有因為這個微小的發現出現多少波瀾。然而她身上莫名蒙著一股熱氣，即便是深秋夜裡的涼風也壓制不下。

穹蒼剛放下車窗，就被賀決雲關回去。她等了等，不死心，再次打開一條小縫，不停稱讚著自己聰明的小腦袋瓜。

「不要胡鬧。」賀決雲再次把窗戶升上去，批評道：「今天淋雨了，那麼冷的天，妳還吹什麼風？」

穹蒼：「……」受盡欺壓。

她安安分分地坐車回家，順利抵達時已經是午夜一點半。

兩人從下午吃完一頓不上不下的午餐後，都沒再進食。此時站在安靜的房門口，人生三大選擇一起困擾著他們。

賀決雲糾結了一會兒，先摸回自己的房間洗澡。穹蒼脫下外套後走進廚房。

賀決雲進浴室的時候，腦子也有點混亂，等洗完才發現自己沒帶睡衣。反正外面也是自己的臥室，他沒太在意，拿毛巾隨意擦了把頭髮就直接走出去。

廁所的門被推開，熱氣噴湧而出的同時捲進外間的涼風，賀決雲鼻子動了動，聞到空氣裡夾雜著疑似紅油的香味。

賀決雲發愣的腦子沒轉過來，順勢大推開門，往外走了出去。

視線立即開闊，賀決雲終於看見坐在他窗臺前吃宵夜的穹蒼，後者聞聲也回過頭來，與他四目相對。

空氣一片死寂。

賀決雲的大腦陷入空白，直到穹蒼以揶揄的態度上上下下掃了他一遍，並朝他比了個手勢，他才從愕然中回神。

賀決雲一步、兩步，迅速後退，並「砰」的一聲把門用力摔上。

穹蒼被震得打了個激靈。門後傳來賀決雲惱羞成怒的吼叫：「妳進來不敲門啊？妳是流氓嗎？」

賀決雲一陣翻箱倒櫃，成功從角落的儲物格中翻出一件嶄新的浴袍，他抖了下衣服，準備穿上，又去鏡子前面先照了一下。

鏡中人有著英俊的面孔和健碩的身材，寬闊的肩膀至窄瘦的腰身，幾乎沒有一絲贅肉。

可以，絕對遠超能被騷擾的標準。穹蒼這是犯罪了啊。

賀決雲摸了把下巴，把浴袍披上。他氣勢洶洶地把門打開，發現穹蒼居然還在淡定地吃麵，彷彿一切都沒發生過。

賀決雲走過去，單手抵在窗臺上，低下頭道：「妳以為就這麼完了？」

穹蒼扭過頭，想了想，朝他吹了聲口哨。

賀決雲氣得拎住她的耳朵。

穹蒼就說！她就說！尷尬的事情讓它過去就好了，為什麼非得提出來？

這種翻舊帳的都是不安好心。

穹蒼無辜道：「我叫了，但是你沒聽見。我手上還端著盤子，就進來了。」

賀決雲說：「那是妳嗓子不好！」

穹蒼贊同點頭。沒毛病啊，客觀事實。

賀決雲轉念一想，覺得不對，又問道：「妳就沒點……什麼想法？」

穹蒼盯著他，深深審視了他一番，覺得Q哥這人不純潔也就算了，還不踏實，居然想順著桿子往上爬。

穹蒼說：「你放心，大家都是成年人了，我也是個負責任的人。」

賀決雲目光中閃選了些微詫異，然後鼓勵她繼續說下去。

穹蒼一派了然，表示他不用擔心：「我會像一個成熟的人一樣，從學術的角度看待，單純地把人體視為一團肉。」

賀決雲的表情五顏六色地轉變，好不精彩，硬生生憋出一句話：「妳出去！我八塊腹肌在妳眼裡就是一塊肉？」

穹蒼遲疑著道：「那八塊肉？」

賀決雲氣得跳腳：「妳怎麼不九九歸一呢？」

穹蒼慢吞吞地說：「你也不用罵人吧？」

賀決雲陰沉道：「我再給妳一次機會，妳再說一遍。」

穹蒼第一次在「人體有幾塊肉」的問題上遇到了情商上的難題。

「肌肉。」穹蒼見躲不了，頓感吞嚥困難，「八塊肌肉。」

「對啊，學術上沒有八塊肌肉。」賀決雲說：「某個成年人自己說要負責的，也不是我強迫的，對吧？」

穹蒼掙扎道：「都這個年代了……」

「所以現代社會有很多人都不負責任。我們家能發展到今天，靠的是傳統。」賀決雲一口打斷她，咬死道：「我爸和我媽的愛情也很傳統，我們全家都很傳統！」

穹蒼心生惆悵。這世上果然沒有純種的老實人，不要臉起來同樣沒有下限。

賀決雲掃了她的麵一眼，突然開始了虛偽的關心：「都沒有肉啊？小倉庫的冰箱裡有很多罐頭。」

穹蒼搖頭：「我不要。」要不起，我害怕。

「真的不要？」

穹蒼有些為難：「……再說吧？」

賀決雲看她垂著腦袋的樣子，既覺得無奈又覺得好笑，不跟她繼續胡扯，「行了，不要就算了。那妳也別在這裡吃，把妳的碗端出去。還搞得我房間全是油味。」

穹蒼跟他攪和了一下，也忘了自己過來找他是想說什麼。兩手木然地捧著麵碗站起來，轉向門口。

「還有一碗麵啊。」

「我的。」賀決雲瞪她，「妳別肖想。」

穹蒼：「……」怎麼會有這麼不講理的人？

穹蒼被賀決雲一嚇，整晚都在夢些光怪陸離的事情，頻繁出現的美男出浴讓她精神萎靡。

何川舟那邊夢見了一整晚的警匪追逐戰，第二天早上醒來容光煥發。

賀決雲請的心理諮商師提早來了，何川舟跟她交換了手機號碼，穿上昨夜的外套火速離開。

她打了通電話跟李局長彙報情況，李局長平靜地回應了，讓她辦事穩妥一點，不要急躁，越到關鍵時刻越不能衝動。如果能鎖定嫌疑人，有證據進行明面上的調查，就加派人手給她。

何川舟得到保證，心情越發激盪。回到辦公室之後，讓人影印好昨晚那張字條，然後聯絡了市內熟悉鋼筆字的一位教授，帶著文件前去拜訪。

那位教授一大清早接到警察的電話，還以為是什麼要緊事，早早到了學校等候。可是又聽說證據只有一張寫著短詩的卡片，心裡也沒什麼底。

他怕何川舟抱太大的希望，見面後先替她打了預防針。

「這個不一定能看得出來，學習鋼筆的人還是很多的，如果對方學的是常用的幾種書寫方法，又寫得馬馬虎虎，我就不一定會認識。你們要查，可能得大海撈針了。」

何川舟也有點緊張，但是她認為，以幕後人的高傲，他不會把一項學得馬馬虎虎的本事展示給自己的目標。既然他寫了，那肯定是拿得出手的。

何川舟從袋子裡取出影本，兩手遞過去道：「給您看看。」

教授戴上眼鏡，把紙張近距離地放在面前查看，因為認真，他眼睛周圍的肌肉緊緊皺著，在眉心上方堆成了川字的褶皺。

「還真是有點眼熟，這人應該練了很久的字，有這種水準的人不多。」教授因為這個認知高興了下，他扶著眼鏡說：「妳先等一下，我記不太清楚了。」

何川舟在他對面坐下：「您自便。」

教授起身去後面的櫃子翻找了一陣，隨後從底下抽出兩本厚重的冊子。

相冊裡夾著的全都是各種圖片記錄。有毛筆的，有鋼筆的，還有不同的水墨畫。這是他的個人習慣，只要看見自己喜歡的作品，就會用相機把它們記錄下來，偶爾翻翻，能促進自己的靈感。

他記不清自己要找的東西在哪裡，只能從頭開始翻找。何川舟安靜地在一旁等著他。時間一分一秒地過去，何川舟感覺自己額頭上沁出了一絲冷汗。

他們調查這個案子很久了，可是因為沒有證據，只能在暗中進行。為了驗證這個站不住腳的猜測，他們幾乎將范淮、丁希華等人的家世背景全部查了一遍，甚至連他們身邊能接觸到的所有人員。

然而，結果只如霧裡看花一無所獲。屢次失敗，連何川舟都對自己產生懷疑，這一切是不是她的猜測？

這是他們第一次，那麼近距離地追到目標。

如果不是田芮心血來潮地留下了一張紙，他們可能還在漫無目的地打轉。

面對這個唯一的突破口，何川舟說不緊張，那是不可能的。

終於，對面埋首研究的人有了動靜。

何川舟連忙站起來，走到他的身後。

教授一手按著紙張，一手示意道：「妳看，是不是很像。這個『了』字，還有這個『巷』字。它們的寫法是比較特別的，明顯帶有個人習慣。一般人是往外撇或者往回勾一下，它是往上勾。這兩個字的習慣都跟這張照片上的一樣，其他字也沒有出入。」

何川舟不是專業人員，但是單以她外行人的角度來看，她覺得兩張照片裡的字跡幾乎一樣。

「我需要更多的內容來鑑定。」教授摘下眼鏡，揉了揉額頭說：「不同時期寫出來的字也可能會不一樣。最好是拿同時間段的筆記給我看看。」

何川舟指著圖片問：「請問這張字帖是誰寫的？」

教授說：「哦，D大的一位社會心理學教授。前段時間我們還一起參加了學術講座。」

他拿起手機滑動數次，找到一張圖片，放大後遞了過去。

「妳看，就是他。李凌松，李教授。也算是業內大師級的人物了，你們應該認識。」

何川舟看清照片上的人，確認不是同名，手指不由抖了一下。

她當然認識，她曾數次在檔案上看見過這個人。

「哦，對了。」

教授示意了下，拿回自己的手機，點開搜尋軟體，對照著影本上的那首現代詩輸入進去。

搜索結果裡跳出一排紅色表示重合的內容，證明它曾經出現在網路上。

這首現代詩出自某本詩集，而這首詩的作者，標注的就是李凌松。

「我就說嘛。」教授想明白，感覺全身都舒暢，他笑道：「我就覺得眼熟，好像在哪裡看過。這本詩集是我們協會的人出的，大家都寫了幾首。後面也有我寫的。哎呀，想想還挺不好意思的。」

何川舟：「請問這是什麼時候出的？」

「好久之前了。」教授笑著把頁面關了，「那時候還有精力搞這些東西，想出本書留個紀念。大概有十幾年了吧。怎麼了嗎？」

「沒什麼。」何川舟把東西收回去，順便對著桌上的相冊拍了張照片，面上保持著冷靜，說：「謝謝您的幫助。我還有事，就不打擾了。」

「好。」

第二章　神祕的詩詞

李凌松……

在穹蒼把犯罪人物側寫交給她的時候，何川舟曾有數次懷疑過這個人。不是因為他的品行，而是因為他的身分和影響力。

她有一種強烈的預感，覺得幕後謀劃者應當是這種有強大影響力的人，起碼有足夠的人脈。然而她又很快把李凌松踢出了懷疑的範圍，因為她認識的李教授，沒有任何犯罪的動機。

何川舟翻找著李凌松的資料，感到無比棘手。她已經把這份簡短的資料看了無數遍，就連書頁的邊緣都因為她的翻動，出現了捲曲的褶皺，然而它依舊未能帶給她想要的答案。

何川舟深吸一口氣，靠到椅背上，臉上難得露出了迷惘。

「叩叩。」

何川舟收起神色，直接說了句：「進來。」

穿著警服的青年大步走進來，手裡拿著一疊文件，關上門後問了句：「何隊長，您真的要查李凌松啊？」

何川舟瞥了一眼，訓道：「把衣服穿好，像什麼樣子。」

被她點名的青年連忙放下手裡的東西，將內翻的衣領扯出來，再把被揉亂的衣角扯平。

這忙得都恨不得長出八隻手了，哪裡還在乎什麼形象？

青年一邊整理一邊說：「李凌松可是業內有名的心理學教授，他教過的學生，圍起來能直接把我們警局堵死了。不至於吧？」

何川舟接過桌上的資料，淡淡道：「我也想知道，可至不至於是用證據來說的。」

青年猶豫了下，說道：「李凌松接觸過的人太多了。他平時開講座、受邀演講、開研討會，什麼地方都去過。如果要一一排查，簡直沒完沒了。而且很多地方的資料保存不了那麼久，部分文件可能被丟失或是覆蓋。李凌松的許可權那麼高，他想的話，自己進行修改都不成問題。」

何川舟應了一聲，沒有回答他的問題。

資料是她讓青年去查的，第一張紙上記錄了那首現代詩的來源。

書本出版於十四年前，裡面一共收錄了李凌松的三首詩，發行量很少，大部分只作為收藏。除了記錄的相關短詩以外，旁邊還寫了李凌松當時的感想。

根據後面的註解來看，這首詩的靈感源於更早以前，彼時李凌松和妻子正處在熱戀期，他寫下了這首頗含蓄的愛情詩，作為對妻子的表白。

可惜兩人後來的感情破裂，分居，最終選擇離異。李凌松把詩歌修改了一下後發表出來。於是這首詩的後半段，帶有淡淡的惆悵，大概是人到中年後的新感悟。

從李凌松對其的註釋來看，這首詩對他應該有種特別的情感，他不太可能會把它作為對另一個人的表白，隨手交出去。

何川舟翻到後面的資料。

李凌松是穹蒼的遠房親戚。在穹蒼雙親離世的時候，曾提出想要收養穹蒼。一次被祁可敘拒絕，一次被穹蒼親自回絕。

同時他也是方起的恩師。在穹蒼難以通過三天的心理測驗時，授意方起為穹蒼開立了合格證明。

他的形象，很像是在背後默默關注並照拂後輩的家長。所以其實他很了解穹蒼，以及穹蒼身邊的人。

穹蒼似乎不是很喜歡接近他。

何川舟板著臉，繼續往後看。

再後面是媒體或校刊對李凌松的採訪，記錄了他對當時社會事件的一些觀點，以及他在社會心理學上做過的研究跟結論。

李凌松是一位非常受歡迎的老師，如果要進行學生票選的話，他幾乎年年都能上榜。畢竟他博學多聞，氣質仁和，身上還有股仙風道骨的味道。那種讀書人的儒雅，能在第一時間讓人放鬆警惕，實在很難找到討厭他的理由。哪怕何川舟只是看照片，也會覺得這是一位好人。

何川舟盯著照片看得入神，不知道從什麼時候開始，青年員警已經站到了她的身側。

「哦，這裡。」青年見她翻到這一頁，伸手指了下示意道：「從採訪來看，他應該很久之前就認識范淮了。」

何川舟把視線往下移，順著落在他點明的地方。

這是一份很早以前的採訪報導，當時網路上鬧得沸沸揚揚。網友不滿范淮對社會產生如此惡劣的影響，卻只被判處十年有期徒刑，有記者就此事去詢問了李凌松的看法。狹小的版面裡，記錄了李凌松被縮減過的發言。

他表示自己感到很失望。

當時李凌松去一所國中開設心理講座，需要進行現場提問，他正好點了范淮起來。他問了范淮幾個問題，而范淮的回答讓他留下了非常深刻的印象。

短暫的交流中，他認為那個長相英俊，笑起來有兩個淺淺的梨窩，富有青少年朝氣的同時又對生活抱以懶散的男生，其實是一位很聰明的人。只是，足夠聰明的人卻不一定能夠融入這個社會，他們會有一定玩世不恭的驕傲感。可惜范淮走上了一條錯誤的道路。

採訪下方的配圖，是李凌松坐在臺上的抓拍照。不知道是不是心理作用，何川舟看著這張圖片，彷彿在李凌松的眼裡看見了一道閃動的暗芒，並不是那麼的單純。

旁邊的青年員警小聲嘀咕，把幾個細節串聯起來：「李凌松認識范淮，且準確判斷范淮是一個天才。我們在韓笑的家裡搜出了他的親筆情詩。他在D大任職，跟D大附屬醫院的醫師很熟，經常會去開相關的講座或進行交流，還為醫院貢獻了不少優秀的精神科醫師。另外幾位病人，都曾經去過D大附屬醫院看病，或者有些更加直接的關聯……」

他說著自己打了個哆嗦，苦澀道：「不會吧？想想有點道理，再想想又覺得有點牽強。李凌松這樣的業界大神，真的會沉迷於這種無聊的遊戲嗎？」

何川舟把資料闔上，說：「再查得仔細一點。看看所有關聯的人物，是否跟李凌松有過直接接觸。能找到李凌松開講座的記錄嗎？」

「年代有點久遠了。有些是企業要求，不一定還有留存……」青年說著頓了下，表情越發趨向詭異，「對了，我剛剛在查資料的時候，看見李凌松曾經幫一家MCN企業做過顧問。」

何川舟挑眉：「嗯？」

青年語氣艱澀道：「是的，第四位死亡的證人，那個被自己親生母親的藥酒毒死的MCN企業老闆。他在創業初期的時候邀請了李凌松，讓李凌松幫助他們分析並確認公司幾位簽約網紅的未來發展方向。事實證明還算成功。」

何川舟表情凝重地點了點頭，表示自己知道了。

原先毫無關聯的人事物，因為李凌松的出現，終於出現了交集。就目前來看，你要說他沒有參與，實在很難信服，只是不知道他在其中究竟扮演著什麼樣的角色。

青年員警還要說話，另一位年輕員警小跑著進來，舉起手裡的東西道：「何隊長，我把監視器畫面拿來了！」

青年望向門口，奇怪道：「韓笑車禍的監視器畫面嗎？這影片我們都已經看過幾十遍了，沒發現什麼問題啊。」

「再看一遍。我覺得這起車禍不是那麼巧合。」

何川舟轉了下椅子，示意對方過來播放。

三人聚在電腦前面，看著放大到全螢幕的錄影。

青年員警心有不解，還是屏住呼吸，乖巧地站在側面。

影片裡，韓笑的車輛正靠近十字路口。她神情恍惚，顯然不在狀態，雙手抓著方向盤，無視了前方的紅燈，加速衝到對向車道。

在發現自己違規行駛後，這才反應過來，最終將車撞向一側的圍牆。

這是很明顯的分心，韓笑當時應該在跟公司的人打電話。可是警方聽過對方人事部門提供的錄音，在車禍之前，韓笑的態度就有點奇怪。

她離開三天的時候明明很正常，人事是在那之後唯一跟她聯絡過的對象。到底還有什麼事情，能讓韓笑的情緒發生劇烈變化，以致於讓她連開車都漫不經心？

何川舟將進度條拉回到前面，重複播放了一遍。

兩位警員不明所以地陪著她觀看。反覆數次後，何川舟長舒口氣，似是終於明白自己錯在哪裡。

她朝後一靠，用力抓了把自己的短髮。在兩位下屬不解的眼神中，拿筆尖指著螢幕道：「看出什麼了嗎？」

兩位警員輕輕搖頭，滿是迷惑，試探著開口道：

「韓笑不是想要自殺？她最後努力打正方向了，可惜車速太快。」

「……我只能看出她的車技不是非常好。而且她為什麼要在開車的時候發呆呢？」

「不！」何川舟用筆點了點，「我是問，她在看什麼！」

兩人皆是愣了下。

何川舟將影片再次往回拉，用筆帽在韓笑臉上畫了個圈，說道：「看見沒有？雖然畫面不是很清楚，但是她的頭偏了下，根據角度和距離來判斷，她很可能不是在看指示燈，而是在看路邊的某樣東西，或者某個人。」

她斬釘截鐵地說：「韓笑！就是在路口這個位置，看見了什麼讓她很驚訝的人，於是失神之下，闖了紅燈，才出了車禍！」

警員立刻將畫面縮小，根據韓笑視線的方向，往路邊位移。

「她好像在看這個位置……」

範圍就在紅綠燈的側面不遠處，路邊有好幾位正在步行的路人。

這個監視器只拍到了他們的背影，而其中一人，穿著黑色的大衣，頂著滿頭銀髮，與李凌松的背影頗為肖似。

年輕警員猶如被當頭敲了一棍，他愣了一秒，然後跑出門去，急著調取其他的監視器畫面。

穹蒼舉著筷子，與對面的賀決雲久久注視，又默默不語。她撇撇嘴，抿了口碗裡的白粥，感覺寡淡無味，內心一片創傷。

不知道賀決雲昨晚想通了什麼，他今天從頭髮絲到腳趾頭都寫滿了不對勁，還十分不做人。一直用乾淨的筷子攪拌著面前的蟹肉卻不下口，暴殄天物的同時透著兩分慵懶隨意，看得穹蒼腦門青筋突突直跳。

穹蒼乾巴巴地問道：「好吃嗎？」

「不知道，還沒吃。」賀決雲無趣地嘆了口氣，「還行吧，我們家的人都吃膩了。」是這樣，穹蒼也是一個沉得住氣的人。她低聲地「哦」了一句。

賀決雲又端起旁邊一小盅還在冒著熱氣的高湯，在穹蒼面前晃了一下。清透的高湯帶著濃郁的香氣，不停地向穹蒼炫耀它來自一鍋精心燉煮了整晚的雞骨和豬大骨。

穹蒼嘆了口氣。

賀決雲虛偽問道：「白粥好喝嗎？」

臭不要臉的有錢人，對於鈔能力的認知是不夠深刻嗎？

穹蒼只想盡快結束這種詭異的對話，認為現在是自己該好好表現的時刻了。她抖擻起精神，認真觀察賀決雲的每一個細微表情，語氣堅定，恨不得把三個字拆分成擲地有聲的宣言。

「不好喝！」

賀決雲敲了敲桌面，瞥向旁邊擺著的數道散發著金錢芬芳，卻看起來樸實又無華的豪華配菜，誘惑道：「想不想吃？」

穹蒼非常誠實：「不敢想。」

賀決雲被她逗笑了，努力試了試想把基調拉回來。

這世界上怎麼會有這種人？吃著你家的飯，睡著你家的床，叫著你的外號，還不跟你發展一下正當關係。

她就是一個渣女，想白嫖。

賀決雲循循善誘道：「妳知道有錢人的生活有多單調嗎？每天山珍海味，為所欲為。尤其我們賀家人，家教就是自由……當然也很傳統。傳統又自由，特別快樂。」

穹蒼認真地說：「那人生就會失去很多的煩惱跟樂趣，或者需要自己去尋求更多的樂趣。關於娛樂閾值這件事情，我們之前做過一次討論。無聊是催動部分人群趨向變態的原因，有時候貧窮或無能，也不全然是件壞事。」

賀決雲笑容難以維持。

穹蒼希冀道：「您願意向我分享一下您的快樂嗎？」

賀決雲看著她消極迴避還要裝作渾然不知的模樣，心裡好氣又好笑。又想她這頓早餐吃得也很不容易，差不多已經出賣了自己的智商，看來是做了很大的犧牲。他面上表情猙獰了一陣，最後無力地按住額頭，放棄地揮了揮手道：「算了算了，妳吃吧。」

穹蒼笑了笑以表示對他的感謝，隨後端過面前的小菜盤，朝自己的碗裡倒。

賀決雲不吃早餐，卻也不離座。他就那麼兩手環胸，在不足半公尺的鄰座上定定地看著穹蒼。目光裡帶著很複雜的情緒，做著作用十分有限的分析。

如果這是一場遊戲，他一定要幫穹蒼附加一個好感度可見的功能，這樣就能知道她每張無辜的面孔背後都在想什麼，是不是在偷罵自己。

賀決雲凝神注視著她，卻始終沒有看見穹蒼的正臉，後者深埋著頭吃早餐，彷彿沒發現他那頗為刺人的目光。

半晌，賀決雲別開視線，掃向窗戶外蔚藍又模糊的天空。在他眼神移開的一瞬，穹蒼若有若無地放鬆了一點。

本來在不思考這個問題的時候，賀決雲是可以裝作不在乎的，然而一旦意識到，再想要裝作不知情，就有點自欺欺人。

好像只有他是一廂情願，穹蒼對他總是忽冷忽熱，讓他捉摸不清。

他會思考這裡面出錯的人是不是自己。

穹蒼越想要迴避，他就越好奇。就像很多人，不是不能接受失敗，而是不能接受自己失敗卻沒個理由。

這樣想，賀決雲剛移開的視線又轉了回來，還帶了點憤怒的瞪視。

穹蒼沒有辦法再繼續忽視，感覺手上的筷子變得異常沉重。她抬起頭問了句：「你今天要上班嗎？」

賀決雲帶著被打斷思緒的不滿，臭著臉說「要」，然後起身離開了餐桌。

穹蒼終於放鬆了下來，三兩口扒乾淨碗裡的東西，然後抱著碗去廚房刷洗。站在洗碗臺邊的時候，她的眼皮還在不住地跳，把手伸到水流底下慢慢沖刷，然後拿菜瓜布仔細清洗。

賀決雲換好西裝從房間裡走出來，單手拎著領帶，熟練地往脖子上套。他今天的計畫是回公司盡一盡自己小老闆的職責，畢竟已經無假怠工多天，再不回去恐怕要被宋紓扎小人。

賀決雲走到門前的時候，才突然想起一件事，衝著廚房的方向叮囑了句：「妳今天下午要去醫院回診吧？」

穹蒼回道：「我自己叫車。」

賀決雲：「那妳記得把花帶回來。」

就像很多人，在經過高壓的環境歷練後，以為危機已經解除，就會放鬆警惕。

穹蒼沒有品味到賀決雲的用心，接連問了兩個最糟糕的問題。

「什麼花？」

「哦……那個好多天了，不用了吧？」

門口的動靜突然停了，像是陷入無邊的寂靜。穹蒼等了等，確認自己沒聽見開關門的聲音，警惕危險的本能讓她感覺到背後有陣冷意。她小心翼翼地關掉水龍頭，以緩慢的速度回頭查看。

……結果猝不及防地對上賀決雲近在咫尺的臉。

賀決雲是個很好說話人，上次發火也是因為那束凝聚著他濃濃父愛的白玫瑰，穹蒼認為自己需要珍愛生命，端正態度，說：「我今天下午就去把它拿回來。」

賀決雲的表情看起來陰惻惻的，他說：「我問妳一個問題，妳認真回答我。」

穹蒼猶豫了下，把手裡的菜瓜布放下，轉過身正對著他。

賀決雲嚴肅地說：「妳認為我們之間，或者說以後，應該要是什麼關係？」

「朋友？」穹蒼的尾音重了一點，說是告訴他，不如說是希望說服他，「是很好的朋友。」

賀決雲開始與她較勁：「那我告訴妳，沒有什麼『很好的朋友』。對異性很好的人，多半都是別有所圖。也不用說我是什麼好人，我沒那麼博愛。我為什麼不對田芮好？我為什麼願意讓妳住進來？為什麼幫妳隱瞞范淮的事？難道只是為了方便監視妳？還是除了妳以外就沒有別的朋友了？」

穹蒼沉默地看著他，背靠在流理檯上，手掌撐著大理石桌面。她用手指摳了摳邊角，等不到賀決雲的退縮，才問了句：「你今天心情不好？」

賀決雲扯扯唇角，哂笑道：「看來聰明人轉移話題的方法也不是很高明。」

穹蒼無言以對。然而她的表情不是窘迫，也不是被揭穿後的羞愧，依舊是冰冷的平靜，或許還有些微的迷茫。就好像這世上沒有人能讓她當面露出破綻。

賀決雲無法像她一樣控制情緒，又不想在她面前說出什麼傷人的話，決定先轉身離開。

「抱歉。」穹蒼帶著點涼意的聲音在身後響起，「我覺得這是……需要很認真考慮的事情。」

賀決雲不知道穹蒼這句話是在對他說，還是在對自己說。

他自嘲地笑了下。

太糟糕了。

穹蒼不知道屋裡是什麼時候重新安靜下來的。她把剩下的碗筷擦拭乾淨，並把廚房打掃了一遍，然後緩步走到客廳，空虛地坐在沙發上。

她有思考自己是不是做錯了什麼，然而她的反省並不真誠。這不是她的專長。最主要的是，即便錯了，她也沒有正確的修改方式。

在她大腦放空的時候，茶几上的手機震動起來，嗡嗡的響聲瞬間占據她全部的注意力。

穹蒼快速把手機抓了過來，待看見來電顯示的名字是何川舟，幾不可察地皺了下眉，垂下眼皮，點擊接通。

何川舟那邊沒頭沒尾地問了句：『妳跟李凌松熟嗎？』

穹蒼在聽見這個名字的時候愣了下，盡量中立地回覆道：「不算熟。」

何川舟：『那妳對他的評價如何？』

穹蒼沉思片刻，回答道：「不便評價，真的不熟。他是個專業能力很強的人，醉心自己的學術，跟他在一起的時候，會有一種壓迫感。」

穹蒼不喜歡任何被探究或被窺視的感覺，這恰好與李凌松的職業相悖。李凌松多年來一直在研究社會心理學，已經培養成了習慣，面對特殊的人群時，他會表現出極大的耐心與熱情，穹蒼從中感受到的就是身為樣本的冰冷。加上他又是一名長輩，雙方之間有身分上的差距，穹蒼不擅長與他打交道。

穹蒼睫毛顫動了下。

是的，她習慣了獨立、孤僻，她沒有讓別人參與自己人生的想法，也沒有想建立家庭的意願。做朋友不必思考未來這種東西，她討厭思考類似的問題。

這是她跟賀決雲的不同之處，而她主觀性地迴避了這種問題。

何川舟沒有發現她的不對，只是簡短地應了一聲，不待穹蒼追問，第一時間掛斷電話。

穹蒼看著暗下去的螢幕，消瘦的身影在光影中一動也不動，等過了一刻鐘，才從這種毫無意義的入定狀態中解除，她套上自己的外套後走出房門。

何川舟踩著黑色高跟鞋踏進辦公室，站在門口，瞳孔小幅度轉動，快速又含蓄地將屋內的細節都掃了一遍。

光線明亮，陳設直接。小小的屋子裡有很多生活痕跡，角落裡擺放著各種獎盃和照片，充分證明了主人生活的閱歷，然而各種雜物堆在一起，並不使畫面顯得雜亂。

只是寥寥幾眼，就讓何川舟判斷，辦公室的主人是一位有自制力且性格溫和的人。

「妳感興趣的話，可以隨便看看。」書桌後的人笑了下，主動道：「我在D大工作有四十幾年了。這裡面很多都是我跟學生的回憶。說不定照片上的很多人，妳都認識。」

何川舟轉回視線，朝他笑了一下：「不好意思，打擾了。」

「沒什麼。以前做顧問的時候，我也經常和警局合作，只是現在年紀大了，不太方便。」李凌松指了指對面的木椅，「不知道何隊長找我有什麼事？」

何川舟把影本從包包裡取出來，客氣地放在桌上推過去，問道：「您認識這個字嗎？」

李凌松拿起來，認真地辨認了下每個字，眼珠轉動，似在回憶，隨後把紙放回桌上，神態自然道：「這的確是我的字，但我不記得是什麼時候寫的了。」

何川舟順勢在桌子對面坐下，與他保持視線平齊，又問道：「那您知道我是在哪裡找到的嗎？」

李凌松搖頭，請她直說。

「從一位剛遭遇車禍的女司機家裡搜出來的。」何川舟拿回紙張，把它立起來，朝著李凌松展示道：「經過我們的調查發現，這位女士多年前曾經出軌，或者有精神出軌的行為。這是她的情夫親手寫給她的情書。其他的證據都被焚燒，只有這張卡紙被她女兒無意間保留了下來。」

「哦？」李凌松即便是皺眉，也帶著溫和，讓人無法從他的臉上看出惱怒或者別的情緒，僅有單純的不解，「我不是很懂妳的意思。這彼此之間的邏輯似乎有點奇怪？那位女司機是因為什麼原因出了車禍？」

何川舟說：「意外。」

「既然是意外，為什麼要查她多年前的私生活？」李凌松露出無奈的笑容，「還牽涉到了我，我猜你們有了某種比較奇特的猜想。」

何川舟緊緊凝視著他，李凌松未感到冒犯，反而坦蕩地回視她。

何川舟說：「這不是您寫的嗎？」

「是我寫的。」李凌松承認得很痛快，「但我沒有寄過這種東西給任何人，更沒有與哪位女性有過不正當關係。容我解釋一下，這首詩，其實是我以前寫給我前妻的，我怎麼可能用它來向別的女人表白呢？而且從這首詩的內容來看，它應該是我後來改過的內容。十幾年前了吧……」

他沉吟了聲，記得不是很清楚，低頭笑出聲：「我那時候都已經六十幾歲了，怎麼可能還有年輕人的這種樂趣呢？」

這也是何川舟最想不通的地方。

十幾年前，韓笑那時候才三十幾歲，誠然李凌松很有魅力，但韓笑真的會愛上這個比自己還要大一個輩分的男人嗎？

這件案子最困難的就是，誰也不知道誰是無辜的。究竟誰是最終的犯人，而誰又是被利用的。

何川舟斂下眼中的情緒，語氣禮貌地問道：「那麼，有什麼人能夠拿到您的這份手書？」

李凌松遺憾地說：「我想應該不少。」

何川舟眼睛周圍的肌肉抽搐了下，心下發涼：「您的意思是？」

「年輕的時候總會有各種興趣，也是工作相關，我喜歡了解各式各樣的人。所以我加入過不少興趣協會。」李凌松指向她手中的東西，「這個就是其中一種。」

他說：「有時候我會負責教教新人，另外，我在幫我的學生上課時，為了放鬆氣氛，也寫過不少卡紙。因為方便，我寫得最多的就是這幾首詩。上完課後，這些東西通常會由我的助理或者學生進行處理，他們丟到了哪裡，我沒有過問。」

「為什麼沒有落款呢？」

「又不是為了送人的。」李凌松失笑道：「何隊長會在自己的筆記紙上寫名字嗎？」

短短的時間內，連何川舟都開始懷疑自己。

面前這個男人無懈可擊，好像一切都跟他沒有關係。然而越是這樣，何川舟越不敢輕易排除他的嫌疑。

不顯山，不露水，他身上覆蓋著太神祕的味道。

「只是為了這首詩而已？」李凌松見她沉默，關心地問：「它很重要嗎？」

何川舟把紙放回去，又拿出另一個袋子，從裡面取出兩張照片，放到桌上。

照片是從側面拍攝的，頭髮灰白的老人停在路口的位置，等待紅綠燈的結束。他身邊還有幾位路人。這條街道位於繁華的地段，行人往來一向密集。

李凌松看清了，恍悟點頭：「的確是我。這還是我前兩天剛穿過的衣服……你們說的車禍，原來就是那一場。那位司機的確是意外事故吧？你們在查什麼？」

何川舟說：「是啊，好巧。您就那麼湊巧地出現在案發現場。車禍司機就是因為在看您所在的方向，才會闖紅燈。」

李凌松訝異揚眉，表情沉重起來：「她叫什麼名字？」

「韓笑。」

「嗯……」李凌松按著額頭苦思了一遍，嘆道：「我真的沒有印象。也許是我的某個學生？我對此深表遺憾。」

何川舟在他身上看不出任何端倪。

明明線索都指向這個人，他卻輕而易舉地把它們推了出去。如同一座潛伏的冰山一樣，讓人無法看穿。

何川舟語氣加重了一點：「這天早上，你為什麼會路過這裡？」

李凌松輕巧地說：「逛街。」

何川舟起伏的聲調表示了她的不平：「逛街？」

「我不能出現在這個地方嗎？」李凌松無奈道：「就算我出現在這個地方，我也無法保證車主會因為看見我而失事吧？何況，我為什麼要這樣做？這件事……我認為你們可以再思考一下。我不知道你們究竟想讓我向你們解釋什麼。」

何川舟也發現自己的態度過於偏激了，她低頭整理了下桌上的東西。

李凌松反而主動解釋道：「那天早上，我跟我兒子一起出去逛街，因為我前妻的生日快要到了，我們想挑一份禮物……我前妻的身體不好，臥床很多年了，醫師說可能堅持不了太久，我兒子希望她在臨終前能開心一點，才把我叫出去。在這之前，我跟我前妻其實不怎麼聯絡。」

是這樣嗎？何川舟心想。

李凌松已經把能說的都說完了，何川舟也不知道自己該問什麼。

李凌松理解道：「偵查的工作很忙吧，或許妳需要放鬆一下。」

何川舟深吸一口氣，視線掃過一旁的水果盤，裡面放了許多散裝的柳丁糖。

她本來想問，李凌松是否認識丁希華或是范安這些人，然而話到嘴邊的時候，還是猶豫了下，只問道：「介意嗎？」

「請自便。」李凌松笑道，「很多人都很喜歡這種糖。糖果這種簡單的東西，有時候能帶來很簡單的快樂。」

何川舟隨手摸了一把，放進口袋裡，朝李凌松點頭，「打擾了。」

這場談話幾乎毫無收穫，除了澈底幫何川舟的調查計畫打上一個大叉以外，沒有提供任何幫助。

她吐著濁氣從教學大樓走出來，在正午陽光的照射下微微瞇起眼睛，走向自己的車輛。

影影綽綽的樹影下，一道熟悉的身影背光靠在她的車身上，在汽車因為電子鎖解除而亮了下車燈後，轉過身朝她這邊看過來。

何川舟加快腳步，扯起淺淺的笑容，問道：「妳怎麼過來了？」

穹蒼把雙手插進口袋裡，顯得有些心不在焉：「閒著沒事，出來走走。我猜妳在這裡，就順便過來了。」

何川舟往她身邊看了一眼，揶揄道：「妳的小跟班呢？」

穹蒼尷尬笑道：「他可不是我的小跟班，請不起。」

何川舟明白：「吵架了。」

「沒有那種事。」穹蒼朝著那邊抬起下巴，詢問道：「怎麼樣？」

何川舟拉開車門：「先上車吧。」

穹蒼順勢坐上副駕駛座：「問出線索了？」

何川舟張開嘴唇，自嘲地吐出幾個字：「問了個寂寞。」

「他確實很厲害，能看穿別人，但是別人沒辦法看穿他。」穹蒼說：「雖然沒有實質的進展，但感覺呢？」

何川舟想起來：「還是有的。」

她往口袋裡一掏，把一顆糖果拋給穹蒼。

穹蒼滿意道：「果然還是有一點收穫吧。」

賀決雲一早回到自己的辦公室。宋紓還沒來得及高興群龍有了首，就發現自己這位頂頭上司的狀態不對，頓時滿心憂鬱。

不如不要來……不會還要他去揣測聖心吧？

宋紓把需要簽名的檔案整理了一遍。邊邊角角收拾平整，把文件依序排列好。確認連吹毛求疵的賀決雲不可能挑出他的錯誤，才拿著資料跑去找人。

宋紓敲門進去，把幾份文件擺在桌子正中央。

賀決雲背靠在椅子上，兩手置於腹前，雙目無神，魂不守舍，儼然一副老大爺憂傷人生的左派，隨口說了句：「放下就行了。」

一位大好青年就這麼墮落了，工作真是萬惡之源。宋紓心下感慨了一句，看不下去，催促道：「老大，這些文件比較急，你先簽了之後，我再拿去裝訂好，不然待會兒我還要跑一趟。」

賀決雲敷衍地道：「五分鐘後給你。」

宋紓急道：「老大，你認真一點啦！」

賀決雲身形猛地震了一下，迅速扭過頭，犀利地看向身邊的人。宋紓被他瞪得嚇了一跳。

「什麼叫認真？」賀決雲發起靈魂拷問：「你知道我一分鐘可以賺多少錢嗎？知道我一天可以賺多少錢嗎？知道請我當司機，需要付多少錢嗎？我有錢到連自己都害怕，我最昂貴的就是時間！如果拿金錢價值作為是否認真的標準的話，換算一下，我的付出絕對超過全國百分之九十九的人！」

宋紓差點被「錢」這個字砸暈了，他深深望了賀決雲一眼，確認是自己惹不起的瘋男人，默默拿起報告，想當作無事發生地逃離現場。

賀決雲一手壓住他的文件，炯炯有神地看著他。

宋紓接受到信號，憤怒朝外面叫道：「是誰！到底是誰又惹了我們老大！趕快站出來！把人給我治好了，我能既往不咎！」

賀決雲還沒抒發完畢，繼續追問道：「我難道不認真嗎？我每天工作纏身，有無數可以實現自我價值的事，可我還不是跟在她屁股後面跑？連去醫院點外送這樣的事，我都親力親為。她居然只把我當作普通朋友？」

宋紓很想哭著向他跪下，他發現自己犯下了一個不得了的錯誤：「我錯了，哥。你超認真的。尤其是對待感情。」

摻和什麼，都不能摻和一個直男的感情。

賀決雲越說越憤怒：「她要什麼樣的才叫認真？陪她一起共患難、分享貧窮？我太有錢難道是我的錯嗎？」

宋紓酸得牙癢癢。他也希望自己某天也能因為太有錢而感到煩惱。但現在，這不是他能理解的境界。

宋紓仰著頭，內心淌著淚，在那裡聽賀決雲發表屬於另一個次元的憤慨。然而賀決雲得不到回應，說了兩句就感到意興闌珊，開始進入賢者沉默時間。

宋紓安慰他一句：「女生嘛，都是這麼不講道理的。冷靜一下，說不定就想明白了。」

賀決雲瞇起眼睛，危險地看著他道：「你現在是要說她壞話了，是不是？」

宋紓震驚。

……好，你們男人現在都這樣了是不是？

何川舟在車上換了雙平底鞋，順口問道：「要去哪裡？」

「先去醫院吧。謝謝。」去醫院拿那束白玫瑰，現在是穹蒼日程表上置頂的事項。穹蒼覺得自己這輩子都忘不了那束清純的玫瑰花了。

何川舟不知道她的表情為什麼多出了兩分複雜，以為她是抵觸醫院，輕鬆地轉移了話題道：「李凌松給我的感覺很特別。」

穹蒼臉上的苦意消失了，唇角微微下壓，沉聲道：「坦誠、完美。」

何川舟點頭，帶著一絲凝重道：「我在見李凌松之前，先問了幾個認識他的人。李凌松從小家庭幸福，成績優異，備受關注。高中開始出國留學，學成後積極回國任職。認識他的人對他的評價都很高，包括他的前妻和他的學生。當然，他也不是沒跟人發生過矛盾，只是大部分都不嚴重，而且並不全是他的錯誤……總之，他的履歷和人生經歷，都說明他是一個出色、高尚、優秀的人。」

穹蒼沒什麼反應，淡然地看著窗外，瞳孔裡掠過一行行綠色的林蔭道。

關於李凌松的優點，方起起碼跟她說過十幾遍，比何川舟現在描述的要更具有藝術性的誇張。

李教授就是有這種吸引迷弟的魅力。

何川舟頓了頓，緩緩打過車輛的方向，問道：「妳覺得一個人真的可以偽裝一輩子嗎？甚至可以騙過天底下的人。」

從車窗外照進來的陽光，將她眉宇間的皺紋映成一道陰影，為她原本就英氣的五官增添了一股凌厲。

穹蒼聞言轉過頭，看著她認真道：「如果妳覺得是他，那就去查。說不定查著查著，就會出現其他人。何況，他確實不那麼清白。」

哪有這麼莽撞的調查方向？那他們李局長的頭髮大概要掉光了。

何川舟多瞅了她兩眼，失笑道：「他不是妳的親戚嗎？我以為妳會為他說兩句好話。」

「嗯？以我和他的關係，我的理智還不允許我偏頗。」穹蒼鼻翼翕動，哂笑道，「看來做我的親屬，也沒什麼好處。」

何川舟感慨道：「看來是真的吵架了。」

穹蒼有些恍神，而後搖頭道：「沒有，不算。只是我們對未來的理解出現了不同的認知。」

何川舟問：「妳的認知是什麼？」

穹蒼嘴唇囁嚅，腦子轉了一遍，無法回答這個問題，生硬地問道：「上次那個襲擊我的毒販呢？」

何川舟聞言，臉色立刻變得不太好看：「還在禁毒大隊那邊。那個人毒癮很嚴重，一直裝瘋賣傻。清醒一點的時候去審問他，他什麼都不承認。他說自己當時吸毒過量，上街後出現幻覺失去了意識，才會對妳發狂。已經不記得那時候做過什麼了。」

穹蒼冷笑了下，說：「他知道我是誰，他叫了我的名字。他是故意跟蹤我的。」

「沒有監視器畫面，無法證明。」何川舟瞥了後照鏡一眼，問道：「妳認識他嗎？」

穹蒼搖頭：「不認識，從來沒有見過。」

「沒關係。」何川舟說：「明天我就把他提過來，看看能不能撬開他的嘴。」

穹蒼眼神閃爍了一下，帶著些許的不確定道：「其實我有一個很大膽的猜測。」

何川舟就喜歡各種發散性的思考。她笑道：「說。」

穹蒼：「他當時叫住我，很激動地說我想害死他，他就殺了我。下手的力道十分強勁，殺意真實。結合他當時因為吸毒，大腦處於極度亢奮的狀態，他說的是內心的真實想法。想殺我的人是他自己，不是別人唆使。可是我根本不認識他，跟他應該沒有關乎性命的利益衝突。唯一一件姑且還算有交集的事情，大概就是……」

車輛從一座高架橋下駛過，陰影從車頭籠罩過來，像一張灰色的巨口將她們吞沒。

「范淮？」何川舟說出的這兩個字，讓安靜的車廂裡有種特別的震撼。

穹蒼沙啞的聲音在空氣裡顫動：「他當時的行為，差不多是當街行凶。這樣的舉動透著愚蠢，也毫無意義，與幕後人原先的行事作風完全不同。我認為這是他自作主張做的決定。或者當年，幕後人幫他嫁禍范淮，成功逃離法律的制裁後，也像離開韓笑等人一樣離開了他。這麼多年，他一直安然無恙，我的出現，讓他察覺到了危機，然而他已經沒有能求助的對象。加上毒品對大腦刺激，以及多年癮君子的陰暗生活影響，他在衝動之下，尾隨在後想要找我報仇……」

何川舟沒有說話，但眉間已經蹙起幾道褶皺。

那位「主動上門」的癮君子，會是范淮案的真凶嗎？

在他們的潛意識裡，那個人應該要更加神祕、聰慧、穩妥，才能避開那麼多專業人士的嚴密搜查，才符合他們對BOSS的印象。

結果，出現的居然只是一位肖似潑皮無賴的癮君子？還以如此可笑的方式隱藏在他們的視線下？

是的，他們似乎忽略了類似韓笑、梅詩詠等人，她們都不算是很聰明的人。劇本的撰寫者，要比真正的凶手可怕得多。

何川舟先前有過類似的猜測，但她沒有穹蒼那麼肯定，而一旦順著這個想法深入思考，她的大腦就開始翻湧起猛烈的風浪，將她原本持有的資訊和情報攪得粉碎，在空中重新組合。

何川舟聽著自己的心跳聲逐漸劇烈，思路在清晰與混亂中交織，想讓穹蒼繼續往下說，把事情條理地分析一遍，還沒來得及開口，掛在前面的手機先響了起來。

何川舟一邊放慢速度，找路邊停車，一邊戴上耳機，接通電話。

來電的是她手下的一位警員。

簡短的幾句交流後，何川舟掛段電話，表情也恢復了平靜。

「不急的話，先跟我去一個地方吧。」

穹蒼狐疑問：「怎麼了？」

何川舟嚴肅地說：「有幾位受害人家屬去了警局裡，說想要見我。」

穹蒼：「誰？」

何川舟道：「證人的家屬。」

丁陶（三夭化名）、吳鳴（三夭化名）、梅詩詠。已經基本確認這三位證人，都在當年幫范淮做了偽證，社會風向難免會受到影響，另外兩位證人的家屬，恐怕要坐不住了。

「在幾位證人裡，他們的證詞其實是最讓我在意的。」

何川舟調轉方向，踩著油門往另一條路開去，手指不住敲擊著方向盤。

「我跟他們接觸過，也做過多次調查。我覺得他們……的確沒有說謊。」

第三章　天才媳婦？

汽車在警察局前面的空地上停了下來。一個漂亮的甩尾，直接飄進停車位，穹蒼差點被何隊長收尾時的驚人車技甩到吐出來。

何川舟見她面色發白，驚訝道：「妳不習慣坐飛車嗎？」

穹蒼：「……這是什麼必備的技能嗎？」

何川舟肯定地告訴她：「是的。」

不會飆車問題不大，但不會坐車的問題非常大。

何川舟讓她搭把手，笑道：「下來吧。」

穹蒼踩到實地，瞬間感覺好了很多。

「來，這邊。」

何川舟帶著她，朝會客室匆匆趕去。

房門推開，裡面幾位紛紛望了起來。

這次來的其實是兩大家人，一共十幾位。兩邊親屬應該是互相間商量過，最後決定一起來警局說個明白。

他們的家人已經去世，死於非命，凶手至今還未對外公告。不僅死因未明，還要蒙受做偽證的指控，身為家屬他們無法接受。

何況他們也想知道，范淮究竟是不是被冤枉的。他們尊敬的長輩，有沒有犯下無法挽回的大錯。

「何隊長，妳來啦！」負責招待的警員不由大鬆了口氣，快步過來朝她介紹道，「何隊長，這邊是孫乾的家人。這位是孫先生的妻子。」

穹蒼的視線第一時間飄了過去。

孫乾，范淮案第一位死亡的證人。男性，六十三歲。

孫夫人如今已經六十幾歲了，這個年紀，保養得當的老人其實不至於顯得如此蒼老。可是她因為丈夫驟然離世，承受了一次巨大的打擊，導致原本還算健康的身體，宛如被抽去了精氣神一樣，快速憔悴下來。垂著的眉眼裡看不出多少生氣。

警員又指著對面座椅上的幾人道：「那邊是馬成功的家屬。他的兩個兒子和兩位媳婦。」

馬成功，范淮案第三位死亡的證人。男性，五十七歲。

何川舟與穹蒼，不著痕跡地在幾人臉上打量了一圈。這些人臉上並沒有太多戾氣，安靜地坐在位子上，坐姿端莊，看起來都是有禮貌的人。見兩人出現，他們臉上閃現些許的激動，但很好地克制住了自己的行為。說明他們來這裡，的確不是為了鬧事。

能和平對話就好，否則這樣一大群人，何川舟也要感到頭痛。

孫老太太一看見刑偵支隊隊長出現，立刻站起來，三步併作兩步朝何川舟走近。因為著急，她走得顫顫巍巍，旁邊的子女連忙伸手攙扶住她。

老太太的眼中有淚光閃動，用渾濁的雙目誠懇地看著她：「是小何同仁吧？這位同仁，我丈夫不可能故意做偽證呀！我仔細想了好多遍，我覺得真的是誤會！」

何川舟安撫地握住她的手，帶著她往桌邊走去，說：「不要急，先坐下。」

孫夫人被動地坐下，嘴裡還在反覆重申道：「沒必要害他，那麼年輕的小夥子，我們跟他無冤無仇的，為什麼要害他，妳說是不是？」

對面的人跟著點了點頭。

穹蒼關注著孫夫人臉上的每一個表情細節，憑她多年的生活經驗，找不出任何謊言的痕跡。倒是從她朦朧的眼睛裡，看出她是一個多愁善感的人。

孫乾家裡是開相機店的，但並不是什麼名牌專賣店。孫乾喜歡收藏相機，所以開了一家修理店，順便賣各種二手相機。

穹蒼看過的幾份資料，對於案情細節寫得不是很詳細，只知道孫乾的證詞，最終敲定了范淮劫財行凶的動機。

何川舟輕聲安撫著，讓孫夫人把過程再說一遍。

即便已經過去許多年，孫夫人依舊記得當年的每一個細節，因為在許多個午夜夢回的時候，他們都要忍不住再問自己一遍，他們當時給的口供說清楚了嗎？就那麼決定了一個青年的一生。責任太重了。

孫夫人用力吞咽了一口，緩緩說道：「我們家老頭，是個喜歡聊天的人，年紀越大話越多，每天不停嘮叨，經常拉著店裡的人聊天。那個年輕人，是我們的老顧客，他來店裡從來不買東西，因為沒有錢，但是他很喜歡往我們店裡跑。一放假就過來。看看相機啊，交流一下技術什麼的。老頭就跟他打聽，兩人說說閒話，我還笑他們像忘年交。」

孫夫人低下頭，神色黯然道：「那天晚上，他過來說要買一臺他看中了很久的相機，讓老頭先幫他留著。那臺相機七八成新，老頭子把壞的地方都翻新了，通常還得賣四萬左右，算他便宜一點。但那還是很貴，他一個學生哪買得起？老頭子就問了他一句，『小兄弟，你父母同意買相機給你了？』……」

她還記得那個意氣風發的青年，斜背著一個黑色書包，聞言笑了起來，瞳孔底下倒映著光彩。

「我沒跟我爸媽要錢啊。」

「那你哪來的錢？」

青年眨了眨眼睛，不正經道：「搶的啊，不然哪來的錢？」

穹蒼說：「你是在開玩笑的吧。」

「你這件衣服哪來的？」

「偷來的啊，要不然呢？」

年輕人對於無聊問題揶揄的回答，然而那並不代表他們的本意。如果范淮真的有劫殺的打算，絕對不可能在行動前那麼輕鬆地說出來。

孫夫人乾瘦的面皮一陣抖動，乾啞地說道：「我也覺得是開玩笑的。老頭子嘴快，說出來的時候就後悔了，覺得會給那個小夥子帶來麻煩。可是那天晚上，范淮確實背了一書包有點打溼的錢過來，還把帳結清了。」

何川舟一手按著她的背，回過頭朝穹蒼解釋道：「這上面主要是時間的問題。」同一天晚上，在距離店鋪不足一公里的後巷，一位記者被殘忍殺害。

生前她剛去銀行領了兩萬八千塊，經比對，正是范淮拿去結帳的現金。同時法醫驗屍確認，死者的死亡時間與范淮行動的時間完全符合，他有充分的作案時機。且范淮有二十分鐘的空白時間無法得到證實。再加上其餘證人的證詞。多道箭頭一齊指向他，最終法官判定了他的犯罪事實。

孫夫人又要站起來，向穹蒼證明道：「我……當時警察問了，我們沒多想，就說了出來，但我們沒有說謊，也沒有加油添醋。那天他們對話的時候，我就在店裡，我是親耳聽見的！我一把年紀了，半隻腳都在棺材裡，我不能做那樣昧良心的事！」

穹蒼半垂下眼皮，聲音發沉道：「范淮說那筆錢是他自己賺來的。」

何川舟讓老太太先坐下，一面補充道：「無法解釋的是為什麼會有兩萬八千塊那麼多。」

范淮說他幫那個記者跑過兩次腿，但沒道理可以拿到那麼高的酬勞，公司那邊也沒拿到記者的報銷單。所以警方沒有取信。

穹蒼也知道范淮的許多解釋根本沒有證據支持，因此當年才會被判故意殺人。

事情發生得太巧合了，偏偏是那一天，大雨滂沱，沖刷了地上的腳印和凶手的痕跡，使得案件偵查只能更多的依靠目擊證人的口供。

而現在，所有證人又都死了，還有誰能來還原當年的真相？

「我們這邊……其實有點事情要補充一下。」馬成功的幾位家屬，有些猶豫地舉起了手。

何川舟向他們做了個邀請的手勢，並示意旁邊的警員再去換幾杯熱水過來。

兩位兄弟轉頭對視，互相用手肘推搡了一下，無聲的交流過後，最後決定還是由左邊的大哥發言。

青年舔了舔嘴唇，帶著點緊張道：「其實……我爸不是故意的。」

何川舟立刻警覺起來。她朝著青年走過去，又停在一個合適的距離，單手撐在桌上，以免給他太大的壓力。

「我也不知道是不是，我只是把我爸念叨過的話告訴你們，畢竟已經很久了。」

青年擦了下鼻子，一面回憶一面緩慢道：「那年，我大學畢業回來找工作，因為一直都找不到，有點心煩。我和我爸在二樓的陽臺談心，當時已經是晚上九點多了。外面的雨下得很大，被風澆進來，我坐在床上，我爸一個人站在窗臺旁邊淋雨，他的心情也不是很好。」

因為事情發生得過於久遠，他的表述不是那麼的有條理。

「正當我們兩個人聊著天，他突然看見一個男人從巷子裡衝出來。那個人穿著一件寬鬆的帽T，應該是白色的。還穿著一件不太緊身的褲子，背著一個比較大的方形書包。」

老太太在對面附和道：「褲子還是學校的制服，衣服的正面寫了一個很大的字母。」

馬先生愁著臉道：「我爸沒看清楚字母，反正大致的細節都跟大家對上了。我們那個社區又舊又小，好幾年了，又不能拆遷，只能那樣。那邊的路燈很昏暗，壞了好幾個，我爸又有點老花眼。他當時看看見人在雨裡跑，就大叫了一聲，那個人被他嚇了一跳，回過頭來看他。我爸說他看見對方眼睛的位置有一點反光，覺得那個人應該是有戴眼鏡的，但是他又不敢確定。第二天警察過來問話，他才知道，原來昨晚，那個地方有人死了。」

警員端著溫水走過來，放到他面前，並將原先已經空了的杯子換走。馬先生朝他點了點頭表示感謝，端起來喝了好幾口。

何川舟面上籠罩著一層陰雲，她十分確定地說：「證詞裡沒有提到任何跟眼鏡有關的線索。」

馬先生忙放下杯子，解釋說：「因為他沒看清楚，另外四個人都說范淮是沒戴眼鏡的。其中一個男的告訴他，不確定的事情就不要往外說，可能那只是他的錯覺。他也覺得有道理，就默認是自己眼花。」

可惜的是，大家都錯了。一起設計完美的栽贓案，現場附近唯一真實的目擊證人，卻被洗腦隱瞞了證詞。

馬先生扯扯嘴角，苦澀笑道：「他就出庭做了一次證，不得好死了。我爸真的沒什麼壞心思，他只是個老實人。你說他說謊害人？不是的。不過現在也講不清了……」

孫夫人情難自控，想到這些糟糕的事情，忍不住要哭出來。她用紙巾捂著嘴問：「那個年輕人真的是被冤枉的嗎？」

何川舟頓了頓，回答說：「目前還沒有明確的證據，我們正在調查中。」

雖然她是這樣說，但眾人還是從她的語氣裡聽出了偏向性。

「怎麼會有這麼壞的人啊？這誰能想得到？」老太太埋頭抽泣，「那殺了我們家老頭子的人到底是誰？是那個小夥子嗎？妳說這應該要怎麼算？我都不知道該怪誰。」

對面馬成功的家屬同樣心緒複雜。

一場因錯誤的開端而牽連起來的仇殺，讓怨恨與愧疚交織在一起，變得無處安放。他們已經不知道應該要以什麼樣的心情去面對當年的受害者、如今的施害者，只感覺胸口堆積著重重的一層苦悶，永遠也無法紓解。

會客室的空氣黏稠得像一潭黑水，讓眾人身處其中難以呼吸。

何川舟閉上眼睛，長長吐出一口氣，黑暗的世界裡閃過無數零碎的畫面，在她睜開眼的同時，又被面前明亮的場景替代。

她一步步走到桌子側面，抬起頭，低沉而清晰地吐字，告知在場眾人。

「馬成功與孫乾的案件目前還在調查中……但基本確認，凶手不是范淮。」

幾人俱是驚訝地看向她，想從她的臉上看出玩笑的痕跡。

何川舟說得很緩慢，在眾人不敢置信的目光中，又重複了一遍：「范淮沒有殺過人，他一直在等待真相。」

老太太擦眼淚的手僵在半空，在明白背後的意思後，胸腔快速起伏，從喉嚨裡發出數聲顫抖的哀鳴。她身邊的子女抱著她，讓她冷靜。

窗外晴朗的陽光也無法驅散現場的陰涼。眾人彷彿回到了當年那個森冷陰晦的雨夜，在一片不真實的回憶中，看著范淮一步步走向黑暗的世界。

幾位家屬精神都很恍惚：「怎麼會這樣啊……這個……」

然而，比起對范淮懷有恨意，他們更願意用餘生去接受這種強烈的愧疚，大概是，沒有逼迫一位青年走上歧途的慶幸。

對一個不幸的人仍能擁有未來的慶幸。

何川舟抹了把臉，褪去所有表情，保持著冷靜道：「麻煩幾位去確認一下筆錄。因為直接證人都已經遇難，你們的證詞非常關鍵。」

幾人木然地聽從，渾渾噩噩地起身，在警員的引導下，走出房間大門。

會客廳重新安靜下來，很快只剩下何川舟跟穹蒼兩個人。

何川舟踱步到她面前，靜靜看著她。

穹蒼聲音很輕，幾乎聽不真切：「等待真相，是指社會的認同嗎？」

何川舟認真思考了下，說：「不，我認為，是對自我的堅持。」

追求社會的認同永遠沒有正確的道路，因為在社會上大聲發言的人在不斷變化，隨之漂流終究會因為失去目標而迷失自我。

穹蒼笑了一下，說：「對，范淮是一個很堅強的人。」

那大概是江凌對他的祝福，所以他可以堅定地追逐自己的未來。

穹蒼低頭解開大衣的扣子，將領子往下扯了扯，笑說：「我要去醫院拿花了。希望那束花也能堅強一點。」

何川舟攬著她往外走：「先吃個飯吧，都中午了。晚點我送妳過去。」

穹蒼的期望最終還是落空了。她來到那間已經被整理過的病房時，只看見了空蕩蕩的窗臺，而沒有那束白色的，經過命運掙扎的玫瑰花。

「啊，那束花啊？」打掃阿姨尷尬道：「因為你們已經走了，那束花也有點枯萎了，我以為你們不要，所以清理掉了。」

穹蒼有種頭頂響雷的感覺。

完了，賀哥的少女心……

沒了。

清潔人員見她臉色嚴峻，跟著緊張，聲音到後面越來越輕：「怎麼辦？我今天早上就收了。他們說妳不住院了，我才收拾掉的。」

「沒什麼。」穹蒼擺擺手說：「算了，沒事，妳去忙吧。」

阿姨還是很忐忑，畢竟這是他們老闆家的人。一步三回頭，確認穹蒼沒有要追究，才漸漸消失在走道。

「這要怎麼辦啊？」穹蒼嘀咕了一聲，晃著腳步去了醫院外的花店。

她本來想仿製一束類似的作品，好瞞天過海，又怕到時候被賀決雲認出來，來個罪加一等。經過了一番良心的掙扎與風險的考量，她最後決定買最貴的、最好的、最大朵的，包一束起來，帶回去。

何川舟很忙，將她送到醫院後就先離開了，穹蒼需要自己抱著那束包裝浮誇的玫瑰回家。

為了不讓花在運輸的過程中被碰傷，穹蒼特地為它買了一個大包，這樣還能彰顯它的尊貴與自己的謹慎。做好各種準備後，穹蒼終於可以安心了。

一個小時後，穹蒼提著個大包出現在賀決雲家門口，彎著腰解密碼鎖。剛打開門，碰巧賀決雲從樓梯裡出來，與她碰上。

賀決雲看了看她手上的行李，又看了看半開的大門，腳步挪動擋住了樓梯口，生氣道：「怎麼了！才說妳兩句，居然還離家出走了？」

穹蒼把門拉大了一點：「……我剛從外面回來。」

「哦。」賀決雲臉色就跟暴雨驟晴一樣，變得極快，迅速恢復了平靜。他一指裡面，說：「進去吧。」

穹蒼小步邁進門，賀決雲跟著上來。她才剛在玄關處脫完鞋，一回頭發現賀決雲動作俐落地把門反鎖了。

穹蒼：「……」這倒也不至於吧？

怎麼感覺那麼像凶殺現場呢？

賀決雲乾巴巴地問：「妳今天去哪裡了？」

他說出口發現自己的問題十分生硬，像是找碴，怕穹蒼真的扭頭出走，於是又哼了一聲：「算了，不想說就算了。」

穹蒼：「……」我也沒說拒不配合。

她主動解釋道：「我剛才去找何隊長了。」

賀決雲：「哦。」

男人說哦的時候，就說明事情沒完。——by 穹蒼的直男解讀語錄穹蒼字正腔圓地吹捧道：「因為看見你正辛勤地工作，我的內心也燃起了一股動力！為了向你學習，我去找何隊長做了點正事！」

賀決雲聞言臉色快速黑了下來，默默將外套脫了，掛到一旁的架子上。

這是在嘲諷他吧？是吧？他也就偶爾請個假吧？哪有那麼不務正業？

穹蒼也發現，比起誇獎，她似乎更適合陰陽怪氣和冷笑話。就非常不合適。

穹蒼咳了一聲，趕緊把包包遞過去，挽救道：「送你一樣禮物。」

「送我一個包包？」賀決雲皺著眉毛茫然了下，然後道，「妳真以為包包能治百病？」

穹蒼：？

賀決雲抓重點的角度總是如此新奇，且層層遞進。他沒給穹蒼解釋的機會，自己的臉色又一次變化，再度陰沉下來，質問道：「妳是覺得我有病？」

穹蒼：啊？

穹蒼陷入了今天不知道第幾次的沉默。她第一次期望自己能再多長一個腦子，好分析出賀決雲的行為模式，否則也不至於看誰都像個傻子。

不過好在賀決雲的病不嚴重，可以實現自我治癒。他的脾氣跟風一樣來得快去得也快，下一秒，身體就很誠實地把那個雜牌包抱在懷裡，走向客廳。

穹蒼忍不住提醒他說：「主要是裡面的花。」

賀決雲愣了下，把包放在茶几上，拉開拉鍊，從裡面抓出一捧保存良好的白色玫瑰花束。

穹蒼用重音強調每一個重要的詞語：「我今天，特地，去醫院拿花。可是打掃阿姨已經把東西處理了，所以我重新買了一束新的。你喜歡嗎？」

賀決雲心裡吼叫了一聲。

他喜不喜歡有什麼用！這花本來就是送給妳的啊！

怎麼會有這麼本末倒置的事情？怎麼能有人想出這麼多辦法來氣他？

賀決雲抬手按住額頭。這感覺好像一拳打在了吸滿水的海綿上，不僅使錯了力，還把自己滋了一臉水。

造孽啊。

「這根本不是花的事。」賀決雲不知道該哭還是該笑，自己在內心世界互搏了一番，最後只無奈地揮了下手說：「算了。沒事，就這樣吧。」

穹蒼今天才剛用同樣的話敷衍了扼殺過她希望的打擾阿姨，沒想到這麼快又從賀決雲身上得到了同款寬恕。

她對賀決雲賦予同情的一眼，並默默走回房間。

做完這些後，賀決雲就回書房工作了。

今天在公司，他沒幹多少正事，還差點被宋紓威脅說要投訴。那時候塞了滿腦子稀奇古怪的東西，回到家反而放鬆了一點。

他把今天沒處理完的文件和提案全部看了一遍，然後敲著鍵盤辛勤地寫報告。拖到晚餐時間的時候，賀決雲伸了個懶腰，感到腹中饑餓。他忘了自己還在跟穹蒼生氣，習慣性扯著長音問道：「穹蒼，妳要吃什麼！」

正坐在客廳裡安靜看書的穹蒼受寵若驚了下。她抬手看了時間一眼，發現才過去四個小時，聽聲音賀決雲已經無恙了。

她放緩腳步，躡手躡腳地走到書房外面，將門推開。

賀決雲回頭瞅了她一眼，滿臉莫名其妙。

穹蒼觀察他的臉色，試探著問道：「今天工作開心嗎？」

「啊？」賀決雲說：「工作哪有什麼開不開心的事？」這孩子是傻了嗎？

穹蒼：「你不生我的氣了嗎？」

不問還好，一問賀決雲又感到一陣心梗。他憋了一會兒，半晌後說：「跟妳生氣有意思嗎？妳都不知道我為什麼生氣。」那語氣頗為恨鐵不成鋼。

穹蒼沒有靈魂地跟了兩句：「對，別氣壞了自己的身體。」

賀決雲用力瞪了她一眼，然後繼續低著頭點外送。

穹蒼這才大膽地走進去，反手關上門。

賀決雲想起正事，端正坐姿，提醒道：「今天有新證詞的事，何隊長傳給我了。但這種類似二手消息的證據……如果沒有更直接有力的發現，還是不能抱太大希望。」

穹蒼有心理準備，不至於那麼天真。她只是奇怪道：「你們有在做范淮的副本？」

「是啊。發現案件有隱情後，我們一直在完善。三天的技術在協助完成場景還原進行反向推理有很大作用。經常會和懸案合作。」賀決雲擺弄著面前的電腦，有一下沒一下的敲擊頻率證明他不是那麼專心，「當時屍體發現得太晚，警察趕過去的時候，現場痕跡已經被雨水和附近的居民破壞了。我們依靠技術修正了一部分，但因為資訊太少，還是有很多錯漏的細節，只能慢慢補充……」

穹蒼細細聽著他說，片刻後點了點頭，並朝他露出微笑。

她的手橫過去撐在賀決雲的椅背上，彎腰看螢幕的時候自然地壓下上身，貼近面前的人。

這種距離，賀決雲能聞見她身上淡淡的沐浴乳的香味，他用餘光瞥了下，小聲嘀咕道：「又幹什麼呢？整天就知道縱火，不知道負責。渣。」

穹蒼：「……」所以怨念是不會消失的，對嗎？

第二天早上，穹蒼醒來的時候，賀決雲已經出門。他離開的聲音很小，竟然沒吵到人。

穹蒼隔著門板聞到了香味，迷迷糊糊地醒來，穿上拖鞋到廚房查看，發現灶上正溫著一小鍋高湯，旁邊還有一盤包好的生餛飩，另一個鍋裡，連水都盛好了。

賀決雲在砧板上留了張便條紙，叮囑她另開一鍋燒開水，下餛飩煮熟後再把餛飩倒進湯裡。

明明是很簡單的一個步驟，賀同學卻很有理工男風格地寫出每一道程序，且在最後貼心地為她提供了執行失敗後，可以呼救重來的外送電話，費心地把她當作一個毫無生活常識的人對待。

穹蒼一大清早被他樂醒了，抬手揉了把臉，拂去一身的倦意。

廚房的玻璃窗沒關，帶著清新味道的晨風從外面湧了進來，撲打在她的臉上。

穹蒼低頭數了數餛飩的個數，腦海中冒出半個小時前的畫面——賀決雲就站在相同的位置，佝著腰，婆婆媽媽地寫注意事項。寫到一半，或許還會記起昨天沒能發洩出去的怨氣，然後不滿地嘟囔幾聲，最後恨恨將內容補完。

這樣的生活應該很普通、很平和，然而在穹蒼記憶裡出現的次數卻屈指可數。江淩離開後，就沒什麼人會關心她的生活起居了。

穹蒼關掉火，恍惚地站了會兒，隨後將心底生出的那點感慨壓下，把紙條對折起來，打算拿去扔了。她已經走到垃圾桶前面，伸出手的時候莫名打了個寒顫，猶豫不到一秒，又把便條紙收了起來，拿回房間，壓在一本書裡。

算了。他們老賀家的東西，都先存著吧。

防盜門前的女士摘下墨鏡，露出一雙明亮靈動的眼睛，朝著樓上微微一掃。她眼尾上挑，明眸善睞，明明只是一個很尋常的動作，因為她那張明豔動人的臉，顯得有種高雅的風情。

下一秒她翻了個白眼，用細白手指上掛著的鑰匙，在感應門上隨意刷了一下，然後推門進去，清亮的嗓音還不停地說著數落的話，稍稍破壞了這一道風景。

「你怎麼不想想呢？人家為什麼要投訴你兒子？你有關心過他嗎？送過溫暖給他嗎？知道你兒子為什麼不想上班、為什麼沒動力嗎？一回來就找事，真拿你兒子當社畜啊？」

對面的人在她無情的嘲笑下，只能選擇默默承受。

「幹什麼不說話？兒子是我一個人生的，是吧？小時候我管他，現在長大了，你來搶收教育成果，你已經占便宜了！你找他麻煩不就是打我的臉？你到底對我有什麼不滿？」

對面的人咋舌了一聲，急急反駁道：『我沒有！妳到底在扯什麼東西？我也是陪著他長大的，怎麼就搶收了？』

婦人音調高了一度，然而那軟軟的聲音聽起來不像是有多生氣：「那你就是說我過度發揮，沒事找事啊？」

電話對面的男人被噎了一口，認清現實，再次進入一棍子悶不出個響的龜縮狀態。

電梯降了下來，貌美的婦人對著裡面的鏡子，仔細理了理自己散落下來的瀏海，滿意地勾起唇角。

真是漂亮死了！

然而她並不想把自己的好心情傳達給對面，不客氣道：「看到了沒？做事這麼不講道理，討不討人厭？你就是這麼對我兒子的！我告訴你，如果你非要胡攪蠻纏，挑我跟你比比。」

對面的人弱弱道：『誰要和妳比這個啊……』

婦人不耐道：「好了，我要進電梯了，跟你吵真沒意思！」

半分鐘後，電梯上升起到她指定的樓層。賀夫人邁著長腿走出來，停在門前，特地按下一旁的門鈴，等著裡面的人出來。

她把包包從左手換到了右手，又從側背換成了拎起，連續按了好幾次門鈴，在耐心告罄時，才終於等到了開門的人。

賀夫人昂著下巴，不滿地問道：「怎麼現在才出來呀？」

穹蒼低聲說了句：「不好意思，剛才在陽臺，沒聽見聲音。」

賀夫人在發現來開門的人居然不是她兒子的時候，表情愣了愣。待看清是穹蒼後，那高傲完美的臉上，出現了一絲明顯的裂縫。

她先是摸了摸自己的臉，又定定在穹蒼臉上看了幾秒，表情中的裂縫逐漸拉大。

穹蒼覺得自己能理解。任誰在兒子家裡面突然見到一個陌生人，都會有種白菜沒了的感覺。

賀夫人緩緩伸出手，在穹蒼準備回應的時候，一把抓住門把，將門關了回去。

穹蒼：？

沒過一會兒，敲門聲再次響起。

穹蒼快速把門拉開，朝外面的人點了點頭。

「不是妳開門的方式不對。」穹蒼告訴她，「這裡的確是賀決雲家。」

賀夫人已經控制過表情，她聞言笑了兩聲：「呵呵……呵呵……」

可能她發現這種笑聲一點都不貴婦，於是聲音突兀地卡住了。

她無聲地清了清嗓子，抬起頭的時候再次掛起笑容，只是這次不管怎麼看，都帶著一點尷尬。

穹蒼側過身，平靜地說了一句：「請進。」

她也有點茫然，但她情緒一向不善外露，起初的驚訝過後就是勇於抗住一切的硬頭皮。

賀夫人步伐邁得很小，問道：「決雲不在嗎？昨天公司的人說他最近都沒去上班。」

穹蒼心想，你們家長得知消息的速度也太慢了吧？

「前兩天他有事請假，昨天已經回來上班了。」穹蒼補充了一下，說：「我受了點傷，所以他送我去了趟醫院。」

賀夫人善解人意地說：「應該的，應該的。我理解，妳沒事就好。妳現在還好嗎？」

穹蒼：「……謝謝關心，沒事了。」

兩句話的功夫，兩人已經走到客廳的沙發前面。

賀夫人選了旁邊的位子坐下，動作間有點緊張的感覺。然而穹蒼也不在狀態，所以沒發現她的不對。

穹蒼端了一些水果跟飲料給她，賀夫人含蓄地抬手一擋，表示自己不用。

兩人對坐，視線交錯。盯著對方看也不是，四處飄蕩也不是，氣氛詭異得令人頭皮發麻，連手腳也無處安放。

賀夫人畢竟是老江湖，她想了想，翻開側面的包，從裡面摸出一本冊子和一支筆。

穹蒼無法保持淡定了，繃緊身上的每一塊肌肉坐得挺直，眼睛朝對方的筆下窺覷。

她熟，她懂，這套路她如雷貫耳，連後面的發展她都明明白白。

賀夫人邊寫邊用餘光打量她，在紙上塗塗畫畫了好幾筆，都不是很滿意，最後重新撕了一頁，填完金額，猶豫不決地遞給她。

不知道賀決雲值多少錢。

穹蒼激動地往上面一看。

居然有七個零。

一個賀決雲就值一千萬。不愧是他。

穹蒼眼睛都要看花了。

賀夫人時刻觀察著她的表情，一見不對，馬上開口：「妳叫穹蒼……是吧？我在三天見過妳，還跟老賀聊過呢。就是沒想到我兒子能……那個……哈哈……」

穹蒼把東西放到桌上，對被她省略掉的幾個詞很在意。

賀夫人挪到她的身邊，溫柔地摸了摸她的手，摸到穹蒼都要發毛，才帶著歉意道：「我不知道你們的情況，今天心血來潮過來的，也沒準備個見面禮。」

穹蒼就是腦子搭錯線，也能接受到她快要電出火花來的訊號，艱澀地想要同她解釋。

然而她斟酌了一下，發現自己的確不是那麼清白。

賀夫人根本不給她說話的機會，摸完手又去攬她的腰，激得穹蒼往旁邊躲了一下。

賀夫人有點遺憾，還是慈愛地道：「我現在只能給妳一些零用錢。不多，不夠再找我兒子要。我知道妳這樣的人都不在乎錢，所以千萬不要誤會，這只是意思意思。我們老賀家就有個破錢而已，妳不要介意。」

……妳認真的嗎？

穹蒼正直面人生中最迷惘的時刻，賀夫人則是喜難自禁，迫切地想找人傾訴一下自己的快樂。

她把水果盤跟飲料推到穹蒼面前，又一次順勢摸了把她的手，笑道：「我先去打個電話啊，妳慢慢吃。」

賀夫人快速起身，扭著纖細的腰肢，邁著歡喜的腳步，急促地衝往陽臺。待來到那個獨立的小空間後，反手關上厚重的玻璃門，同時熟練地拉了個多人通話。

被拉進來的賀家父子倆已經習慣，隨意吱了一聲就不再說話，耐心等待賀夫人的發言。

賀夫人這次異常寬容，沒跟他們計較，嬌笑著說道：「決雲啊，我現在在你家裡呢。」

『哦。』賀決雲正在工作，不過腦地給了個回覆。等手指無意識地把這句話敲在電腦上，呈現在自己眼睛前，他才反應過來，聲音開始顫抖，問道：『妳說哪個家？』

「當然是你經常住的那個狗窩，不然我去幹嘛？看看你房間裡的灰塵啊？」賀夫人知道他剛才走神了，不過沒有在意。她側身靠在窗臺上，單手穩住自己被風吹拂的碎髮，依舊好心情地說：「沒想到你這棟狗窩，都能藏得住嬌妻，但是為什麼要委屈人家女孩子？你是沒錢嗎？我跟你說，你再不展現一下自己的優勢，是會被人甩掉的！」

賀先生茫然地問了句：『藏什麼嬌妻啊？』

「我看見他的女朋友了！」賀夫人終於聽見期待已久的問題，聲音因激動而變得尖利，「穹蒼啊，就是穹蒼！我之前跟你說過，那個哪裡都好的女生！你兒子真靠著假公濟私，把漂亮女孩帶回家了！」

賀決雲急到撓頭：『什麼啊？不是！』

賀夫人深吸一口氣，望著遠處的渺渺山影，感覺人生已經無憾：「你兒子單身這麼多年，不僅要求多，脾氣還怪，性格又那麼直男，我以為他一輩子就這樣沒救了。沒想到，人家高智商的天才，真的不走尋常路，喜歡傻白甜！」果然兒子只要養久了，總能遇到那麼一兩個驚喜。

賀決雲聽得額頭青筋突突直跳。

這是親生母親嗎？這得是世仇吧？

賀夫人又是遺憾一嘆：「就是我沒準備，不知道她在這裡，所以沒帶見面禮，覺得有點丟人了。」

賀先生只聽了半截，當即同仇敵愾道：『誰敢說妳丟人！』

賀夫人淡淡道：「我自己。」

『……哦。』

賀夫人低頭看著自己的指甲：「所以我給了她一千萬，我怕給多了，她不敢收。」

賀決雲吼了聲：『媽——』

賀決雲的魂都要被她嚇出來了，心想自己的問題還沒解決，親生母親又來插上一刀，他命還能在嗎？

宋紓耳朵異常靈敏，聽見這一聲驚呼，立刻跟鬼一樣從窗戶後面飄了出來，透過百葉窗的縫隙，朝裡面露出陰森森的笑容。

賀決雲滿腔苦意被壓在舌根處，一時間有種來日無多的痛苦感悟，他過去把窗簾拉上，同時把大門反鎖，確認沒人能進來打擾，然後打開窗戶，站到窗臺前面。

賀夫人在那邊滔滔不絕地演講，邊說邊笑，興奮之情溢於言表。

「你叫什麼叫？我還沒說你呢。要不是我突然過來，你是不是不打算告訴我？你藏得夠深呀！媽媽能批評你嗎？智商那麼高，人品又好，長得漂亮還不慕名利的女生，要去哪裡找？」

賀決雲頭痛道：『媽，妳太誇張了，沒有的事。妳先回去，好嗎？』

賀夫人還在激情暢想，只恨天空不夠高遠：「我們老賀家的基因改造，這是要登峰造極了呀！到時候生個智商一百八的孩子，我幫你帶！奶奶疼他！」

賀決雲被她氣笑了，冷笑道：『哪來的智商一百八？開什麼玩笑？妳是想生個達文西啊？』

賀夫人十分通情達理：「我也沒把希望放在你身上，你不需要有太大壓力。」

賀決雲哭笑不得，捂著額頭絕望道：『媽，妳真的別鬧了。』

賀先生不在狀態地問：『啊？真的嗎？』

賀夫人一聽他說話就來氣：「什麼真的假的？人家現在都已經同居了，你到底在聽什麼？我就說你不關心你兒子。這種時候，能不能把你手頭上那破工作給我放下！」

賀決雲再次請求：『媽，妳先離開我家好嗎？我們的關係不是妳想的那樣！把錢也拿走，妳這樣莫名其妙往人家手裡塞一千萬，讓她怎麼想？』

「那是哪樣？」賀夫人皺眉說：「兒子，我跟你說，賴上去就對了。她不能睡了你又不負責。老賀家的人很傳統的！」

賀決雲萬般心緒化作熟悉的心梗。

賀夫人苦口婆心道：「我知道她不缺錢啊。人家智商那麼高，還能在大學當講師，講師才多少錢，說明她淡泊名利。可有什麼辦法？你擅長的就是有錢啊，你們這貨不對板，除了靠錢，只能靠不要臉。我不是很信任你的實力。」

賀先生這時候再次跳出來說：『爸爸支持你！』

賀決雲站在高層辦公室的窗口，吹著高處不勝寒的冷風，有種想把手機扔下去一了百了的衝動。

賀夫人說：「媽媽給了你一張英俊的臉，現在就缺一個聰明的小腦袋了。」

賀決雲放棄抵抗，語氣涼涼道：『不是小天才，妳就不喜歡了啊？』

賀夫人皺起的秀眉宛如受到了侮辱：「你不要胡說，你這叫過度發揮！你不是小天才，我也沒瞧不起你。」

賀先生感慨道：『你們想得真遠。婚禮酒席都沒商量好，怎麼就跳到第二代去了？』

賀決雲：「……」您想得才是真遠。

賀夫人發洩了一通，心情終於冷靜下來。賀決雲在對面不停地催促她離開，猶如一臺劣質的答錄機，她不耐地應付了兩聲，表示自己知道了。

三天總部離這間房子很近，賀夫人知道如果自己再不走，賀決雲得親自殺回來，到時候這人拉著她不停吵吵，會嚴重影響她在穹蒼心中的形象。

賀夫人拿出粉撲補了個妝，又對著小鏡子多看了兩眼，確認自己完美無瑕，才重新擺出貴婦的姿態，朝客廳走去。

穹蒼正坐在沙發上看書，見她出來，起身頷首表示禮貌。

「打擾到妳了？」賀夫人發覺她的拘束，意識到自己的不請自來的確影響到了穹蒼，兩人的見面時機不是那麼合適。她眼中的柔情幾乎要化成水，體貼地說：「我先走了，順路去看看決雲，妳該做什麼就做什麼，不用送我。」

話雖這樣說，穹蒼還是親自送她去了門口。

兩人維持著最體面的客套，將道別的流程來回拉鋸了五六次，直到銀色的電梯門在中間關上才結束。

穹蒼鬆了口氣，僵持許久甚至已經酸澀的臉部肌肉終於得以緩解。

她回到空曠的房間，看著明明與以前完全一致的場景，大腦陷入短暫的空白，忘記了自己接下去要做什麼。

過了大概一兩分鐘，她遲緩地從愣神中回過狀態，彎腰重新拾起那張價值一千萬的白紙條，兩指捏著感受了一下，然後帶著複雜的心情，拿去放在賀決雲的書房，用滑鼠壓住。

遺憾。可惜。

她依依不捨地離開了書房。

穹蒼不知道這時的賀決雲，是不是正躲在監視器後面偷看她。她回自己的房間拿了件外套，整整齊齊地穿好，然後筆挺站在鏡頭前，跟接受檢閱似地敬了個禮。

這一幕顯得有點滑稽，以致於穹蒼自己也笑了出來。

她今天原本的打算，是去范淮的案發現場實地勘查一遍，被賀夫人的突然到訪稍稍打亂了下計畫，不過影響不大。現在時間還早，她去一趟趕得及。

路過鞋櫃的時候，穹蒼吸取了上次經驗，順手帶上靠在門口的雨傘。

就算不能擋雨，還能遮個太陽。

確認一遍沒有物品遺留，穹蒼就輕裝簡便地出門了。

第四章　李氏父子

穹蒼才剛出門沒多久，天空就被一朵巨大的雲遮蓋。太陽縮進了烏雲，投下一片陰影。

她叫了輛計程車，說了地點後，閉目靠在座椅上等待。

范淮事件的案發地點，位於市區邊緣附近的一個商業區。經過多年發展，周圍已經有比較成熟的商業街區，加上附近有幾間高中，人流量還算比較穩定。但在十幾年前，這個地方只是一個新興的經濟發開區，並沒有如今這麼受歡迎。至今仍有不少老式建築存在，可以看出當年的冷清。

在繁華街道的背面，就是各種年久失修、道路交錯的老樓房。

穹蒼付了車費，順便在街邊的一家小花店裡買了幾枝白菊花，隨後沿著蜿蜒曲折的小巷走進去。

手機定位面對這種複雜細緻的地形也失了功效，穹蒼看著毫無規律的分岔路口，有點分不清方向。

這一塊老城區的規劃不是非常合理。許多房子前面沒貼門牌號，或者明明是臨近的房屋，因為一個轉角，門牌就出現了大幅變動。

她在社區裡逛了半個小時，加上地圖的提示，才終於熟悉了幾個關鍵地點，及其互相間的路線。

——孫老太太家開的相機店、馬成功的老宅、穿著與范淮相似服裝的男子的出現地點，以及受害記者的死亡現場。這幾個位置，奇異的，並不在同一個方位上。

穹蒼在腦海中規劃出這片社區的空間圖，各種長短不一的線條交織在她眼前，最終拼接成一副比地圖軟體更為直觀的平面圖。

穹蒼用傘尖在半空虛無的地圖上連接幾個地點，並導向主街區的出口，她看著最終曲折交叉的幾條線條，露出個似笑非笑的表情。

旁邊一位上了年紀的老太太搬著小板凳坐在門口晒太陽，一直看著她莫名其妙地駐足、遠望、揮雨傘、怪笑，內心升起一股對傻子的同情。

怪可憐的，年紀輕輕。

她見穹蒼還要繼續往裡面走，出聲叫住了她：「妳要去哪裡啊？」

穹蒼這才注意到她的存在，朝前一指，說：「前面。」

「前面有人家在裝潢，路被沙子堵住了，不能從這裡過。」老太太搖著手，帶著濃郁的鄉音提醒道：「再往前的地方，以前死過人，又凶又荒，路早就被封起來了，妳是不是想去那裡啊？要從旁邊繞才行。」

穹蒼朝她所指的方向看了一眼，並沒有馬上過去，而是傘尖點地，走近與她閒聊道：「婆婆，您在這裡住了很久嗎？」

「是啊。」老太太點點頭，反應有點遲鈍，過了一會兒才接受到她的訊息，回道，「幾十年都在這個老地方，能搬哪裡去？搬不動了的。」

穹蒼半蹲下身，方便她看著自己，問道：「那當初這裡死人的時候，您也在？」

「在啊。沒見著。」她嘴唇翕動，嘴裡發出幾個意義不明的悶哼，「聽說死得不好……我也沒看過……太嚇人了。」

這一片住著的大部分是老人和孩子，年輕人早就奔往更光鮮的地方去了。他們可能在這裡住了一輩子，對這巷子事無鉅細一清二楚。

老太太彎腰，從地上拿起簸箕，用乾枯的手撥弄了一下上面的豆子。瞥她一眼，說：「妳也來打聽這件事？」

「還有其他人？」穹蒼眼珠一轉，了悟道：「記者跟警察吧？最近這件事確實又受到了關注。」

「不一樣勒，跟他們不一樣。」老太太努努嘴，示意地瞅向穹蒼手邊的白菊花，「不是來打聽，是來送花的。」

穹蒼略顯錯愕，低頭看了手上的白色菊花一眼。淡淡的香味在半空浮動，湊近一點就能聞見一縷清香。

受害人家屬通常會去墳前進行祭拜，沒有多少人會選擇回遇害地點進行悼念。太過慘痛的過去，只怕要觸景傷情。

會來這種地方的，多半是心有不忍又心懷愧疚的人。她可能無法坦然地去墓碑前進行探望，同時又一次次心存僥倖地回到這個地方，想要找到開始這場悲劇的源頭。

穹蒼手指緊了緊，捏得花束外的塑膠包裝紙出現褶皺變形。

她能猜到那個人是誰，不由放輕聲音，問道：「她經常過來嗎？」

「什麼叫經……」老太太說著假牙險些滑出來，她趕緊用手推了一下，擺放好位置，才繼續道：「就每年會抽空過來幾次，拿束花放上去，或者幫忙清理一下。那邊很亂很髒的，她每次來都要忙活半天。我也不知道她是誰，看她難過的樣子，肯定是那個女孩子的家裡人……唉，不過她也很久沒過來咯。今年我就沒見過她。」

穹蒼發現自己其實不太了解江凌。不知道那個看起來單薄的女人，一直在做什麼事情，試圖承擔著什麼責任。她總用一種好像能包容所有事的笑容去面對別人，並將最苛刻乃至血淋淋的一面留給自己。

她留下了很多給穹蒼，可惜那時候的穹蒼不懂，和許多人一樣，不懂她關懷跟溫柔的背後是什麼，所以沒能為她做些事。

直到後來，笨拙如她才開始被越來越猛烈的愧怍包圍。

那是一個幸運的人對一個不幸者的愧怍。

穹蒼喉頭乾澀，半晌才低沉地說了句：「她以後都來不了了。」

老太太悵然一個輕嘆，可惜地搖了搖頭：「還那麼年輕。」

她想起什麼，又說：「剛才一對小年輕也進去了，穿得神神祕祕的，你們認識嗎？」

穹蒼愣了下，偏頭看向小巷深處，抿緊唇角，隨後含糊地應了一句：「應該吧，我去看看。」

穹蒼單手拎著花束，轉向朝老太太指的位置走去，經過幾個轉彎，順利抵達案發現場。

記者死亡的地點，如今已經鮮有人至。它離後方的大馬路其實不遠，當時死者應該是從對面的街道跑進來避雨，結果遭遇不幸。她遇難後，整條小路都因為勘查而被暫封，附近的居民也因為克服不了心理障礙，紛紛搬遷。這條路就這麼澈底荒廢。

因為無人清理，左右斑駁的高牆上長滿了綠色的青苔，空氣裡透著一股令人作惡的汙水味道。地表坑坑窪窪，還有居民將廢棄的家具丟到這裡，清理不乾淨，留下幾塊發霉了的木板。

穹蒼站在那個小涼亭，或者應該叫雨棚更為貼切，她站在臺階前面，無法復原出這個破敗建築十幾年前的模樣。

經過那麼久，現場不太可能還有線索殘留。

她把花輕輕放到地上，在四周看了一圈，在地上找到了行人的足跡，便順著腳印行走的方向，跟了過去。

穹蒼走得並不快，默默整理著自己的思緒。她不著急，如果范淮想見她的話，一定會在前面等她。

她用雨傘在地上發出一聲聲有節奏的敲擊，在路過一個轉角的時候，不出意外的看見了一雙黑色的鞋子。

穹蒼視線一寸寸往上抬，最後定格在范淮戴著口罩的臉上。上次見面，穹蒼根本沒機會好好打量，這次才有機會看清楚。范淮的頭髮比失蹤前的時候要長了一些，略微擋住眼睛。身形也消瘦不少，以致於眼部輪廓變得更加深邃。站姿板正，流暢的肌肉線條以及身上無法卸去的戒備，讓他看上去像一匹時刻等待迎擊的孤狼。

穹蒼站在他的對面，靜靜與他對視，卻無法從他的眼裡讀出他的思緒。他的眼睛裡好像藏著很多東西，又好像什麼都沒有。黑得如同一個漩渦，讓人無法再窺探。

穹蒼偏過視線，望向他的身後。一個穿著低調的女生，站在不遠處，戴著寬簷帽，躲在陰影下，時不時朝他們這邊張望。

范淮能夠避開警方搜查，在A市完全躲藏起來，說沒有人幫助是絕對不可能的。但穹蒼沒料到會是這樣一個小姑娘。

穹蒼笑了下，自己也覺得意外，再見范淮時，她的第一句話會是：「每次見面，你身邊都帶著一個女生，看來你的異性緣不錯啊。」

「一個朋友。」范淮沉聲說：「妳還是一樣地愛開玩笑。」

他的聲音在穹蒼聽來已經有點陌生了，以致於穹蒼在調侃完這一句後就陷入了沉默。

她不知道接下去應該要說什麼，所有寒暄可以用到的話在他們身上都不成立。

——過得好嗎？

不可能好的。

——最近怎麼樣？

不是很樂觀。

——對未來有什麼打算？

報仇翻案。

一個個都不適合。

穹蒼決定發揮賀夫人的精神，問道：「缺錢嗎？」

范淮說：「不缺。」

穹蒼：「哦。」

沒了。

貧窮得只剩下少量金錢。

良久，穹蒼拋掉各種不切實際的想法，說了一句：「回來吧。」

沒有起伏，沒有激動，只是最尋常的勸告，卻帶著讓人安心的力量。

范淮痛苦道：「我回不來了。」

他以為自己會永遠行走在黑暗之中，能留下的頂多只是一個模糊的背景。只要他走到陽光下，就會和陰鬼一樣被照得煙消雲散。

十年牢獄和汙名給他烙下了不可磨滅的印記。他的生活習慣、思考想法，都證明他曾經以犯人的身分生活過。他記憶力越好，越是無法癒合。

范淮低下頭，整個人被陰影淹沒：「有時候知道太多，是一件很痛苦的事情。我要清晰地面對自己犯下的錯。」

「你的錯？」穹蒼緩了緩，肯定地告訴他說：「這不是你的錯。」

范淮低聲呢喃道：「是我的錯。」

范淮極度討厭這個地方，這裡昭示著他悲劇的開始。一站在這條街上，他就覺得逼仄而窒息。江凌卻一次次地回來，一次次地奢望，又一次次地遺憾離開。她對自己的信任，也許早就消磨在這條街的每一個角落，只有身為母親的固執還在堅持。所以她才會選擇離開。

全都是因為他。

穹蒼用從未有過的保證語氣朝他說道：「我會替你翻案的，有很多人都在幫你。再給我一個月的時間。」

范淮眼皮一跳，上前抓住她的一隻手臂，敏銳地問道：「您是不是已經知道了？田兆華背後的那個人。」

穹蒼用舌尖舔了舔後牙，沒有馬上回答。

「告訴我。」范淮看出她的猶豫，身上翻湧起一股壓制到極限的情緒，「老師，如果妳真的想幫我，那就告訴我！」

穹蒼感受手臂上一陣刺痛，她冷靜地說：「那你先告訴我，你想做什麼。」

范淮反問：「妳不是說，我可以信任妳嗎？」

穹蒼覺得在范淮面前的每一個問題都難以回答。

范淮沒有催促，時間在兩人中間一分一秒地過去。漸漸，他鬆開手，後退了一步。

穹蒼斟酌了下，說：「你上次跟蹤的那個癮君子……」

范淮中途打斷：「我不是說他。」

穹蒼喉嚨乾澀，可她還是不自覺做了個吞咽的動作。最後，她坦白：「目前有少量的證據，指向李凌松。」

「李凌松……」范淮呢喃著這個名字，神思逐漸飄遠。

他感覺自己的心跳在加速，在到達某個頻率時，幾乎要從胸腔跳出來。沉寂許久的靈魂開始狂嘯，要撕碎那個將他推入深淵的人。

穹蒼朝他走近一步，覺出他的不對勁：「范淮？」

「我認識他。」范淮的身體像是在顫抖，可是他的聲音聽不出任何暴戾，「他來監獄看過我。跟我媽和安安，一直有聯絡。」

何川舟簽完字，朝裡面瞄了一眼。負責看守的獄警笑了下，示意她直接進去。作為經常跑動的刑警，何川舟跟他們已經混得熟稔。她脫下修身的外套，掛在手臂上，走進房間。

丁希華歪著腦袋坐在裡面，見她出現敷衍地扯了扯嘴角。

他問：「穹蒼呢？」

「別忘了，你是我抓到的。」何川舟並沒有因為他刻意流露出的不屑而動怒，在他對面坐下，同樣諷刺道：「把你的高傲收一收吧，手下敗將。」

丁希華抬手摸了把頭髮。

一般的囚犯不至於要求剪那麼短，可他幾乎剃成了光頭。在摸到一陣毛刺刺的手感時，丁希華笑了一下，說：「妳看，我總是忘記我已經沒有了頭髮。」

何川舟坐姿隨意，安慰說：「放心，你失去的東西只會越來越多。」

丁希華缺乏共情，某種程度上來說，表現出來的就是脾氣很好。他淡淡說了一句：「我只是用來警醒我自己而已，不要再犯同樣的錯誤。」

「你的第一個錯誤還沒有得到解決，可不要在監獄裡待得太安逸了。」何川舟摸出一張照片，貼在玻璃窗上，展示給丁希華看。她問：「你是不是見過李凌松？」

丁希華抬起下巴。

「李凌松？」他視線定在對方的臉上，思忖過後，搖頭道：「我覺得不是他。」

何川舟皺眉問：「為什麼？」

丁希華不太配合道：「感覺的事情哪裡有那麼多為什麼？」

何川舟按住照片，後靠到椅背上，目光灼灼地盯著他。

那眼神裡帶著明確的殺氣與煩躁，丁希華被她瞪著反而笑了出來，兩手高舉投降道：「我明白，我明白。但那真的只是一種感覺而已。」

「什麼感覺？我可不認為你是個跟著感覺走的人。」何川舟冷聲道：「不要再用感覺應付我，這樣的事情毫無意義。」

丁希華身體前傾，手肘撐在桌面上，想了想，隔著玻璃指向那張被她翻到背面的照片。

「李凌松作為D大知名教授，確實來找過我，想讓我協助他完成一項社會心理學的研究課題。除我之外，還有好幾位學生會的同學。但他並沒有對我說什麼奇怪的話，只是簡單地陪我聊了一會兒天……」丁希華說著聲音淡去，嗤笑一聲，「看來不管是多資深的心理學家，也要跟著程序走。我不喜歡被人做測試的感覺，所以中途叫停了。」

何川舟問：「然後呢？」

「嗯……」丁希華視線飄向別處，回憶道：「他沒有放棄，一直試圖接洽我。在我父親出事之前，他幾次嘗試與我對話，假裝在無意中跟我交流了青少年犯罪以及特殊人群應該怎樣融入社會的問題……」

何川舟敏銳道：「他知道你以前的事？」

「不知道。」丁希華頓了下，「我是說，我不知道。」

何川舟覺得自己太緊張了，放緩神態，點點頭說：「你繼續。」

丁希華攤手：「我沒什麼好繼續的。」

他不需要李凌松來告訴他，怎樣去看待青少年犯罪，更早以前，已經有人與他接觸並朝他傳遞了這類資訊。除此之外，他知道一個心理學專家會用什麼樣的方式去接近病人，去切入話題。他看著李凌松在自己面前裝作第三人的姿態，其實暗暗覺得可笑，也在反向考察著這位行業大牛的表現。

丁希華平靜地陳述道：「李凌松，和那個人的體系雖然有點相通，但互相持有的觀點並不相同。基於對同一個學科的掌握，有著南轅北轍的理解。他們的觀點會在不經意間流露出來。李凌松除了心理學上的知識，自我意識更偏向於儒家的思想，有那麼點『克己復禮』的味道。而那個人，不是。」

幕後人會挑唆，會慫恿，會促使他站上危險的刀鋒。那個人會告訴他，天才就是天才，與世人不同。將他與社會群體分離，再看著他從高處跌落。

丁希華說著心緒恍惚，再次被拉入那段可笑的過去。他抬起眼皮，對上何川舟清醒的眼睛，才重新斂神，嘲弄地接下去：「不過，這個誰知道呢？現在想想，李凌松出現的時機的確很奇怪。這有可能是他的另一項實驗。忠誠度實驗？清醒度實驗？確認計畫進展？又或者是別的挑選標準。從各種方面上來說，他真是一個完美符合條件的人。何隊長，妳怎麼看？」

何川舟不帶感情地，一字一句地回答道：「不怎麼看。一一驗證，一一排除，職責所在。」

丁希華低笑了聲：「你們這樣的人，其實也挺可怕的。」

何川舟不以為然：「只要他們不犯法，我會是人民的好朋友。」

她拿起掛在椅背上的衣服，起身道：「沒什麼補充的話，我就先走了。」

「剪刀石頭布，一個最簡單又最複雜的模型問題。」

何川舟走到門口的時候，後頭的男聲突然道。

「當對手說『接下來，我要出布了』，多出了一個條件，卻讓一個原本簡單的排列組合問題，變成了資料模糊、機率不定的複雜模型。」

何川舟回過身。

丁希華微低著頭，眼底暗芒湧動，他意味深長地道：「希望這一次，你們不要再抓錯人了。」

何川舟安靜聽他說完，唇角勾起淺淺的弧度：「承蒙吉言。不過，我以前到現在，都只把這種靠機率的遊戲當作是賭博。公務人員，嚴禁賭博。這也是你今天會坐在這裡的原因。」

房門清脆的關合聲，成為兩人對話的終結。

穹蒼看著范淮。說真的，有時候她能從范淮的身上看見自己的影子。無論是孤苦無依的人生，還是備受偏見的環境，都有那麼一些重疊的部分。

所以她無法旁觀范淮流離漂泊在外。

穹蒼耐心地和他說：「李凌松見過她們，這不是什麼奇怪的事。他是我的長輩，且是業內的權威。江凌找他幫忙，很尋常。」

范淮開始抗拒：「我自己會證實。」

穹蒼：「你自己的證實？然後你想做什麼？」

「代價。」范淮側過身，咬碎了每一個字，「他應該為自己做過的事情負責。就算他的壽命已經沒有價值。」

穹蒼深吸了一口氣，不知道該和他說什麼。

「……范淮，這個社會是有規則的。」

范淮冷厲道：「尊重規則就能活得好嗎？」

穹蒼：「雖然這樣說很殘酷，但是……縱觀人類社會秩序的發展，都是在痛苦的奠基下產生。」

范淮自嘲地笑出聲：「所以為什麼是我？選定一部分人犧牲，也是人類發展的秩序？」

「范淮。有些事情已經無法改變。」穹蒼緩聲安撫道，「會變好的，我向你保證。」

范淮眼中閃過一道水光，他很快闔下眼皮，將自己的軟弱丟棄出去，搖頭道：「保證是最沒有用的東西。我要去找我自己的答案。」

范淮戴上帽子，把整張臉遮起來，背身離開。

穹蒼在後面叫道：「范淮。」

遠處的女生緊張看著兩人。

「范淮！」

范淮走了兩步，最後還是變得遲疑，並停了下來。

穹蒼快速跟上去，把傘掛在手腕上，從口袋裡摸出一張名片。

她把邊角的捲曲的部分撫平整，遞過去說：「……江淩和范安的墓都在這裡。有空就去看看。」

范淮跟塊石頭一樣立在當場，似乎這是一個很艱難的舉動。一頓漫長的準備，他才將手從口袋裡伸出來，指尖發顫，接過名片，捏在手心。

「我相信你。」穹蒼低聲道：「就像你相信我一樣。」

穹蒼跟在范淮身後，目送他離開，一直到他的身影隱沒在茫茫人海之中。

她停在街頭，看著川流不息的車道與人聲鼎沸的商場，感受無數人從身邊走過，卻又如早晨縹緲的薄霧一樣觸不可及的寂寞。

她將手揣進口袋裡，沿著路邊的行人道踱步前行，走了一段，才察覺到口袋裡的手機在不停震動。

穹蒼猛然一個激靈，心知不妙，摸出手機一看，主頁螢幕上果然掛著明晃晃的一串未接來電，全部來自賀決雲。

賀決雲急切地打了十幾通電話給她，見她不接，中間又穿插了幾則訊息。

起初還是很淡定地詢問她的去向。

『妳去哪裡了？出門是要做什麼？』

『妳是怎麼回事啊？為什麼不接電話？』

『有空回個電話。』

『妳把支票壓滑鼠底下是做什麼？我不是偷看監視器畫面，我只是以為妳人沒了。妳跟我敬禮又是什麼意思？』

到後面越顯暴躁。

『為什麼不接我的電話？就連訊息都不回！妳生氣為什麼衝著我來？我又沒惹妳！』

『妳上次惹到我，我也沒跟妳計較，怎麼輪到妳，連個招呼都不打，人就不見了？』

『說好沒事就別離家出走，妳不會走這麼幼稚又不冷靜的套路吧？』

『妳再不回電話，我就要報警了！我用許可權開了定位。那麼大個人了，怎麼能玩失蹤？』

『穹蒼！我要生氣了啊！』

一陣狂風暴雨般的發洩後，訊息傳送時間出現了空檔。就在剛才，賀決雲傳來了平靜的一句話。

『有空的話，回個電話。』

平靜的背後顯然是一派超脫的胸懷，形象生動地描繪出了賀決雲放棄掙扎、繳械投降的覺悟。

穹蒼靜默許久，認真閱讀了幾遍訊息內容，那點因為范淮而積攢起來的憂鬱，最終被賀決雲擊了稀碎，連殘渣都沿著流水線工程一起被運進了焚燒廠。

真是……自帶貼圖的一段文字。

穹蒼不知道賀決雲對她的生存能力究竟有著多大的誤解，不過只是尋常出個門而已，急得好像未成年兒童走失了一樣。但被人關心總不是一件會覺得討厭的事，甚至穹蒼還因為賀決雲的抓狂而覺得有點好笑。

她握著手機，往裡側退了退，蹲到一家店鋪前方的臺階盡頭，以免擋住別人的路。

穹蒼還是明白的，這種時候，她不能直接地跟賀決雲說，「我沒有聽見」，那賀某人大抵會把她澈底拉到黑名單上去，加上上回還沒有清算過的舊帳，短時間內她都要面對一個陰陽怪氣的Q哥。

穹蒼考量片刻，認真打訊息。

穹蒼：『我來見何隊長了。』

賀決雲在第一時間傳了訊息過來，可見他一直盯著手機。

賀決雲：『又去見何隊長？妳跟何隊長到底什麼關係？妳們不是才認識不久？』

穹蒼一陣自我懷疑。

何隊長……何隊長不行嗎？

賀決雲：『為什麼不接電話？』

穹蒼：『何隊長不准我接電話，要肅靜。』

賀決雲：『怎麼這樣？那妳為什麼不回訊息？』

穹蒼：『何隊長不准我開鈴聲，剛才在街上，周圍太吵，沒聽見震動，不好意思啊。』

這個解釋很蹩腳，但可能是最後的那個貼圖很好地唬住了賀決雲，小賀同仁糾結了不到一秒鐘，還是將這一頁輕輕翻過。

小賀真是一個善良的人。

賀決雲：『我以為妳不見了！下次有事出門，能不能先跟我報備？』

穹蒼認錯的態度一向飛速且沒有靈魂。

穹蒼：『我錯了。』

賀決雲很氣。他氣憤地打下兩個字——『算了。』

穹蒼：『我出門沒帶東西，在走之前朝監視器揮了下手，我以為你懂。』

賀決雲：『我懂什麼？妳不知道揮手是什麼意思嗎？而且妳根本不是揮手，妳是敬禮！敬禮難道不是道別嗎？誰平時出門是敬禮的？還把錢留下了。妳讓我從哪方面懂？正面還是側面？』

他們兩人腦迴路對上的機率本來就不高，心有靈犀這一點在他們身上經常失效。賀決雲沒覺得這問題有哪裡嚴重，畢竟語言的發明不就是為了促進交流嗎？了解是要在長期生活的條件下創造的，穹蒼都沒給他機會。

……但是這也不能全怪穹蒼。賀決雲突然意識到，何隊長得背大鍋。

穹蒼正想著該怎麼安撫，前面那則滿是暴躁的訊息突然不見了。

賀決雲：『賀決雲收回了訊息。』

賀決雲：『今天晚上會回來吃飯嗎？』

穹蒼被賀決雲突如其來的包容弄得有些慚愧。然而那種感情只是稍作停留，沒能幫助穹蒼說出真相。

穹蒼：『會。』

賀決雲：『嗯，早點回來。我先去工作了。』

隨後對面就沒了動靜。

暴怒的賀決雲就這麼輕易地幫自己順毛了。

穹蒼看著停滯住的手機畫面，出於謹慎起見，也傳了一則訊息給何川舟，跟她知會一聲。說如果賀決雲來問，幫她打掩護，證明今天自己去找她了。

這則訊息，何川舟是離開監獄後才看見，這時候已經十分鐘過去了。

何川舟坐在車上，心想現在的年輕人真是不得了，還在談戀愛階段呢就開始找人打掩護，一點都不坦誠。

不過如果是穹蒼的話，多半是有她難以解釋的正當理由。

何川舟往下翻了翻聊天記錄。

賀決雲並沒有來找她打聽，於是她主動傳了一則訊息給賀決雲。

何川舟：『穹蒼跟我在一起。』

賀決雲接到這則遲來的報備訊息，有點茫然。

賀決雲：『忙完了？那妳讓她接電話。』

何川舟面不改色地回覆：『我們要進去探監了，再說。她晚上會回去的，別催。』

何川舟處理完賀決雲這邊，直接打了通電話給穹蒼。

對面倒是很快接起來，何川舟語氣隨意地問道：「妳在哪裡？」

穹蒼那邊聽著很安靜，她說：『準備去醫院。』

「妳還沒好？」何川舟驚訝道：「妳回診讓我幫妳打什麼掩護？妳沒事吧？」

穹蒼解釋了一句：『我想去探望一下李凌松的前妻。』

何川舟放心道：「哦，我也正要過去，那醫院見。」

穹蒼：『好。』

李凌松的前妻，穹蒼沒見過多少次，她只記得兩人已經離婚很久了，關係寡淡。育有一個兒子，叫李瞻元，比穹蒼的父親大了兩歲。

其實她見李凌松的次數也是屈指可數。李凌松研究社會心理學，同樣是一位感覺很敏銳的人，他能察覺到穹蒼對自己的抗拒。在方起不曾出現的時候，他對穹蒼提供的大部分是經濟上和教育資源上的幫助。後來方起跟穹蒼混熟，他才多了一個跟穹蒼溝通的管道。

可惜，方起未能叫他們關係緩和，每次兩人對話，仍舊帶著明顯的疏離。

穹蒼站在醫院門口，從店裡挑了個漂亮的水果籃，又買了一束花，提在手裡，上去探望。

病房資訊是穹蒼找方起打聽出來的。連方起也不知道他師娘的生日快要到了，還是輾轉去找了李瞻元詢問，才把確切資訊告訴穹蒼。

穹蒼到的時候，病房裡除了李凌松的前妻——薛女士，還有一位中年看護。她不著痕跡地在房間裡掃視一圈。

病房裝飾得很溫馨，花束和擺設塞在各個角落，甚至顯得有點擁擠。連被子和床單也換成了鮮豔的花色，不像別的病房一樣那麼冰冷。說明家屬把她照顧得很好。

穹蒼草草看了一眼，快速收回視線，落到薛女士身上。

薛女士的神智看起來是清醒的，只是身體很虛弱。異常瘦小，堪稱瘦骨嶙峋。關節處的骨頭向外凸起，更像是一層皮掛在了骷髏上。

病床附近擺著各種精密儀器，監測她的生命徵象。現有的醫學其實已經無法提供給她過多的幫助，只能讓她稍微好過一點。

薛女士盯著她的臉，半晌沒認出人。穹蒼自報家門後，她想了好一會兒才對上。

「原來是妳，沒想到妳會過來看我。」薛女士很驚訝，聲音沙啞，朝她點了點頭，「讓妳擔心了。」

穹蒼在她身邊坐下，因為床頭櫃上擺滿了東西，她把水果籃和花束都放在了地上。

「沒什麼。我跟李叔叔不常聯絡，所以最近才知道您病了。」

「別說是妳，我跟凌松也不常聯絡。」薛女士笑了一下，牽動臉上的肌肉，讓皺紋變得更為明顯，「他只鑽研他的學術，別的事情，都不關心……不過我們早就離婚了，不用那麼常走動。」

薛女士伸手捋了把枯槁的頭髮，想讓自己的形象看起來不至於那麼狼狽。然而她的病情已經很嚴重，即將走到生命的盡頭，被病痛摧毀了大部分的優雅。

穹蒼上前，幫她把枕頭墊起來，並幫忙整理了下她散落下來的白髮。

「謝謝妳還抽空來看我，那麼麻煩。」薛女士輕聲說，「其實我還好，沒必要幫我過生日，我也不能吃蛋糕。」

穹蒼跟她客氣了兩句，拆掉水果籃，從裡面拿出一根香蕉。

薛女士搖頭：「我不能吃。」

纏綿病榻太久，鮮少走動，有個年輕人可以聊天，薛女士明顯很開心，連氣色也好了一些。她舒展開眉眼，慈祥地看著穹蒼，問道：「妳多大了？」

穹蒼回說：「快二十七歲了。」

「我當時認識妳爸爸的時候，他才是個半大的小子，一轉眼，連妳也長這麼大了。」

薛女唏噓了兩聲，又問道：「妳有男朋友了嗎？」

穹蒼搖頭，拖動著椅子到床頭的位置，好奇地問道：「您當初是怎麼跟李叔叔認識的？」

「沒怎麼認識的。同學，自然而然就在一起了。」薛女士一雙眼睛彎起，雖然瞳孔渾濁，卻帶著光采，調侃道：「失望了吧？沒有你們年輕人嚮往的故事。」

「前段時間，我翻到了一本詩集，裡面有他寫給您的詩。」穹蒼滿是羨慕地說：

「李叔叔不僅有才華，而且還很浪漫吧？」

薛女士像是聽見了一句很天真的話，半是無奈半是好笑：「浪漫？他嗎？不不，他一點也不浪漫。他最浪漫的事就是寫過一首詩給我，也就只有一首，已經被妳看見了。他拿那首詩用了很多年，後來出詩集他還用，真是受不了。如果不是他年輕時長得帥，我才不會看上他。」

穹蒼面露驚訝，薛女士看著她的表情，低笑出聲。

「他人就是這樣，不是他的觀察對象，他話都不想多講。很呆板的。」薛女士放低聲音，神祕地告訴穹蒼，「雖然他研究社會心理，對別人的愛情可以說得頭頭是道，可是自己不會實踐。或許是認識得多了，就冷淡了。可能在他眼裡，人類的衝動，只是不同的激素在作祟。」

穹蒼玩笑道：「從科學的角度上來說，這也沒錯。」

薛女士：「感情就是最不科學的事情，你們這些年輕人啊。」

聽起來，薛女士對李凌松也不是完全沒有感情了。或者說，哪怕李凌松沒有留戀，薛女士對自己的丈夫，還有著類似親情的維繫。

那他們為什麼要離婚呢？

穹蒼將這個問題問了出來。

薛女士聽見，有那麼一刻僵硬了下，而後不太自在地說：「就是不合適。性格不對，無法繼續生活了。」

她不知道，她臉上的皺紋，將她每一種情緒都暴露了出來。因為臉頰過於乾瘦，每一絲表情變化都十分明顯。

穹蒼不動聲色地點了點頭，壓低上身，靠近了她，笑說：「合適不合適我不懂，但李叔叔就是我心裡的男友標準。脾氣好，有禮貌，有才華，有聲望，對女性也紳士。我如果找男朋友，也想找這種類型的人。」

薛女士搖頭說：「找對象，不能光看脾氣好。有時候妳覺得的脾氣好，只是不喜歡生氣而已。婚姻跟妳想的不一樣，想得太美好，過著過著，就過不下去了。當然，每個人想要的不一樣，找妳覺得好的。」

她伸手摸了摸穹蒼的頭，又很快收走。帶著老人斑的雙手垂落在柔軟的被面上，不停地顫抖。

穹蒼抓住她的手，用手心包裹住她冰涼的指尖，問道：「李叔叔平時不怎麼生氣嗎？」

薛女士反問：「妳見過他生氣的樣子嗎？」

穹蒼絞盡腦汁地回憶了一遍，跟發現了什麼似的新奇道：「好像真的沒有，不過我是晚輩。」

「他有時候也會生氣的，要看他在不在意了。」薛女士閃爍其詞，想把這個話題盡快帶過去，「妳現在在哪裡工作？」

穹蒼跟她半真半假地跟她說了一些。薛女士畢竟年紀大了，腦子轉得不快，對穹蒼也沒什麼警惕性，基本上是有問必答，只在一些敏感的問題上做了迴避。

穹蒼不想讓她起疑，問到她覺得尷尬的地方，就不再深入。

兩人融洽地聊了半個小時左右，穹蒼拿出手機查看，遺憾道：「時間不早了，我得回去了。下次再來看您。」

薛女士遺憾地張了張嘴，努力想要坐起來，看了牆上的掛鐘一眼，說：「再留一下吧，今天休息，阿元應該會過來。」

她提到自己的兒子，才想起來輩分亂了，自己笑個不停：「我兒子才應該是妳的李叔叔，凌松已經是妳爺爺輩了。」

穹蒼不以為意地道：「沒關係，我通常都喊他教授，他不會發現的。」

薛女士跟找到什麼笑點似的，止不住地笑，也可能是因為心情好。老年人總是因為一些莫名其妙的事情就高興半天。

穹蒼幫她掖好被角，和她細聲說了兩句，轉身出去。

在她走到門口的時候，去路被一道黑影遮擋。

李瞻元竟然正好回來了。

男人差點與她撞上，下意識後退了一步拉開距離，見到她先是愣了下，而後友善道：

「是……穹蒼嗎？妳怎麼過來了？」

他戴著一副金框眼鏡，繼承了李凌松英俊的外表，身上有股書卷氣。但他並沒有跟李凌松一樣走學術的道路，而是跑去創業了。

他的性格和情況穹蒼都不是很清楚。祁可敘死前，穹蒼曾見過他幾次，可因為年紀太小，印象不深。後來他就沒有再出現。

這是穹蒼第一次認真注意到他的存在。

李瞻元推了推自己的鏡架，而後想去搭穹蒼的肩膀。穹蒼對著這個比自己高半個頭的男人，側了下身，不著痕跡地躲過，指著裡面的薛女士道：「聽人說阿姨病了，碰巧路過，所以過來看看。」

裡面薛女士聽見動靜，叫道：「阿元啊。」

穹蒼做了個請的動作：「我還有事，先不打擾了。」

李瞻元收回手：「好。」

離開病房後，穹蒼順路去了廁所。

她把手伸到感應器下面，用冷水潑洗自己的臉，在腦海中整理剛才獲得的資訊。溫柔的液體拍打在她的臉上，將皮膚表層的溫度帶走。心臟因為她屏住呼吸而跳得更為劇烈，大腦也因為血液的有力流動開始加速旋轉。

片刻後，水流聲停止。穹蒼抬起頭，睜開泛著血絲的眼睛，大口呼吸，同時餘光從鏡子中瞥見自己身後有一抹黑色的身影。

穹蒼頓時脊背僵直，渾身汗毛都豎了起來。再仔細一看，才發現來人是何川舟。

她兩手撐在洗手檯上，閉上眼睛，重重吐出一口氣。

何川舟靠在牆邊，哭笑不得道：「這裡是公共廁所，我出現在這裡，應該不至於嚇到妳吧？」

穹蒼用力抹了把臉，將水漬揩去，碎髮仍舊溼漉漉地糊在她的額頭。

何川舟從包包裡掏出一張紙巾遞給她：「看你們聊得開心，我就沒有進去打擾，畢竟我的身分尷尬，出現容易讓人誤會。」

穹蒼接過，草草擦去自己臉上的水漬。

她的眼睛因為進了水，周圍一圈淡淡發紅，反倒讓她原先蒼白的臉色，多了點氣血，也讓她褪去了些不近人情的冷淡氣質。

穹蒼把紙巾丟進垃圾桶，舔了舔嘴唇，說：「我在想，李凌松為什麼那麼熱衷於社會心理學？他為什麼對個體間的關係如此感興趣？為什麼喜歡觀察不同類型的人群？」

「……每次我見到他的時候，我都猜不透他心裡在想什麼，而他總是試圖探問我的心情，彷彿永遠都處於工作狀態，所以我很不喜歡他。」

何川舟透過鏡子看著她的眼睛：「然後呢？」

穹蒼聲音淡淡道：「是不是因為，那是他無法踏足的空白領域？他跟丁希華一樣，天生就有別於大眾群體。所以他特別冷靜，好像永遠都能置身事外。」

何川舟眉心微微蹙起。

穹蒼定定看著鏡面裡的自己，漸漸覺得陌生。她後方的何川舟同樣一瞬不瞬地盯著她，讓她恍惚間生出些毛骨悚然的錯覺。好像自己一直都是這麼，被人隔著面單向的鏡子死死觀察而毫無所覺。

「如果是那樣的話，他不會做出寫情書給韓笑，或和她婚外出軌的這種事。他要做的是觀察、學習，而不是誘導。他沒有那麼強大的同理心可以控制這一切，他並不擅長表現。」

「韓笑真的會不顧一切，愛上一個比自己大三十幾歲的男人嗎？」

隨著穹蒼話音落下，廁所裡陷入一陣死寂。鏡子裡的兩張臉上皆像是蒙著一層冰霜，冷得可怕。

這起案子原本就撲朔迷離，支隊眾人經過數月不眠不休的努力，才好不容易從夾縫中抓到一點線索，結果還沒順著這條藤摸出半個瓜來，又有了被推翻的徵兆。任誰知道，心情都不會好。

何川舟的壓力很大，她長官的壓力更大。猜測是無法作為證據進行支撐的，如果再這樣回到原點，他們的努力很可能會白費。

何川舟不知道穹蒼在跟薛女士的對話裡，獲知了什麼，但這一次，她並不完全贊同穹蒼的想法。

好比「丁希華」，他同樣是一個依靠偽裝來融入社會的人，且偽裝得並不完美，不還是有女生瘋狂地迷戀上他，願意為他付出生命？

感情這種東西，有時候不一定會符合世俗的道理。你無法用邏輯去肯定地推理它，因為它會讓人鬼迷心竅。

何川舟用探究的眼神看向穹蒼，後者似乎未有察覺，只是若有所思地低著頭，整理被打溼的衣袖。

之前的調查過程中，也曾經出現過各種迷惑資訊，穹蒼一直很堅定自己的猜測。為什麼這一次，她那麼俐落地推翻了李凌松的嫌疑？

少頃，何川舟問出口：「妳怎麼了？」

穹蒼抬起頭，不明道：「我怎麼了？」

何川舟說：「妳好像很焦慮的樣子。」

穹蒼臉上閃過一絲訝色，下意識地側身避開何川舟的目光。

她不知道是不是自己想的太多。在病房裡的時候，她腦海中冒出一個很驚悚的想法。因為跟薛女士聊得比較輕鬆，那個念頭並不強烈，很快被她按了下去。

在門口碰見李瞻元的時候，它又跳了出來，且非常強烈。

對方為什麼要將她當做測試用的靶子？又究竟是從什麼時候開始盯上她的？是將她作為無聊人生可以競爭的對象，還是視為某個目標的延續？是在發現她的特殊天分時？亦或者更早。

穹蒼的唇角僵硬地崩成一條直線。她微微張開嘴，放鬆臉上的肌肉，輕吐出一口濁氣。

穹蒼的父親是車禍死的，母親是精神崩潰而後自殺死的。他們兩人的死亡，在當年來看都只是意外，而如今已無法確定，那些所謂的意外背後，是不是還藏著更多的巧合。

穹蒼忍不住想要問自己——是嗎？是這樣嗎？

李凌松出現在她生活中的時間明明那麼早，他認識且熟悉自己的父母。是不是她的人生從一開始就不正常？她只是一個比丁希華更加遲鈍的局內人。

一位路人推門進了廁所，剛邁出一步，就被裡面死氣沉沉的氣氛震住了，以為自己是撞見了什麼了不得的對峙現場。她躑躅片刻，不知該克服自己的恐懼，還是克服自己的生理需求。

最後，可憐的路人皺著一張臉，悄悄從牆邊跑過，走進其中一間。

何川舟朝穹蒼點了點下巴，示意去外面說，這裡不太合適。

兩人相繼出了廁所大門，沿著醫院的逃生通道前往停車場。

穹蒼不遠不近地走在何川舟身後。何隊長沒有回頭，也沒有逼問，兩人默契地走到了車輛前面。

何川舟拉開車門準備進去的時候，穹蒼已經整理完自己的思緒，輕聲開了口：「我的意思不是這件事跟李凌松無關，我是說寫情書給韓笑的人，以及跟她有染的人，或許不是李凌松。」

何川舟掀起眼皮，點了點頭。

案件的線索在李凌松身上重合得太多，但人物側寫上又有一定的出入。就算他不是主謀，也是個關鍵人物。他們的方向是正確的，只是前路還不明朗。

車廂內被太陽晒得過於悶熱，何川舟降下車窗，並開了空調。她等穹蒼也坐進汽車前排，才緩聲問道：「妳覺得是我們查錯了，還是說，目標不只一個人。」

穹蒼慢吞吞地繫上安全帶，搖頭道：「我不知道。但我覺得，應該不會全錯。」

何川舟說：「那妳告訴我，妳剛才在想什麼。」

穹蒼呼吸漸沉，斟酌數次，最後只道：「我在想，我是不是遺漏了什麼重要的資訊。」

祁可敘出事的時候，穹蒼還太小，只知道她的精神越發不正常，不知道她平時出門見了誰，做了什麼事。

祁可敘離世後，家裡的東西因為老舊，大多都被人收拾走。只留下了幾張照片、警隊的勳章，以及兩人曾用過的部分舊衣服和書本。

穹蒼從來不去翻那些東西，它們至今仍留在穹蒼的老房子裡。

何川舟見她神色陰沉，態度避諱，正想開口，旁邊的手機鈴聲突兀響了起來。她摸出來掃了一眼，見來電人是謝奇夢，直接開了擴音。

「小謝。」

『何隊長。』謝奇夢那邊喘著粗氣，似乎是在爬樓梯，他快速彙報道：『我們全面搜查了梅詩詠的家，可是沒有多少發現。離開田兆華後，她曾經搬過兩次家，丟棄了大部分的物品，我們沒有明確的搜查目標，只能跟個無頭蒼蠅一樣。』

穹蒼順著聲音看向了螢幕。

謝奇夢繼續道：『我們找同事調查了梅詩詠的聊天記錄。經過初步調查，也沒什麼發現。她的家屬已經很不滿了，不停催促我們離開。』

何川舟「嗯」了聲：「你讓大家先撤吧。我發個定位給你，你先過來。」

半個小時後，謝奇夢按照提示將車停到她們旁邊。該慶幸這個時間段的市中心交通通暢，沒有堵車。

青年從車窗裡探出頭，看見隔壁車位上的穹蒼，驚訝地叫出了她的名字。

「穹蒼？妳怎麼也在這裡？」

「我們來看李凌松的前妻，順路碰上了。」何川舟越過穹蒼的位置，朝謝奇夢招了下手，「過來。」

謝奇夢從副駕駛座上拿了個文件，而後到她們這邊來。

他從座位中間的空隙，把檔案袋遞過去，說：「沒找到什麼有用的東西。只有一些十幾年前的副本，不知道能不能派上用場，我們先複製過來了。」

何川舟拆開，草草翻了一遍，發現確實沒什麼用，起碼跟他們想知道的案件全無關係。

穹蒼借著後照鏡觀察後座的青年。一段時間不見，謝奇夢的變化還是挺大的。他把頭髮整個剃短了，只剩下一層青碴。皮膚粗糙了不少，氣質也沉穩下來，不再像個稚氣未脫的年輕人。

謝奇夢發現她在打量自己，有點尷尬，不動聲色地朝旁邊挪動，想將自己塞進角落。

何川舟發現他的小動作，悠悠叫了聲：「小謝啊。」

「誒。」謝奇夢立刻又坐到中間，靠近前排，等待何川舟的吩咐。

何川舟隨意地將東西遞了回去：「還給你。」

謝奇夢接過文件，小心問了一句：「沒收穫嗎？」

「有點收穫。」何川舟低著頭在手機備忘錄上寫記錄，「我們不應該把調查方向，侷限在一個人的範圍。」

謝奇夢臉色大變，瞪大眼睛道：「那還能是個團隊？李凌松他……有那麼多的學生啊！」

何川舟一臉「你倒是真敢想」的表情，朝後照鏡瞥去：「那倒是沒有你猜得那麼恐怖。」規模那麼大，早變成邪教了。

穹蒼也朝後座偏了下頭。

她錯了。謝奇夢的大驚小怪還是沒有改變的。

謝奇夢面露窘迫，隨後放棄最後的掙扎，坦然接受自己在穹蒼面前愚蠢的現實。他轉移話題說：「其實李凌松我也認識。」

何川舟不太在意：「當年祁……嗯，那時候應該是有見過。而且李凌松年輕時也算半個體制內的人了，跟警局裡的不少人都有交道。」

謝奇夢猶豫不決，囁嚅著道：「我是說，當年我媽找過他。」

何川舟手上動作頓了下。

謝奇夢開了口，後面的就沒什麼好隱瞞的了。他說：「我爸說，我媽當時的精神狀態不穩定，又不想去看醫師，怕被人議論，我爸就介紹了李教授給她。李凌松的學生裡，有不少是在大醫院精神科任職的，他幫忙牽線，幫我媽開了藥，做了治療，後來就慢慢好了。」

何川舟問：「什麼時候？」

「穹蒼住在我們家的那段時間。我媽懷孕，壓力很大。剛開始的時候，因為她在孕期，症狀也不嚴重，醫師不建議開藥……」謝奇夢邊說邊看著她們，「當時我覺得他人挺好的，現在想想，是不是有點奇怪？」

好像許多事情都是這樣，一旦有了懷疑，就會感覺什麼都是錯的。

李凌松的臉上，如今是寫滿了「不清白」三個字。

何川舟朝穹蒼無聲做了個口型：妳怎麼看？

穹蒼搖頭：這誰知道？

謝奇夢對兩人打啞謎的行為大感不滿，忍不住問：「妳們在說什麼？」

何川舟搪塞道：「沒什麼，你可以下車了。我先送穹蒼回去，五點會議室準時開會，你在群組裡通知一下。」

謝奇夢遺憾應了一聲，推門出去。

何川舟依言將穹蒼送到社區門口，路上兩人有一搭沒一搭地聊了會兒，穹蒼把在病房裡跟薛女士的對話過程大致複述一遍，並據此對李凌松做了個簡單分析，何川舟頷首表示同意。

在兩人即將分別時，何川舟叫住了她。

穹蒼站在車外，俯下身聽她說話。

何川舟銳利有神的眼睛從下方看著她，措詞許久，最後鄭重地說了句：「有什麼事情，記得跟我說。我不勉強妳，但我希望妳能相信我。」

穹蒼半闔下眼，深深吸了口氣，隨後輕聲道：「幫我查查我父親跟李凌松和李瞻元之間的關係。」

何川舟眉毛驚訝一跳，保持著鎮定道：「我知道了。」

第五章　大哥哥，帶上我吧

賀決雲回家時，穹蒼正在倒騰她的房間。

穹蒼住過來後，陸陸續續從原本的家搬了許多書過來，賀決雲見她活動不開，專門清理出一間書房讓她存放，此時她快把原本井然有序的書房，翻得一地狼藉。

穹蒼翻找東西的方式，跟她做事截然不同，完全不講條理。就平鋪，亂丟，還美名其曰「我都記得它在哪裡」。

……就算妳真的記得，是不是也應該考慮一下觀賞性的問題？

賀決雲無法在她個人的書房裡找到合適的落腳處，只能停在門口嫌棄道：「妳在幹什麼？拆家啊？」

穹蒼拿著東西轉過身，朝他說道：「你回來啦？」

賀決雲聽見這話心情很複雜，但想她能按時回家已經是不錯了，遂輕快地「嗯」了一聲。

他提著褲管蹲下，就近拿起兩本書翻看，問道：「妳在找什麼？」

穹蒼半跪在地上，用大拇指扣著書頁飛快翻動，說道：「不知道。」

「不知道？」

穹蒼喘了口氣：「找感覺。」

賀決雲聞言不知道該如何評價，乾笑著道：「……挺玄學的啊，你們這些天才。」

穹蒼腦袋一晃，放下手裡的東西，小心走出房間，臉上掛了個笑容，叫道：「賀哥。」

賀泱雲渾身一顫。

這都叫上賀哥了？了不得啊。

他警覺地道：「怎麼？」

穹蒼拉他起來，推著他往書房走，溫柔又尊敬地說：「用你三天的許可權，幫我查一個人吧。」

賀泱雲恍然大悟，隨即痛心，板起臉教育道：「所以態度好一點就沒好事，是吧？穹蒼同仁，妳說妳這樣對嗎？」

穹蒼心想，賀哥這認知就膚淺了。她態度不好的時候，事情只會更糟糕。

穹蒼將人按到座位上，順手幫他開了機。

賀泱雲倒也沒拒絕，只是不能放棄小人得志的機會，乾咳一聲，拍了拍自己的肩膀。穹蒼上道地幫他揉了兩下。

賀泱雲一朝春風得意，挑著眼尾問：「沒吃飯啊？這不輕不重的撓癢癢呢？」

穹蒼點頭：「是沒。」

賀泱雲頓時被噎得說不出話。

穹蒼連網頁都幫他開好了，請他輸入管理員帳號。

賀泱雲熟稔地敲下鍵盤，並進入後臺準備搜索資料庫，這才問了一句：「妳想查誰？」

「李瞻元。」穹蒼眼睛盯住螢幕，用手在半空寫了字，「李凌松的兒子。」

「不一定能查到什麼資訊。」賀決雲說著，按下輸入鍵。

三天的資料庫很龐大，但那只是基於使用者願意使用三天軟體並授權的情況來說的。如果對方平時就很注重自己在網路上的隱私，那麼他們也搜索不到什麼關鍵資訊，還得依靠公家機關去抽調檔案或走訪調查。

賀決雲設置好篩選條件，畫面上很快跳出一個系統整理出的資訊表格。

「XX科技有限公司，年少有為啊……」賀決雲念出資訊後頓了頓，重音道：「當然，沒有我有錢。」

穹蒼莫名其妙瞅了他一眼。

你們有錢關我什麼事？是要炫富嗎？

賀決雲繼續往下翻。

「沒有結婚？」賀決雲詫異，回到前面的個人資訊確認了一遍，「李瞻元已經五十幾歲，不是曾經離異，而是一直沒有結婚。」

穹蒼說：「也許人家是不婚主義者。只談戀愛，不結婚。」

賀決雲緊張起來，看著她義正辭嚴道：「穹蒼，我跟妳說，如果另一半不同意的話，這就是不負責任地耍流氓！」

穹蒼：「……」你是要教我做事嗎？

穹蒼勾勾手指，示意他把滑鼠往下拉。

再下面，是各種跟李瞻元相關的採訪稿。賀決雲翻看一遍，挑了家正規媒體公司的文章點進去。

這則採訪稿記錄了李瞻元學生時期的回憶，以及他創業的各種艱辛。是他年輕時應母校邀約，作為優秀校友而接受的一則採訪。

……其實也不是很艱辛，畢竟李瞻元有頭腦又有人脈，而且還不缺金錢。大學時期他集結了一群同學，直接開了家公司，然後就走上了致富的康莊大路。

整篇採訪稿裡沒什麼值得注意的，全是一些場面話。

——最感激的人是母親。

——最崇拜的人是父親。

——最難忘的是大學時期單純又貧窮的日子。

賀決雲正準備關掉，右手卻被穹蒼按住。穹蒼順勢接過滑鼠，將頁面往上翻動，選中一段平平無奇的文字：

……當記者問他，是不是人生一直這麼一帆風順、難逢敵手，李瞻元頓了頓，露出無奈的笑容，說：「不，其實我有一個遠方表弟，他的成績比我好，體育也比我好。因為長輩關係近，我們兩個一直都在同一間學校上學。一開始他比我小兩歲，低兩個年級。

後來他因為太聰明，跳級跟我做了同班同學。大學的時候，我們終於分開了。

記者驚訝道：「真的嗎？可是我看你的履歷，你高中的時候，可是拿過全國競賽的一等獎啊。」

李瞻元：「他也是。」

記者笑道：「他的異性緣肯定沒有比你好吧？」

李瞻元也笑：「雖然他的年紀比較小，但他可是我們高中的校草。」

記者應該是有種不妙的預感，沒有繼續問下去，很快轉移了話題。

賀決雲來回看了兩遍，不解道：「這怎麼了？」

穹蒼搖頭：「沒什麼。」

「李瞻元的遠房表弟？」賀決雲嘀咕道：「這個人也算是妳的親戚吧？」

穹蒼涼涼道：「應該吧。」

賀決雲扭頭問：「妳認識？」

穹蒼撇嘴：「不算認識，我還沒見到他，他就走了。」

賀決雲將文章翻到最後，編輯特地在下面配了一張圖。

螢幕上顯出幾位獲獎人員回校後的合照。站在中心位的少年相貌清爽帥氣，五官臉型雖然沒有成年後那麼硬朗，卻已經有了雛形。跟同樣不修邊幅的高中生站在一起，他英俊得有點矚目。

賀泱雲猛地扭頭，再次看向穹蒼。

穹蒼鼓勵地朝他點了點頭，說：「我爸。」

賀泱雲頓時語塞，吞吞吐吐地道：「李瞻元跟妳爸還是同學啊？」

「應該是，我不知道。」穹蒼說：「我以前沒了解過他們的事。」

賀泱雲關掉採訪，又搜了些別的線索。

遺憾的是，李凌松就是賀泱雲所說的，注重網路隱私的那種人。他不喜歡使用三夭的協力廠商交易平臺，不經營個人社交帳號，對遊戲、論壇一類也不感興趣。

賀泱雲在公開的網路上，找不到跟他有關的重要資訊。譬如疾病或財產一類，三夭就更沒有許可權調查了。

穹蒼思忖一陣，用手肘輕推著他說：「你再查查祁可敘。」

賀泱雲遲疑道：「妳確定？」

穹蒼點頭。

賀泱雲再次輸入祁可敘相關的篩選條件。

祁可敘的情況就不一樣了，她的人生履歷清清楚楚地擺在後臺。當然這主要還是因為警方為三夭提供了許多的檔案資料，用以建立副本模型，再加上祁可敘本身喜歡使用三夭的軟體，留下不少痕跡。

穹蒼也是第一次了解自己母親年輕時的生活，以往都只是從別人的嘴裡聽上一兩句。她眼睛盯著螢幕，細細閱讀資料上的內容。

賀決雲拖開椅子，將正前方的位置讓出來，方便她看得更清楚。

穹蒼身體前傾，右手抓著賀決雲的座椅扶手，指尖不自覺地發緊。

她記得在第一個副本裡，祁可敘的成績很好，上一流大學應該不成問題。可能是受了當初那件事的影響，她升學考失利，最後只上了二流大學。

成績不夠優異，她沒能拿到獎學金，二流大學的學費又不便宜，家裡不會為她負擔。大學期間，她只能半工半讀，賺取學費。

祁可敘選擇的工作，就是醫院的護理員。這個工作雖然疲憊，但薪水確實不錯。只不過醫院裡魚龍混雜，祁可敘相貌出眾，又沒有背景，無法享受正式員工的保障，應該做得不太開心。

穹蒼正閱覽到一半，賀決雲放在鍵盤旁邊的手機震動起來。兩人正看得全神貫注，皆被這動靜嚇了一跳。

賀決雲見顯示的是何川舟，以為是自己搜查使用者資訊的事被發現了，做賊心虛地接了起來。

『喂？』何川舟平穩的聲音在房間裡響起，『在公司還是在家？』

賀決雲調整了下，語氣如常道：「在家。」

何川舟說：『方便嗎？幫我查一下李瞻元的資訊。』

穹蒼：「……」

賀決雲掃了身邊的人一眼，乾巴巴道：「……妳那邊不能查嗎？」

何川舟：『我們查了，很乾淨。』

賀決雲緩緩說：『我們這邊也很乾淨。』

何川舟明白了：『哦……』

尷尬了。

氣氛詭異的安靜了一會兒，何川舟再次問道：『穹蒼在你身邊嗎？』

「在。」

何川舟見也沒有外人，就乾脆地說了，『穹蒼，我問過李局長了。李局長說，妳母親當年在D大附屬醫院裡擔任護理員，就是李瞻元介紹過去的。』

穹蒼嚴肅起來，接過賀決雲的手機，「什麼？」

『嗯。李瞻元的企業有資助清寒生的慈善項目，妳母親就是他們的資助對象之一。因為她的手頭比較拮据，李瞻元主動為她介紹了這份工作。他還特地跟醫院的人打過招呼，讓他們幫祁可敘安排一些女性、比較好溝通的病人進行護理。李凌松在D大附屬醫院是比較有聲望的，祁可敘的工作時間不穩定，依舊接到了不少單子。之後妳父親的眼睛受傷，也送去了D大醫治。』何川舟一連說了一串，換一口氣繼續道：『妳父親那時候才剛受傷，很倔強，堅持不需要護理員，後來李瞻元讓祁可敘去試試，祁可敘就去了。巧了，他們兩個意外合得來，結果就在一起了。』

「啊……」穹蒼訥訥道：「這樣啊……」

彷彿見證了自己誕生的整個過程。

何川舟還補充了一句：『就是這樣。妳父親出院後，沒過多久就準備求婚了。說真的，我沒想到妳爸的眼睛都不好了，眼光居然還那麼毒辣，找了個那麼漂亮的太太。這不是惹人忌妒嗎？』

穹蒼心想，她也挺羨慕的。

何川舟頓了頓，又說：『李瞻元跟妳父親的關係還算不錯吧。雖然血緣不是很親，但因為都住在同一個學區，交流比較密切。後來妳爸做了警察，李瞻元跑去做生意，關係慢慢淡了。除此之外，也沒什麼特殊的。』

穹蒼「嗯」了一聲，何川舟那邊也沉默下來。

賀決雲正閒適慵懶地靠在椅背上，耐心聽穹蒼的起源故事，突然就發現沒聲了，還有一道灼熱的目光直勾勾地盯著自己。

賀決雲頭皮發麻，端正坐姿，戒備道：「妳看著我幹嘛？」

穹蒼慫恿道：「情感專家。」

賀決雲陰陽怪氣地說：「妳不還是社會倫理專家嗎？」

穹蒼嘆道：「這技能無法對自身生效，而且我想聽聽正常人的想法。」

「不是，妳們想讓我做什麼分析？什麼叫正常人的想法？」賀決雲憋了口氣，覺得她們兩個特別離譜，攤著手道：『我也不知道多少事情啊！』

何川舟循循善誘道：「就你知道的，發揮一下。」

「這我能發揮什麼？」賀決雲兩眼抓瞎，一通胡說，「難不成還是，李瞻元傾心妳的母親，對她百般照顧，還沒來得及表白，祁女士卻因為他的牽線，先愛上了妳父親。李瞻元從小處處被妳父親壓制，終於在摯愛被奪後情緒爆發，心理開始扭曲，慢慢走上了變態的道路。他借助李凌松掌握的各種資訊進行謀劃，以破壞他人的人生為樂。妳們覺得這樣可信嗎？」

「邏輯非常滯澀。」穹蒼失望道：「看來Q哥的想像力不夠豐富。」

何川舟說：『要不我讓小謝試試？』

穹蒼拒絕：「小謝同仁過於天馬行空，還是謹慎採納。」

賀決雲見她們還真聊上了，哭笑不得道：「妳們當是說故事呢？未免太不正經了！」

何川舟忍下笑意，說道：『好了，不跟你們開玩笑，說個正事。穹蒼，我們明天還要審訊朱彥合，妳有興趣的話就過來一趟。』

賀決雲一時沒反應過來：「朱彥合是誰？」

『就是上次那個癮君子，差點掐死穹蒼的那個。』何川舟語氣變得嚴厲，『這個人一直裝瘋賣傻，什麼都不肯交代，我們兩邊人都問不出來。我提議帶妳過去試試。妳就當是受害者，去協商，跟我們進去。』

她一提，賀決雲就想起來了，順嘴罵了一句。

穹蒼快速應道：「好。」

「朱彥合吸毒很多年了。」在前面帶路的警察回頭看了一眼，確認穹蒼跟賀決雲都有跟上，才繼續自己不緊不慢的聲音，跟她解釋道：「他以前是個記者，在某次走訪調查的過程中，無意間接觸到毒品。按照他自己的說法，他是因為職業壓力過大，加上有點好奇，就吸了一口。呵呵，毒品這玩意兒，吸一口就沒有試一試的，他不意外地成癮了。」

年輕警員的臉上露出種無奈又嘲弄的表情。他們賭上性命拼搏的事業，在無知的人眼裡竟然只是「找點樂子」。這種理由他們顯然是聽得多了，可每次聽見，仍舊覺得十分荒謬。

「朱彥合對毒品交易市場了解得並不深，被我們抓過好幾次。勸導、警告、社區戒毒都試過，但是毒品這種東西吧，一旦沾上，說要戒掉，基本是不可能的。尤其是冰毒跟一些新型毒品，碰上就完了。朱彥合吸了這麼多年，其實懂這道理，可他還是忍不住，居然靠著人脈，真的搞到了這種東西，成功把自己送上了不歸路，我們攔都攔不住啊。」警察用手指點了點額頭，恨其不爭道：「吸毒吸多了的人啊，這真的不正常！能送他去坐牢，反而是救他了。」

穹蒼不由自主地摸上自己的脖子。當初的疼痛已經不在了，但瘀痕還淡淡地留著。這個痕跡，大概短時間內無法全部消退。她問道：「朱彥合平時表現老實嗎？」

他又回頭看了穹蒼一眼，點頭道：「老實。」

這位警察明顯對朱彥合很熟悉，是「老朋友」了，把朱彥合的日常生活和過往職業了解得一清二楚。

「他在我們觀察的幾個癮君子裡，算是比較聽話的，只偏限在自己吸。不販賣、不分享、不聚眾，之前也沒出現過吸多後，跑出去傷人的情況。他家裡其實有點積蓄，父母留給他的兩間老房子全都都更了，加上他自己也會寫點稿子賺錢，所以日子還算過得去。不過他寫的稿子，很多都是胡說八道，賺流量，沒下限。唉，他以前是個好好的社會新聞記者，現在完全變成了八卦狗仔記者，還是沒什麼職業道德的那種。多虧沒人告他，否則他早就賠光了……」

「喏，到了。」警察停下腳步，拉開面前的門，退到旁邊，做了個邀請的手勢。

穹蒼朝他點點頭，率先走進去。

裡面已經站了幾個面孔陌生的青年，他們見穹蒼出現，偏頭看了一眼，又很快轉回去，沒有出聲。

有兩人正坐在螢幕前面，盯著裡面的人影。還有一人悄悄縮在角落吃餅乾。其餘人則是安靜等待審訊的進展。

穹蒼站在靠牆的位置，視線朝螢幕掃去。

密閉的房間內，朱彥合被禁錮在椅子上，一件好好的囚服被他穿得皺皺巴巴。他的脊背深深佝僂著，肖似一把無法挺直的箭弓，渾濁的雙目一直不停地四處亂轉，注意力無法集中，右手還不停地抓撓自己的臉或者脖子，在皮膚上留下紅紅的印痕。

不管怎麼看，他的精神都不算正常，處於輕度焦慮的狀態。

先前那位解釋案件給穹蒼聽的緝毒警員比較熱情，停在她身邊，繼續跟她搭話，指著螢幕道：「妳能相信嗎？他才不到四十歲。」

朱彥合實在沒有三十幾歲男人該有的樣貌。眼睛渙散無神，皮膚鬆弛暗黃，手腳還有不少痘疤暗瘡。你說他已經四五十，都大有人信。

在他的對面，坐著何川舟與另一位刑警。長桌後方是架設好的攝影機，鏡頭直直對著朱彥合。

何川舟沒著急審問，她目光沉沉地注視對面，來回旋轉手中的筆。筆身在桌面發出一下一下的撞擊聲。如果不是那點輕微的響動，穹蒼都懷疑影片是不是開了靜音。

兩人都裝出沉得住氣的模樣，試圖消磨對方的耐心。

終於，何川舟翻開面前的檔案，問了一句：「十一年前的十一月十八號，你還記得嗎？」

朱彥合兩手合攏，捂住半張臉，不停朝手心吹氣。一雙眼睛大睜著，看向何川舟，卻不出聲。

何川舟緩聲接下去：「這天晚上，A市大雨。你尾隨並殺害了你的同事孔某，隨後與他人合謀，將罪行嫁禍給范淮。這是一起有計劃的犯罪，讓你逍遙法外十幾年。」

朱彥合悶聲笑了起來，肩膀抖動。笑聲如同從喉嚨裡硬生生擠出的怪調。他放下雙手，表情誇張地道：「警察叔叔……不是，這位警察同仁，不會吧？妳說我吸毒、破壞社會治安就算了，那麼多年前的殺人罪，也要不明不白地扣到我頭上？」

何川舟抬起下巴，滿是不屑地瞅他一眼，冷笑道：「你自己心裡清楚，究竟是不是不明不白。」

朱彥合咧嘴露出個冷意森然的笑容，低聲說：「我沒有殺人。妳沒有證據。」

何川舟把檔案闔起來，往旁邊一丟，目光逼視著他：「你因為殺了人，難以承受內心的壓力，所以才會吸毒。你本來可以有個大好前程，卻因為這件事情賠上了整個青春，你覺得值得嗎？現在你還是不敢說實話，難道，你要一輩子這麼渾渾噩噩的到死嗎？」

朱彥合用力舔舐著自己的後槽牙，眼神游離，只重複著道：「我沒有殺人，我沒有！」

何川舟：「你沒有殺人，那你怎麼會去殺穹蒼？你分明是怕行跡敗露，所以做賊心虛。」

「我不認識她！」朱彥合擺正臉，一字一句地說：「我吸毒吸多了，神志不清，妳懂嗎？我根本不知道她是誰。我打人，頂多再拘留幾天，你們別想幫我扣上殺人的罪名！」

何川舟放緩語氣，勸導道：「我知道，是有人慫恿你這麼做的。那個人在利用你。你看看自己現在這落魄的鬼樣子，再想想對方光鮮的生活，你不覺得很不甘心嗎？」

朱彥合放空表情看向天花板，全然當做聽不見。

旁觀的幾人按住鼻梁，疲憊嘆了口氣。

朱彥合來來回回就這麼幾句話，不配合、不承認。被問到敏感的地方，他就閉嘴不言，生怕自己露出什麼馬腳。一見形勢不妙，則佯裝自己毒癮犯了裝瘋子，要求治療。眾人拿他完全沒有辦法。

眼見場景又進入熟悉的死路，旁邊的中年男人遺憾嘆道：「看來刑偵支隊的何隊長，也沒什麼辦法啊。」

穹蒼黑洞洞的眼睛裡暗光閃過，勾起唇角無聲譏笑。她伸手解開自己襯衫頂上的第一顆扣子，感覺呼吸順暢不少，低沉道：「我進去看看。」

賀決雲一把拽住她的胳膊，表情不是很贊同，畢竟他對朱彥合有著絕對厭惡的印象。

「我跟妳一起進去？」

穹蒼抬了下手表示拒絕：「不用，大家都在，沒什麼危險。你在這裡等我吧。」

她是何川舟要求帶來的，幾位警察雖然不抱什麼希望，但是也沒阻攔。調查范淮案件本來就是他們刑偵支隊的任務，他們幾個緝毒的只是慕名過來旁觀一下。

門口的警員幫她開了門，門板開合的輕微響動將裡面三人的目光都吸引了過來。

穹蒼不急不緩地抬步進去，出現的瞬間，裡面的氣氛有了微妙的變化。

她故意踏重了腳步聲，踩在地板上。那閒適的態度與放鬆的姿勢，全然不像是來審訊室會見一個當初意圖殺害自己的犯人，而是一個高傲的勝利者前來巡視自己的領地。

何川舟輕笑，朝旁邊的警員使了個眼神。那位年輕警察自覺收拾好東西起身，將椅子留給穹蒼。

穹蒼沒有過去落座，她圍繞著朱彥合緩緩轉了一圈。

被腳步聲包圍的朱彥合明顯變得焦躁，他不停舔著自己的嘴唇，並用手和牙齒去撕上面的死皮，同時低下頭，盯著自己面前那塊淺色的桌面。

突然，一雙手拍上朱彥合的肩膀，將朱彥合激得打了個寒顫。

穹蒼那低沉冰涼的聲音在他耳邊響起，還隱隱帶著笑意。

「你既然敢來找我，就應該知道我是誰吧。」她彎下腰，貼著他的耳朵道：「有些人不是你惹完就可以跑的，現在是不是很後悔？所以說，為什麼要吸毒呢？你要不是自己跳出來，我都不知道該去哪裡找你。麻煩你了，還幫我省功夫。」

朱彥合木然轉動著眼珠，抖著肩膀將她的手躲開。

穹蒼不以為意，繼續在狹小的房間裡走動：「你覺得我們沒有證據，就不能拿你怎麼樣了？這你就錯了。你不說，不代表我問不出來。」

她正好走到空著的座椅旁邊，單手將它提起，搬到朱彥合對面，相隔不超過一公尺。而後在對方迴避的目光中，迆迆然坐了下去。

「朱彥合，小心一些。我不指望你會說實話，就算你說了我也不相信。但是只要你說謊，我都可以看得出來。你最好確保自己不會露出任何的端倪。控制住自己的表情……」穹蒼臉上掛著那種不可一世的微笑，伸出一根手指指著他，一字一頓道：「比如任何的，瞳孔顫動、鼻翼翕動……」

朱彥合偏過頭。

「手指抽動、姿勢變化。」

朱彥合立即將手從桌上縮了回去，交握地放在腿上。

「……喉結震顫、肌肉緊繃。」

朱彥合朝後靠了一點，活動了下肩膀，從鼻間哼出一口粗氣。

穹蒼笑出聲來，翹起一條腿，坐得毫無正形。

「人類最無所遁形的，是潛意識動作。你們不就是想挑戰我這個嗎？這麼感興趣，正好讓你見識一下。」

她扭過頭，朝著攝影機的位置說：「麻煩打個燈。」

很快有人捧了三盞小檯燈進來，擺在朱彥合旁邊，調整好角度，將他的臉照得通明。

朱彥合氣急敗壞地叫道：「拿開！幹什麼！」

警員不顧他的反抗，架好設備，又火速離開。

何川舟一把拎起攝影機，擺到朱彥合側面，雙手握著三腳架，站在旁邊靜立不動，似笑非笑地看他掙扎。

朱彥合快速在兩人中間掃了一遍，從來沒想過自己會被兩個女人的氣勢壓迫到難以喘息。

她們一個站著，一個坐著，一高一低的眼神裡俱是探究與蔑視，那種宛如看著殘渣敗類的姿態，讓他原本就不太平靜的情緒又開始波動。先前平息下去的毒癮，似乎在反攻，順著血液，密密麻麻地爬上他的頭頂，意圖掌控他的理智。

朱彥合扭了下脖子，看向另一面，咬緊嘴唇，迫使自己冷靜。

「十一月十八日，晚秋，夜，大雨。這天天氣很涼，你提前穿上準備好的衛生衣，跟在你同事孔某的身後。你知道她今天會去見一個人，那個人就是范淮。」

穹蒼的聲音低緩而平靜，像一個置身事外的念書人。

「你決定要殺人，不是因為受了誰的支使，是你自己要殺她。你們是同事，你出生在普通的家庭，你自卑、圓滑，在老家都更之前，還特別貧窮。然而孔某不一樣。她漂亮、大方，沒有金錢煩惱，講究媒體人的精神……呵，也是。你這樣的性格，怎麼可能會為了某個人犧牲自己呢？你只能為了自己。為了遮掩自己那點……無恥的欲念。」

朱彥合面皮抖了抖。只有自己被強光照射，讓他有種無所遁形的錯覺。

穹蒼勝券在握地笑了出來，引得朱彥合再一次瞪向她。

「你如此恐懼我的出現，是不是因為，你知道自己當初做的事，並不是那麼天衣無縫？」

「你看著三天推出一個又一個跟范淮有關的副本，你害怕，覺得警方最終會查到你的身上。畢竟，陷害范淮這件事情，不是你設計的。你對那五個證人都不熟悉，也沒有信心。你的本性就是膽小、怯弱、自私。否則也不會在事發後，還需要依靠毒品來緩解自己的壓力。」

朱彥合臉上的肌肉開始不受控制地抽搐，他順勢朝著穹蒼呲牙。

穹蒼恍若未聞。

「你看著五位證人接連被害，確信還有人知道當年的真相，正在展開瘋狂的殺戮。你不知道自己會不會是下一個，也不知道，殺人者的目的是什麼。是報復還是為了滅口。」

朱彥合抬起戴著鐐銬的手，摸了摸自己的脖子。

「你異常焦慮，備受折磨。因為這起案件，你被毒品毀掉面目全非。在殺人的時候，你從沒想過自己的未來會是這個樣子的。你不能允許，自己卑微地苟活了那麼多年，最後卻還是竹籃打水一場空。即便你知道錯了，即便已經走錯了那麼多步，你希望它能永遠錯下去。因為你無法面對，後悔這種情緒……沒有如果，你不敢想像如果。」

穹蒼說得很慢，呼吸近得彷彿在他耳邊。

「你覺得，是因為我和警方的窮追不捨，才讓你陷於今天的境地，所以你想殺我。你是一個記者，就算不那麼正規，你也認識一些三教九流的人。你讓他們注意我的行蹤，說是想採訪我，然後尾隨在我身後，尋找動手的時機。」

朱彥合張了張嘴，沒發出聲音。他的額頭爬出一些細汗，在強光的照射下，明顯地反射著螢光。不知道是毒癮造成的，還是緊張造成的。

穹蒼不等他開口，先一步道：「對，你的表情告訴我了。」

朱彥合捶了下桌，高聲叫道：「妳胡說！我沒有！」

他越是想要辯解，穹蒼越是冷靜。

她的眼神裡帶著無比的自信，彷彿已經窺破了所有事情，將他深深釘在原地。

「你那麼害怕，是因為你自己也不確定，你是否有證據遺落。」

「沒有！」

穹蒼看著他的表情，篤定開口：「遺落在了現場。」

朱彥合的汗水順著他劇烈的動作向下灑落。在檯燈的光照下，他額頭上的青筋外突出來，五官變得極為猙獰。近乎咆哮地叫道：「我說了不是！有的話你們就拿出來啊！你們根本沒有！」

穹蒼了然道：「……遺落在現場，但是警方後期搜查的時候卻沒有發現。說明是被人拿走了。」

朱彥合的聲音像被刀刃生生卡斷，他意識到自己正在暴露，強行控制著，不讓自己繼續出聲。

舌根苦澀，他用力吞咽了一口，喉結不住滾動。

此刻他已經無法顧及自己的表現，只拼命思考著應該要怎麼辦。然而逐漸爬湧上來的毒癮，讓他幾乎失去思考的能力。他滿腦子都在「反駁」和「無用」兩個詞之間徘徊，挑不出有用的建議。

穹蒼沉沉吐出一口氣。

「五個證人。一個說的是實話，一個是被誘導的，他們沒有去過現場。其餘三個是有人替你安排好的。根據他們的證詞來看，案發當天，丁陶喝得酩酊大醉、不省人事，所以不可能是他。吳鳴的證詞裡，一直站在路邊，也沒有靠近過案發現場。所以唯一有可能的，就是梅詩詠。」

朱彥合閉上眼睛，嘴裡發出桀桀的磨牙聲。

穹蒼起身，走到他的面前，居高臨下地看著他。

「梅詩詠是受人挑唆，想要藉著懷孕上位，結果不僅沒有成功，還逼死了自己的愛人。也許她是受人脅迫，才會站出來替你做偽證。但她內心肯定有所怨懟。」

穹蒼的聲音猶如惡魔的低語：「你說，她會不會還保留著證據，等著反將一軍？」

朱彥合再次睜開眼睛。雙眼猩紅、呼吸沉重，頭頂冷汗簌簌直落，全身肌肉不時痙攣抽動，身上已經沒有多少正常人該有的樣子。

也正是因為這樣，讓眾人確信，他被穹蒼戳中了痛處。

「你毒癮犯了。朱彥合，你的謊言到頭了，等著吧。」穹蒼冷漠地說了一句，對著攝影機肯定地道：「梅詩詠，再做一次搜查。她那裡一定有證據。」

朱彥合狂吠一聲，猛地想朝穹蒼撲過去，何川舟一直在觀察他，見他發難，第一時間伸出手，拽著他的頭髮往桌上一磕。

「砰」一聲巨響，朱彥合還不死心，想要掙扎。

門外的警察快速跑進來，將他的臉死死壓在桌板上，讓他無法動彈。

穹蒼靜靜看著他發作，一步步退出審訊室。

刑偵隊的人已經聞訊而來，差不多都堵在門口。他們表情急切，見穹蒼出來，卻主動讓出了一條路。

謝奇夢緊跟著她的步伐，語速飛快道：「梅詩詠真的留下了證據嗎？我們已經地毯式地搜查了三四遍，可是什麼都沒有找到。現在家屬很不配合，我們不好工作。我們究竟要找什麼？」

穹蒼乾脆地說：「找不到那就繼續找。」

何川舟從後面過來，幾人紛紛叫道：「何隊長！」

何川舟整理著自己的襯衫衣袖，穿過人群走到穹蒼身邊。

一警員問道：「就算當初梅詩詠帶走了很重要的證物，但她真的還留著嗎？那個證據既能證明朱彥合殺人，也能證明她做偽證吧？無法確定她是不是會做保留。」

眾人最怕的也是這個。

謝奇夢試探道：「要不妳再去問問，少的是什麼東西？」

穹蒼淡淡瞥向他：「你真的以為我能讀心啊？」

「啊？」一個新人警員一臉傻氣道：「這不差不多嗎？」他看著很像啊。能看穿一個人是否說謊，跟讀心不是差不多？

何川舟不客氣地朝他腦袋呼了過去，將他推開。

人在說謊時的許多反應，在緊張、害怕的情況下同樣會出現。而接受審訊時，這兩種情緒是十分正常的。不管穹蒼的眼睛看得多清楚，哪怕能看穿對方身上每一塊肌肉的變動，都無法作為說謊的證據來推導。

不過是利用雙方情報的差異，以及朱彥合對穹蒼天然的畏懼，用模糊不清的資訊，進行誘導式的提問。

他們看的不是朱彥合是不是在說謊，而是他什麼時候開始崩潰。

穹蒼摩挲著自己的手指，深思後開口：「你們找不到，也許不是因為你們搜查得不夠仔細。」

謝奇夢愣了下。

穹蒼輕聲道：「前車之鑑就擺在眼前。梅詩詠還有什麼親近的家屬？」

謝奇夢當真是如夢初醒，他下意識地想去拿資料，隨後發現手頭沒帶。

「有！梅詩詠還有個正在上小學的兒子！她出事之後，孩子就被舅舅帶走了，我們只見過一次。」

穹蒼問：「田兆華的兒子？」

「從年紀上看……應該是。」謝奇夢恍惚道：「難道是他藏起來了？可是為什麼呢？」

何川舟不容他多想，拍了下手，叫道：「該忙的都忙起來了。賀先生呢？請跟我去一趟梅詩詠家。」

所有人轉過頭，開始尋找那個失蹤的男人。最後數道目光齊刷刷落到人群之外，一個正在玩手機的男人身上。

賀決雲無辜地同他們對視。

謝奇夢舉手：「我——」

「你長得太嚇人，不行。」何川舟點著賀決雲，「快點過來，大哥哥，幫個忙。」

賀決雲：「……」

「大哥哥。」穹蒼腳步輕快地往外走，「也帶上我吧。」

第六章　對死者的交代

賀泱雲是長得一臉正氣，就差在腦門上刻個「我是好人」的標記。但是放他出去應對受害人家屬，

是不是有點過分了？

他走的又不是人民公僕的路線，他只是個無情資本家。

賀泱雲幽怨回頭看了一眼，那兩個不善良的女人，只不走心地朝他揮了揮手，催促他趕緊上去。把他拐上賊船後，居然連售後服務都不提供。也就是他脾氣好，否則肯定撂擔子走人。

賀泱雲提起一口氣，抬手叩響面前的木門。

他盡量敲得有節奏，敲得平緩，以表示自己的禮貌到訪。

然而裡面的人沒能感受到他的善意，在他規律地敲到第六聲的時候，腳步聲已經衝了過來，防盜門被粗暴地拉開。

賀泱雲還沒來得及開口，裡面的中年男人對著他的臉就是狂噴：「怎麼又來了？你們到底有完沒完！你們是警察嗎？你們比流氓還不要臉！再這樣下去，我就要去警察局投訴你們了！一整天都來敲門，有那功夫就去抓凶手，別總是來騷擾普通的市民！你們有病吧？」

賀泱雲被劈頭蓋臉地痛罵一頓，感覺臉上鋪滿了他的口水，心裡委屈卻沒地方發洩。他暗道要聽穹蒼叫一聲「哥哥」的代價真是太大了，心裡默念著回味了一遍，將身

為賀總的霸道氣場壓下。

……就當是犧牲，以後要還回來的。

「你好，我們……」

男人根本不理會他，自己罵完爽快了，下一個動作就要關門。賀泱雲更快一步，用手掰住了門板。

「你幹什麼！」男人厲聲一吼，叫道：「放手！馬上！」

穹蒼跟何川舟手挽著手、肩並著肩，站在樓梯間，看著這場屬於兩個男人的戰爭。

賀泱雲對她們兩個完全不抱希望，強勁有力的手臂不容置疑將門板又往外拉了一寸，說道：「先生，請冷靜一點。配合調查是公民的義務。」

男人見爭不過去，索性鬆開手，要從自己的衣服裡找手機：「你要讓我們配合多少次？還義務？你這叫騷擾！我現在就投訴！」

賀泱雲冷靜地說：「如果您不想我們以後每天都來找您請求配合的話，那就配合我們最後一次。這是最後一次。」

男人放下手機，狠狠指了下他：「好，這是最後一次，你自己說的！我這就去拿鑰匙。如果再反悔，我找記者，找你們長官，把你們投訴到死！」

「不用找鑰匙了。」賀泱雲說：「我們這次來，不是為了搜查梅詩詠的家，我們是來找田文冕的。」

田文冕，就是梅詩詠的兒子，今年就讀小學六年級。

男人剛走出玄關，聞言轉過了身，神色複雜地盯著他們。

賀決雲說：「我們有幾句話想問他。」

「你們想幹什麼？」男人戒備地道：「他還是個孩子！他媽媽已經走了，受不了你們的刺激。有什麼話不能問我，非得問他？」

賀決雲指了指自己，又指了指後面一直當背景板的兩位女士，問道：「你覺得我們當中的哪一個人會刺激到他？大家都是想解決問題的，沒有人真是因為閒著來故意惹事，你說對吧？」

男人遲疑不決，臉上帶著明顯的不情願。或許是覺得這樣僵持下去確實沒有意義，考量一番過後，還是生硬地妥協道：「都進來吧。」

這段時間網路上鬧得比較凶，田文冕暫時從住校轉成了回家，以減少外界輿論對他的影響，同時還能讓他盡快適應新的家庭。

男人過去敲了敲裡側小房間的門，沒過多久，一個半大的少年慢吞吞地從房間走出來。

田文冕跟自己的舅舅其實並不熟，但母親去世後，他無處可去，只能跟著過來。

驟然遭遇至親離世的悲劇，讓田文冕短時間內成長了許多，看著比同齡的孩子要早熟不少，走到客廳，站在那裡，睜著一雙下三白的眼睛，冷冰冰地看著三人。

賀泱雲請他坐到沙發上，田文冕一派老成地走過去，選了個位子，不吭聲，也不反抗。

男人跟著入座，隔在兩人中間，用壯碩的身軀擋住賀泱雲大半的視線，彷彿他是個危險的敵人。

在社交媒體高度發達的今天，十三歲的少年其實已經懂很多了，何況田文冕一看就很聰明。

賀泱雲想了幾種含蓄的開頭，想循序漸進地跟他交流，剛寒暄了兩句，就被田文冕無情打斷。

「你想問什麼直接問吧，不要浪費我時間。」

坐在另一張沙發上的穹蒼與何川舟俱是贊同點頭。

賀泱雲沒好氣道：「……要不妳們來？」

何川舟客氣道：「你來，你來。」

賀泱雲乾脆放棄套路，直接地問道：「你母親有留下什麼特殊的東西給你嗎？舊的，少說有十幾年歷史。」

田文冕面無表情地說：「沒有。」

穹蒼突然插話：「他有。」

田文冕轉動著眼珠飄向她。穹蒼與他視線相交，勾起唇角笑了笑。然而田文冕並不領情，又冷淡地轉了回去。

男人不服氣道：「怎麼？你們問話還自帶答案了？不相信就別問啊，還想唬弄人啊？」

穹蒼大動作地起身，在男人目不轉睛的注視下，去飲水機前接了兩杯水。遞了一杯給賀決雲，又端了一杯給何川舟。

她重新在沙發坐下，一手放在膝蓋上，慵懶地說：「你們繼續，不用在意我。」

那從容流暢的動作，把男主人看得一愣一愣的。

「不是，妳們到底是來幹什麼的？」

穹蒼無辜道：「喝杯水而已，不介意吧？」

被她這一打岔，男人忘了自己剛才想說什麼，悻悻作罷。

賀決雲彎下腰，好讓自己的視線能越過男人看見田文冕，他繼續問道：「你把東西放在哪裡？」

田文冕稚氣未脫的臉，顯得有些僵硬。

穹蒼再次搶答：「他在想著該怎麼騙你。」

田文冕不悅地瞪了過去。

穹蒼低笑兩聲：「他在惱羞成怒。」

賀決雲深感頭痛，只是不知道這兩個小孩到底哪個更讓他頭痛。

「大哥哥，請妳先不要說話，好嗎？」

穹蒼無所謂地攤手，暫時退出戰場。

賀決雲又問了一遍：「你把東西放到哪裡了？你知道那是什麼對不對？它很重要。你母親願意保留那麼長時間，就說明她也希望有一天能說出真相。你不應該讓他失望。」

田文冕陰沉著一張臉。男人見他不想回答，準備開口打岔，又聽田文冕清晰吐出兩個字：「燒掉了。」

在場眾人皆是一驚。

賀決雲表情變得極不自然：「燒掉了？」

田文冕平靜地點了點頭，保持著目不斜視，說：「跟我媽的骨灰一起燒了。那種東西留著幹嘛？」

賀決雲倏地站起來，嚴肅道：「你認真的？你知不知道你現在輕描淡寫的幾句話，能決定多少人的命運？田文冕你不小了，我希望你想清楚再說話。」

田文冕手指攥緊，放在膝蓋上，一板一眼地道：「我希望你們不要再把精力放在這些沒有意義的事情上。」

賀決雲聽著自己變調的聲音問道：「沒有意義的事？」

田文冕一字一句，好像排練過許多遍，說出來連結巴都沒有：「死的人已經死了，坐牢的人也已經坐了，可殺人的凶手還沒有找到。警察最應該做的，難道不是去查找凶手嗎？而不是追溯死者的過去和責任。我只知道，我媽沒有殺人。」

賀決雲被這孩子自以為是的態度氣到了，一時竟然說不出反駁的話。

穹蒼放下水杯，哂笑了句：「你以為你不拿出證據，警方無法結案，三天不能製作並發行遊戲劇情，就沒人知道你母親做過什麼事情？真是天真。」

田文冕敏銳地看向穹蒼，身體緊繃起來。

男人的目光一直在數人之間徘徊，聽見穹蒼開口，感覺背後起了一層密密麻麻的雞皮疙瘩。

他側身護住田文冕，對穹蒼有些畏懼，提防道：「妳想幹什麼？」

「沒想幹什麼，只是在思考一個問題。」穹蒼的聲音讓人聽不出生氣的意味，而每個字連在一起，就不是那麼好聽了。

「現在的小學生是不是都很喜歡憤世嫉俗啊？這樣才能顯得自己清醒，特別有用。你覺得憑你十幾年的人生經歷，能指揮比你大好幾輪的社會精英去做事嗎？」

「等一下，等一下！」男人知道這件事情的發展方向已經不對，目前來看是他們理虧。他在三人之中逡巡了一遍，大概覺得穹蒼是裡面管事的，也是脾氣最差的，上前拉住她說，「妳跟我過來一下。」

穹蒼起身，跟著他去了陽臺。

男人把玻璃門和窗簾全部拉起來，確認客廳的人聽不見他們的對話，才壓著嗓音開口：「這個……同仁，我知道你們也不容易，但這孩子更不容易。」

男人從口袋裡掏出菸，手指捏得不太穩當，想遞給穹蒼。

穹蒼：「我不抽菸。」

「不抽菸啊……」男人又把菸尾按了回去，抬起頭說：「同仁啊，不要這樣跟小孩子說話……他還小，不懂事。」

穹蒼笑了下：「你知道我這輩子，最討厭的一句話是什麼嗎？」

男人拿菸盒的手停在半空。

「就是『他還小，不懂事』。」穹蒼臉色瞬間陰沉下來。對著這個成年男人，不必再裝作很和善的樣子，「他還不懂事，所以浪費整個刑警支隊的警力，看他們忙得團團轉卻不出聲。他還不懂事，所以可以為了自己母親的名聲，把別人的犧牲當作理所當然。就跟他母親一樣，因為當時還小，所以自私地去破壞他人的家庭，不擇手段地達成自己的目的……」

男人猜到她要說什麼，臉上血色往下褪去，同時爬升起一股羞愧與不堪，他訓斥道：「妳不要再說了！」

穹蒼頓了頓，仍舊不留情面地說了下去：「因為她當時不懂事，所以間接逼死了田兆華。後來又因為不懂事，陷害了一個無辜的人。導致范淮一家四口，死了三個。背了那麼多條人命，她仍舊心安理得地做著一個好媽媽。十幾年後，她那個不懂事的兒子，再次藏著證據，想讓范淮就這麼為他母親認下罪名。這些都是因為他們母子的不懂事。怎麼，全世界欠他們的了？得心甘情願地為他們做出犧牲？你是他舅舅，你只讓我們理解他，卻不教他什麼是最基本的道德觀，你想讓他成為什麼樣的人？」

男人緊張看了門口一眼，咬牙斥責：「我叫妳不要說了！」

穹蒼冷笑一聲：「這件事從一開始就錯了，你還要用這樣的錯誤再去創造另一個錯誤？田文冕已經十三歲了，他很清楚知道自己在做什麼，會造成什麼樣的結果，只是他還不知道這樣的結果會造成什麼樣的傷害。你應該告訴他，而不是迴避。迴避不是保護，你在踐踏他對這個社會的認知。」

男人惱羞成怒，對著穹蒼叫道：「妳到底是哪個警局的？把妳的證件拿出來給我看看！我外甥是未成年人，妳懂嗎？妳不能這樣對他！」

穹蒼無視他，揮開他的手，直接推門進去。然而她沒有回客廳，而是快步去了裡側田文冕所住的房間。

田文冕看見，站了起來，跑過去想攔住她。後面的男人也出現慌亂，加快步伐追了上來。

然而兩人都慢了一步，大門在他們面前重重關上，並從內部反鎖。

「開門！妳想幹什麼！」

男人抓著門把上下按動，同時用力敲擊著門板，然而沒有用處。他氣急敗壞，拽住靠近的賀決雲，質問道：「你們這是怎麼回事？還擅闖民宅，你們知道這是犯法事情嗎？就算你們是警察也不行！快點讓她出來！」

賀決雲飛速應承著「好好好」，把他擠開，占據了門口的位置，而後不輕不重地敲門，呼喚道：「穹蒼，快點出來啊，人家要告妳了，妳知道這是犯法的嗎？犯……犯什麼法來著？」

男人發現他們三個居然狼狽為奸，暴怒中又覺得很荒唐：「你們什麼意思啊？趕緊幫我開門！你們到底是不是警察？簡直無法無天了！」

「不好意思，她不是警察，她是我們的顧問。這個人也不是警察，他是三天的工作人員。您開門的時候，我們沒來得及說清楚。」何川舟不急不緩地摸出證件，展示給男人看，「不過我是。您想找我很方便，想找我的上級長官可能不是非常方便。老人家一直在各地開會、安排工作。非刑事案件他管不上。」

男人瞄了一眼，發現這人職位還不小，於是更生氣了。有種被權勢欺壓的感覺。

然而何川舟態度親和，無論如何也跟「暴力執法」連不上關係，她拉著男人往旁邊走了一步，安撫地說：「不過您放心，人是我帶來的人，我管。」

她將證件放回去，又從口袋裡摸出手機。

男人見狀信以為真，以為她要叫同事過來幫忙了。

何川舟翻了一會兒手機，走到門邊，鄭重道：「穹蒼啊，一定要遵紀守法，我們公家機關辦事，是有嚴格的程式規定的。是由警察局局長會議通過的明文規定。不過妳也不是我們內部人員，所以我還是先念念刑法給妳聽，妳自己斟酌一下。」

「哦，對了，另外要提醒妳一句，非法獲得的證據，法院是不會採用的。比如偷、搶、偽造、詐騙等等，都不行……妳到底在裡面幹什麼？妳聽見我的話了嗎？」

田文冕見他們一直在攪渾水，氣急，從空隙的地方踹了門板一腳，瘋狂叫道：「出來！不要動我的東西！妳快點出來！」

下一秒，門真的從裡面被打開了。穹蒼臉上覆著一層冰霜，站在門口。

幾人的叫喊聲戛然而止，定定看著她。

穹蒼抬起手，手上拿著一本記事本。田文冕直接上前奪過，抱進懷裡。

「致我親愛的媽媽。我把爸爸送給媽媽的禮物，鎖在生日的小盒子裡。這樣我就知道你們還在我身邊。」穹蒼輕輕吐息，「可惜，很抱歉，那不是你爸送給你媽的定情信物。我知道你沒丟，拿出來吧。」

田文冕面無血色，死死咬著自己的嘴唇。

穹蒼沉吟片刻，提個主意：「這樣好了，你把東西拿出來，我就告訴你，殺死你母親的凶手是誰。」

田文冕倏然抬頭，懷疑地看著她。

「不用這樣看著我，我真的知道。我還見過凶手。」穹蒼勾起唇角，蠱惑地說，「你是想繼續隱瞞這件事情，還是把害死你父親和母親的凶手都找出來，你自己選。哪個更重要，你覺得呢？」

何川舟不贊同地叫了聲：「穹蒼。」

穹蒼肯定地道：「警察抓不到她的。你想知道的話，只有這個機會。」

田文晃深深呼吸，一陣天人交戰，最終還是敵不過穹蒼話裡的條件，試探道：「真的？」

「真的。」穹蒼伸出手，「東西呢？是你願意主動交給警方的東西。」

男人按著田文晃的肩膀，小聲嘀咕道：「你們……你們怎麼能這樣啊？」

田文晃深深看了穹蒼一眼，下了決定，從幾人中間鑽過去，進了房間。隨後從床底下翻出一個藍色塗層的金屬盒。

他小心掀開蓋子，從裡面拿出一支筆，表情複雜地握在手中，最後撫摸一遍，決絕地遞給他們。

何川舟顧不上穹蒼的談判方法是否合理，戴上手套，先將東西接了過來。

「這是什麼東西？」

粉紅色的，比一指稍寬的東西。因為年代久遠，旁邊裝飾用的一圈塑膠已經開裂，外層的金屬也開始生銹。她擰了一下，從縫隙裡看見一些電子元件。

「是錄音筆！」何川舟心頭巨震，同時在筆身上看見了當年那位死者名字的縮寫字母。

她急匆匆將東西裝進袋子，叮囑賀決雲道：「我馬上送去提取音訊。賀決雲，你看著穹蒼啊！」

賀決雲驚訝叫道：「你覺得我能看得住她？」妳有沒有搞錯？

何川舟已經跑到樓梯間，大喊了一聲：「反正我們警方都沒透露過任何消息給她！」

田文冕以為他們出爾反爾，拽住穹蒼的衣角，尖聲道：「妳說妳會告訴我的！」

「可以，我告訴你。」穹蒼低下頭，一根根掰開他的手指，「站好，希望你能成熟一點地接受。」

田文冕退了一步，跟一頭小牛一樣倔著一股氣：「妳說！」

穹蒼沉默半晌，開口發聲時已是異常平靜。

「范安，范淮的妹妹。因為哥哥入獄，被丈夫長期虐待、家暴，最終不堪忍受地自殺了。她死後，她母親也自殺了。范淮逃離警方的監視器，被通緝了。」

田文冕明顯愣在原地，臉色鐵青，難以處理這種複雜的資訊。

男人不知道該做些什麼，一雙大手捂住他的耳朵，將他攬進懷裡，指責道：「妳不應該告訴他！」

穹蒼問道：「不過問的事情，不代表它會消失，只是你不會知道，有什麼人在承受著不屬於她的傷害。我不告訴他，你以為他不懂？他可以天真快樂？不，他要一輩子憎恨那個殺害她母親的人。要憎恨警方的無能、社會的無情。這樣的欺騙是善意的嗎？」

穹蒼低下頭，朝田文冕道：「當然，你現在依舊可以選擇憎恨，但你起碼應該知道，這個錯誤的起點在哪裡。別再說什麼，過去的事情已經過去了，追查真相是沒有意義的事情。過分自私，是很可怕的。你以為我們在幹什麼？我們在追求的，就是怎麼結束。」

誰也不知道它的起點在哪裡，然而它已經蔓延出了多個支點和悲劇。沒有真相，所有的冤魂都不會平息，所有的受害者都不會停止。

只有無比清晰地認識並面對這種殘酷，它才有終結的一天。

穹蒼理好衣領：「感謝配合，我先走了。」

賀決雲聞言如蒙大赦。

他甚至想放個禮炮。

錄音筆十幾年來保存得很好。田文冕應該有仔細研究過，損壞了部分外殼，但沒有損壞裡面的零件。

偵查人員很快將音訊檔完整地讀取出來。一群人坐在會議室裡，拉上窗簾，緊閉大門，隔絕所有的雜音，開始聽取裡面的內容。

孔鐘靈，十一年前不幸死亡的記者。她有隨身攜帶錄音筆的習慣，這一支，是案發前幾天她剛剛購置的新工具。在遇害時，她正坐在遮雨的涼亭裡，記錄當天晚上發生的事。

背景裡有雨滴砸落在地面破碎四散的聲音，中間夾雜著各種腳步聲與遙遠的車笛聲。女性低緩的聲線在空氣裡震動，重現了那個下著大雨的混亂夜晚。

她心情很好，報告完當天採訪的進展後，低聲吟唱起來，在斷斷續續的旋律中，出現了第二個人的聲音……

第一段音訊播放完畢。雜糅的背景音戛然而止時，猶如大海的潮水從邊界褪去，僅留下一片空曠的沙地。會議室裡出現一種空蕩蕩的安靜，刑偵支隊的眾人都生出一種類似的，難以言說的情緒。

他們日以繼夜地追查、尋找真相，可是當真相平靜地來臨的時候，他們卻無法平靜地接受了。

有些遺憾，也有些悵然若失。有種終於走到了終點的慶幸，又有種不甚圓滿的難過。

結案了。

這次真的可以結案了。

……可是已經太晚了。離開了太多人。

這一切太造化弄人。

昏暗光線中，人影互相靠近，漸漸響起一些細碎的私語，伴隨著沙沙的書寫聲此起彼伏。

技術人員很快點開前一天的錄音記錄。眾人再次噤聲，捕捉音訊中的關鍵資訊。

許久後，窗簾重新拉開。刺眼的光線照進窗戶，同時湧進一陣清新的風。視野與嗅覺的開闊，驅散了室內的部分沉悶。

眾人一齊將目光投向前座，等待何川舟的指示。

何川舟兩指夾著一支黑色的筆，習慣性地旋轉筆身，指尖被劃出一道黑色的印跡。片刻後，她翻過手掌，將筆重重在桌上一扣。

那一聲清脆的響動，打破滿室寂靜。

不算高大的身影站起來，挺直了脊背，帶著領導者的威嚴。她用低沉的聲線叫了一聲：「謝奇夢。」

謝奇夢起身立正，大聲應道：「在！」

朱彥合極不配合，被警察押著走進來時，還在不斷叫嚷。

「為什麼又找我？怎麼又叫我！你們到底有完沒完？街上打人的事我認了，你們不能老拿別的案子審問我！聽見了沒有！趕緊起訴！開庭！我不要住在看守所！」

他還穿著早上的那身囚服，身上有一股汗味。剛從毒癮裡緩過神，沒多大力氣，連脖子上的抓痕都是新鮮的。

兩位青年警察不容抗拒地將他按在桌子前面，掙得鎖鏈鏘鏘作響。

謝奇夢冷眼看著朱彥合耍無賴，等了一陣，見他還不消停，用資料夾砸了下桌面，警告道：「夠了啊，別怪我對你不客氣！」

朱彥合停下動作，吸了吸鼻子，斜睨著他。一眼認出他是個資歷尚淺的警察，面帶些許不屑道：「怎麼是你？那兩個女人呢？」

謝奇夢嗤笑：「你以為這什麼地方？還允許你點餐啊？二十年多人套房居住權，可能都配不上你。給我坐好了。」

朱彥合似乎預料到了什麼，咧開嘴角，露出肆意的笑。然而那種笑容裡看不出任何高興的意味，只是純粹地做著僵硬的表情，以掩飾自己的內心。

他調整好姿勢，正對著他們，第一次精神地抬起自己的頭，像是等待他們宣判結果。

謝奇夢朝旁邊的人點頭示意，那位警察俐落按下電腦中的播放鍵，就聽一道女聲在房間裡響起。

他們截取的，只是很簡短的一段音訊，前後不足三十秒，卻清楚記錄了孔鐘靈遇害面臨的情況。技術員設置好重複播放的模式，讓死者離世前最後的一句質問不停在房間裡迴盪。

朱彥合起先還有波動，聽到後面的時候，澈底安靜下來，表情已經很平靜。他歪著頭，視線沒有焦距地落在門板上，神情全然不似剛進來時那般囂張。

隨後，他不知道是想起了什麼，胸腔震動，發出一聲聲怪笑。

謝奇夢觀察著他，示意同事先將錄音關了。

聲音停止，跟木鋸一樣切割著朱彥合的酷刑也終於結束了。朱彥合吐出一口氣，頹喪地倚在桌子前。

當最恐懼的事情到來的時候，他感受到的竟不是恐懼，而是前所未有的解脫。

「居然真的有？你們那麼快就找到了？」朱彥合瞇著眼睛笑了笑，「看來真是是命運啊。她死那麼多年都沒放過我。」

謝奇夢翻開筆記本，詢問道：「朱彥合，幫助你買通人證，指使你誣陷范淮的那個人是誰？」

朱彥合沒有回答，他將臉貼在冰涼的木板上，嘴裡發出些無意義的音節，任由口水順著臉頰滑落到桌上，儼然一副破罐子破摔的表現。

謝奇夢抿緊唇角，說：「朱彥合，如果你願意配合調查，指認從犯，我們可以幫你說情的。」

朱彥合模糊地問道：「說情？法院真的能幫我減刑嗎？」

「說情是個機會，不是保證。」謝奇夢冷淡道：「朱彥合，你還有別的選擇嗎？」

「死刑吧？」朱彥合肯定地說：「影響特別惡劣、吸毒、傷人、社會危害性大，肯定是死刑。」

沒想到他的覺悟還挺正確，謝奇夢無法反駁。

以這個案件的嚴重程度來看，朱彥合多半是死刑。

朱彥合動了下，用衣袖擦去嘴角的液體。力道之大，在皮膚上留下了淡紅色的擦痕。

他覺得自己挺搞笑的。

如果當初他主動站出來，編個好點的理由去警察局自首，認罪態度良好，表現真誠，說不定現在都快改造出來了。

他苟延殘喘得來了這十一年，十一年裡他遠離家人朋友、拋卻信仰、丟棄廉恥、行屍走肉，失去了所有正常的生活，沉迷於毒品帶來的虛妄的快樂，活得像隻地溝裡的老鼠，都是為了什麼？

為了什麼？

日子一天天地蹉跎過去，他就越想不明白這個問題。

人類可以逃開法律，但是永遠都逃不開自己。

「那個人是誰？」謝奇夢語氣軟化，試圖拉近與他的距離，「其實真正害了你的人就是他。可是最後呢？你在這裡接受懲罰，他卻在外面逍遙法外，難道你不會覺得不甘心嗎？」

朱彥合緩緩眨了下眼睛，似乎沒有聽見他在說什麼。

謝奇夢加大聲音，自顧著說下去：「除了你之外，他還用這種方法害了很多人。所謂人之將死，其言也善啊。你就當最後做件好事，指認他，給那些死者一個交代。」

他從桌上拿起兩張照片，舉在半空，示意問道：「李凌松還是李瞻元？」

朱彥合許久才從自己的情緒裡抽離，他維持著同個動作，眼睛重新有了焦距，死死盯住左側的照片，從喉嚨裡擠出沙啞的三個字：「李……凌松。」

何川舟用腳頂開門，將手上的一個杯子放到桌上，客氣地推過去，寒暄道：「又見面了，李教授。」

「嗯。」

李凌松十分冷靜，哪怕被兩個警察強制傳喚到警局，他依舊表現得從容不迫。甚至在路上的時候，他都沒有探聽，這些人將自己叫過來的原因。

「謝謝。」李凌松沒有去動桌上的東西，他視線追著何川舟，這時才問了一句，「你們這次叫我過來，是有什麼事嗎？」

何川舟不急不緩地走到對面，拉開椅子坐下，點頭道：「是有一點事，我們找到了一個很多年前留下的證物，想讓你看看。」

「希望我能幫得上忙。」李凌松說：「最好只是一個誤會。」

高畫質鏡頭把他臉上的每一道皺紋都記錄下來，然而還是未能拍到他失態的表情。

何川舟抬了下手，旁邊的人會意，開始播放錄音。

『……今天是妮妮去世的第三個月……我發現，不只一個人跟妮妮的情況相像。她也許不是唯一一個……』

音訊的音量被調低，使得孔鐘靈自言自語的話語變得模糊，像某個深夜電臺的女主持人。李凌松微微側過頭，聽得很認真。

何川舟翻出筆記本，看著上面密密麻麻的字跡，說道：「錄音很長，你隨便聽聽。我可以幫你總結一下。」

她就著那段錄音做背景，用自己低沉的聲線把整理出來的案件敘述出來。

「十一年前，一個叫孔鐘靈的記者，在一片居民宅被人殺害。那天晚上，她本來是去約見一位高中生，結果天上突然下起大雨，她為了躲雨，跑進了附近一個未封閉的社區。不久後，兩人結束會面，孔鐘靈還沒來得及離開，凶手穿著跟高中生一樣的衣服把她殺害，並倉皇而逃。同時，三位與凶手素不相識的證人，協助他完成了罪行的嫁禍。」

李凌松摘下眼鏡，用衣袖小心地擦拭鏡片，順著她的話題沉著道：「嗯，這個案子我知道，我看過很多新聞。怎麼？確認是一起冤案了嗎？難道你們找到真凶了？」

「是的。」何川舟笑了一下，沒有抬頭看他，用手指摸著頁冊處的褶皺，眼睛快速在文字上瀏覽，道：「你說，這是不是命運？凶手染上了毒癮，成功蟄伏十幾年後，最終卻在毒癮發作的影響下，主動露出了馬腳。他有多年的吸毒史，意志力薄弱，根本撐不住警方的審訊，很快就主動承認了自己的罪行。偏偏他的毒癮，就是因為無力抵抗殺人的壓力染上的。這真的……很巧妙。像一場命運的安排。」

李凌松不太清明的眼睛睜了睜，繼續手裡的動作，說道：「是嗎？那這是一件好事。只能說，事物都可以究其原因。只是我不知道，這跟我有什麼關係？」

「我們還是先來說說孔鐘靈的事。」

何川舟示意他不要著急，兩人很有耐心地做著拉鋸，誰也沒有率先露出端倪。

「孔鐘靈遇害之前，一直在調查一位朋友的死因。她有一個很好的好姐妹叫妮妮，案發三個月前，妮妮自殺身亡，死前的表現十分詭異，引起了孔鐘靈的注意。」

李凌松重新戴上眼鏡，聽見這個名字沒有任何反應。

「兩個女生關係很好，直到有一天，妮妮告訴孔鐘靈，她談戀愛了。孔鐘靈沒有見過好姐妹的男朋友，也不知道他究竟是誰，只是從好朋友的口中，得知他是一個很優秀的青年。她很為好姐妹覺得高興。」

「戀愛後，妮妮變了很多。從來不染髮的她，去燙了個淡紅色的微捲髮。並將原本珍愛的長髮，剪到了過肩的長度。她以前不愛吃糖，但是慢慢，包裡多了一種柳丁味的水果糖。她開始喜歡看詩集、看報紙，喜歡聽古典樂，哪怕她從來沒有了解過。除此之外，她還開始學習曾經很討厭的烹飪，連穿衣的風格都變得成熟職場起來。孔鐘靈漸漸覺得她很奇怪，彷彿完全變了一個人，愛好、習慣，都在對著另一半進行妥協，這樣的愛情太卑微了。她就想見見自己這個好姐妹的男朋友。」

李凌松聽到這裡，似有所感地問了句：「她是不是我的學生？」

背景錄音裡的女聲停頓了一下，那道輕柔的嗓音，終於給他帶來些許的熟悉感。可惜李凌松對聲音並不敏感，腦海中冒出的，能與之對應的人，足有十幾個。

何川舟沒有馬上回答，接著用那種平坦的語氣，把筆記裡的內容念完。

「孔鐘靈最後沒有見到對方，但是妮妮也察覺出異常，她覺得自己被控制了，於是，她聽從孔鐘靈的建議，狠狠心跟那個男人分了手，又找了一個新的男朋友……然而這不是結束。沒過多久，妮妮自殺了。」

李凌松對這個結局毫不意外。

何川舟大費周章地拉他過來，總不是為了讓他聽一些年輕人的愛情歷程。

何川舟闔上筆記本，手蓋在封面上，終於抬頭看向了李凌松。

「孔鐘靈很難過，她想不明白妮妮自殺的原因，於是她開始調查。畢竟死亡原因是自殺，她本來以為查不出什麼，只是想找到妮妮的前男友。結果，在排查妮妮的社交關係的時候，她偶然發現了另一個自殺死亡的女生。她去見了對方的家屬，發現兩人的經歷異常相似。在生前的某段時間，這兩個女生，甚至連長相、髮型、喜好、行為，都一模一樣。那個女生的自殺時間，比妮妮早了一年多。你覺得這會是巧合嗎？」

李凌松緩緩搖頭，而後問道：「妳想說這個發現，代表著什麼呢？」

何川舟第一次如此清晰地認識到，李凌松是一個什麼樣的人，哪怕是現在，他都沒有流露出任何負面的情緒。難怪連穹蒼都那麼抗拒出現在他面前。

他很溫和、很慈祥、很善意。

同時也異常冰冷。

「妮妮會跟對方有聯絡，是因為她們都認識你。妮妮是你的學生，那個女生是你的調查對象。妮妮在幫你做實驗記錄的時候，加了她好友。」

李凌松預料到後面的對話，開始沉默。

何川舟從筆記本下面，抽出兩張壓著的照片。她垂眸凝視著那兩位女士的面龐，認真比對她們兩人的五官，片刻後發出一聲感慨：「真的很像。」

她拿起照片，踱步過去，將它們並排擺到李凌松面前，問道：「像嗎？」

李凌松掃過那兩張帶著青春氣息的臉龐，未做評價。

何川舟觀察著他的反應，又回去抽出三張照片，捏在手裡，一張張鋪到他的桌子上。一張是韓笑年輕時在網路上留下的自拍。一張是田兆華出事前後，公家機關為了調查人物關係，留下的檔案照片。而最後一張，是韓笑前段時間大鬧三天時的監視器畫面截圖。

幾張照片上的人物風格截然不同。第二張照片裡的韓笑，與前兩位女生有著相似的裝扮。因為她的年紀更大，那種成熟風格下的她，看起來更加自然。

何川舟彎下腰，一隻手肘撐在桌子上，另一隻手從幾張照片上滑過。

「妮妮的眼睛、韓笑的臉型，還有這個女生，她笑起來時候的嘴角，都很像一個人，你說是嗎？」

李凌松喉結滾動了下。

何川舟最後從西裝裡側的口袋裡，摸出一張照片。她翻轉了下，放到桌子另一邊。

上面是薛女士年輕時的模樣。

同樣的淡紅色微捲髮，同樣的妝容，同樣的穿衣風格。她看起來比三人要更消瘦一點，眉目間也更平和一點。但明眼人只要一眼，就能發現她們之間的相似。

那種相似裡有刻意安排的細節，正是因此，才讓人覺得更加恐怖。

那是誘導，是控制，是預謀。

「說實話，發現這件事情的時候，我們都嚇了一跳。我還以為是現代版的陸振華，但裡面有點奇怪。」何川舟說：「人類的心理防禦其實很脆弱。所以心理學的力量，對一個意志力薄弱的人來說到底有多大？如果是您，李教授，您覺得心理學能作為一種兵不血刃的新兵器嗎？」

何川舟盯著李凌松鏡片後的眼睛，試圖看穿他的內心。然而在社會上滾打了那麼多年，見過無數形形色色人群的心理學教授，早已習慣了波瀾不驚。

直到何川舟最後一個話音落下，李凌松依舊保持著平靜。他微微垂下睫毛，除此之外，沒有任何的表現。

何川舟又問了一遍：「李教授，你沒有什麼想解釋的嗎？」

李凌松吸了一口氣，溫和地說：「對於這種事情，我覺得不需要解釋。」

何川舟：「是啊。因為能殺的都殺了，對嗎？所有的證人。」

李凌松抬起頭。

在何川舟以為他要辯駁的時候，他突然說道：「這些人，我的確都認識。聽起來也很有道理。」

何川舟皺眉。

李凌松淡淡道：「你們說得沒錯。」

何川舟臉上驚訝的神色幾乎掩飾不住，一直安靜地做記錄的警員也失態地停下了動作。

李凌松今天第一次笑了出來，讓人看不出真假。他說：「怎麼了？你們找我過來，不就是想讓我承認嗎？我的確對她們做過心理研究。」

何川舟問：「然後呢？」

李凌松：「然後就跟你們想的一樣，誘導她們，完成我的實驗。」

幾人沒有絲毫的高興，只覺得無比的詭異。警員按下錄音的暫停鍵，房間澈底安靜了。

何川舟默默走回自己的座位，李凌松低沉地開口：「是因為我沒有像普通嫌犯一樣反駁、抗辯、瘋狂、絕望，讓你們覺得很意外嗎？我只是覺得那樣做沒有意義，我沒有什麼需要宣洩的情緒。」

何川舟問：「為什麼？」

「為什麼？」李凌松思考了下，很現實地回答說：「我已經這個年紀了，承不承認有什麼關係？我做了一輩子的社會心理學研究，卻還沒有研究過自己。我想，我可以坦然地接受生活中發生的任何事情。」

國內沒有教唆犯罪相關的法律規定，但如果性質惡劣的，法官會以從犯或殺人的罪名進行判決。而七十五周歲以上的老人，可以從輕處罰。

李凌松就算進去，也坐不了幾年牢。或許只有幾年，或許還是緩刑。他的確沒有什麼好畏懼的。他損失最慘重的，頂多就是自己累積多年的聲譽。

何川舟冷硬地問道：「為什麼？」

李凌松好脾氣地問：「妳的這個為什麼，又是指什麼？」

「為什麼要這樣做？」何川舟一個字一個字地往外蹦，「如果你真的那麼愛你的前妻，你為什麼要跟她離婚？她還沒有死，你為什麼要尋找她的替代品？她住在醫院，不見你平時有多關心她。」

李凌松像對待自己學生一樣，詳盡地向她解釋：「不是什麼替代品，她是我第一個認真研究過的目標，所以我選定她作為我的範本。也沒什麼特別的理由，我只是想觀察不同人的反應而已。其他目標，也是這樣。妳說的沒錯，心理誘導的確是一種新兵器。」

這次換成了何川舟無法言語。

「我就是這種沒有感情的人。我跟她結婚只是因為合適，想要融入社會，顯得不那麼特別。不是因為愛情。所以最後我們離婚了。」李凌松反問道：「你們不是早就猜到了嗎？」

何川舟聽著他風輕雲淡的語氣，內心再難平復。她的手按在桌子上，指尖不停地輕顫，「那你的實驗成功了嗎？」

李凌松說：「實驗沒有成功或者不成功。他們所有的表現，都是一種資料。」

何川舟直覺他在說謊，只是他的謊言編織得特別完善。她抓著僅有的一個漏洞，追問道：「那麼，為什麼你當初逼死了那兩個人，卻唯獨放過了韓笑？」

她大聲地質問：「為什麼你當時放過了韓笑！！」

李凌松的表情與她呈現鮮明的對比，他鎮定地說：「不是我放過她，每個人的承受能力不一樣。她還有一個女兒，她比我想像得要堅強，脫離了我的掌控。」

何川舟冷笑著道：「是嗎？」

李凌松點頭，摘掉自己的眼鏡，擺在桌上。隨後端起桌上那杯已經涼掉了的水。

「妳可以不相信，但確實都是我做的。」

謝奇夢想打電話告知何川舟這邊的進展，然而在拿起手機的時候，遲疑了下。

他再次看向對面的朱彥合。後者正仰頭望著天花板，彷彿一個了無生趣、靜候死亡的人。

不是彷彿，他的確是。

謝奇夢叫道：「朱彥合。」

朱彥合神色稍動，轉過頭看向他。

謝奇夢：「你說的是真話嗎？」

朱彥合沉沉幾個呼吸，最後露出滿是惡趣味的笑容，「你猜。」

賀決雲開車載著穹蒼從田文冕家裡出來，半路在市中心堵了一下。等離開擁擠區的時候，兩個人都覺得有點餓。

穹蒼隨意選了家酸辣粉店，帶著賀決雲進去體驗六塊錢一碗的快樂。

她站在白色的收銀櫃前面，跟找碴似地提出一串要求：「不要醋、不要辣、不要蔥、不要香菜，少蒜。謝謝。」

賀決雲聽著滿是迷惑：「不酸不辣，那妳吃什麼酸辣粉？」

穹蒼嘆道：「沒辦法，我就好這一口。」

所以他不明白這一口到底是哪一口。賀決雲茫然道：「所以妳吃了個寂寞？」

穹蒼拿著收銀員給她的號碼牌，回過頭說：「那倒沒有，跟你吃飯不怎麼寂寞。」

賀決雲愣了下，反應過來後，腦袋裡響起一陣又一陣咆哮。

穹蒼這混蛋是在撩他吧？是吧！然後馬上就會翻臉不認人了！

她怎麼總是這樣？

賀決雲還在自己的世界裡震顫，穹蒼動作俐落地付了錢，轉身對他說：「我幫你點了份一樣的。」

賀決雲腦子裡的軸卡了下，抗拒道：「誰要吃這種閹割版的酸辣粉？」

收銀的小妹妹問：「那你到底要不要加料啊？」

穹蒼用一種沒有感情的眼神盯著他。賀決雲想起那麼多因鹹甜黨而破碎的感情，猶豫片刻，最終還是扛不住這個女人的壓力，放棄道：「算了算了，就這樣吧。」

兩人找了個空座坐好。

等酸辣粉上來後，賀決雲面帶懷疑地嚐了一口，竟然發現……還不錯？

這家店的湯底很濃郁，沒有酸辣味，也不會覺得寡淡。

穹蒼看著他品嘗，表情逐漸放鬆，並開始享受起來，心裡暗笑，攪著碗裡的粉絲道：「感受到了嗎？這就是天才的世界。」

賀決雲差點因為她的厚顏無恥而噎住。

他擦了下嘴，乾巴巴地說：「妳別以為妳逗我我不知道。」

「是嗎？」穹蒼還挺驚訝道，反思自我道：「那我下次委婉一點。」

賀決雲又好氣又好笑，警告道：「穹蒼同仁，妳不要太過分啊，我不是次次都會配合妳表演的！」

穹蒼滿是敷衍地應了一句：「嗯嗯。」

兩人吃到一半的時候，手機上都收到了來自何川舟的郵件。

何隊長讓人把整理好的錄音文字版，完整地傳給他們。

穹蒼點開後，看見一團密密麻麻的字體，腦袋有點發疼。她三兩口吃完了麵，拿起手機查看上面的資訊。

賀決雲也快速吃飯，起身拍了拍她：「先回家。」

回到車上，穹蒼坐在副駕，繼續翻看那段冗長的文字，並時不時將關鍵內容念出來，分享給賀決雲。

賀決雲聽得七零八落，但把握住了關鍵內容。

孔鐘靈顯然是懷疑李凌松的。她認為李凌松在懷念前妻的感情，所以利用自己教授的職權，選取並控制目標。

她在調查到這一步的時候，就被人殺害了。從時機上看，李凌松的確有很高的嫌疑。

賀決雲聽得眉頭緊鎖，狐疑地問道：「李凌松……是他嗎？」

「不太合理。我不贊同。」穹蒼摸著後脖頸，若有所思道，「但是我也沒有證據。」

賀決雲剛想問她哪裡不合理，聽見她後半句話又閉嘴了，乾脆保持安靜，不打擾她思考。

在把檔案翻到最後一頁的時候，穹蒼手指頓住了。她將那段簡短的對話來來回回看了許多次，直到大腦都出現錯覺，對文字感到陌生，才放下手機，唏噓道：「如果能找到范淮就好了。」

可能是因為無法將結果傳遞給范淮，也可能是因為情緒在漫長的追查過程中揮發了，穹蒼的心情並沒有想像中的那麼激動。

更多的大概是如釋重負，可以坦然地去江淩的面前告訴她一聲，答應妳的事情，我已經做到了。范淮的確是清白的。

這其實是件沉重的、不值得開心的事情。

賀決雲察覺到她的低氣壓，快速偏了下頭，安撫道：「等警方正式發布公告，他應該就能出來了。」

穹蒼張了張嘴。

然後呢？

這個一直被她忽略，又很無力的問題跳出在她腦海裡。

然後要做什麼呢？

要重新面對一個新的開始，是件極具挑戰性的事情。穹蒼不知道，她能幫范淮做什麼。

她私心希望這個人的未來可以光明坦蕩、一帆風順，不要被過去的黑暗阻礙。

她將范淮看做是自己永遠的學生，也是半個陌生的家人。

賀決雲跟會讀心似的，語氣輕快地說：「然後他可以來三天工作，我跟他簽合約。妳說他的空間邏輯能力那麼強，不是很適合三天的建模工作嗎？妳知道負責我們《凶案解析》建模技術人員的薪水有多高？光是小組獎金也有幾百萬了。如果妳也想留下的話，那你們還可以當同事呢。」

穹蒼頓了頓，問說：「你的重點究竟是在『如果我可以留下來』，還是『如果他可以過來』？」

賀決雲挑眉，囂張道：「妳了解成年人的世界嗎？為什麼要讓我做選擇題？」

外面天色漸漸灰暗下來，賀決雲順手推開車內的燈光，讓她能看得更清楚一點。橘色的光線照亮車廂，從上方打下，將賀決雲原本就硬朗的臉部線條打出陰影，變得更為分明。他唇角噙著一抹微笑，專注地看著前方，身上散發出一股淡淡的溫暖的味道。

穹蒼歪著腦袋看他，看窗外的光影在他臉上明明暗暗地變化，心裡不由想到，多數時候，賀決雲與她並不是那麼的心有靈犀，但他總是十分敏銳又溫柔，所以在需要他的時候，他會變得安全可靠。

跟他在一起，心情總是輕飄飄的，好像晒著太陽，有種慵懶又閒適的感覺。

穹蒼兩指夾著虛無的卡片，在他旁邊刷了一下。

「嘀。」

賀決雲問：「什麼卡？」

穹蒼笑道：「好人卡。」

賀決雲迅速變臉，無情道：「我不收這張卡。妳給我下去，以後都別回來了。」

穹蒼：「不。」

賀決雲最終還是忍不住，怒斥道：「妳不信我把妳趕出去？啊？妳以為我不敢，是吧？還好人卡，搞批發都沒妳發得那麼勤。妳從哪裡搞的買一送一？」

穹蒼在一旁抖著肩膀忍笑。

第七章　貓抓老鼠

等天色暗下後，何川舟那邊結束審訊，處理完一些文件，終於有時間打給穹蒼。

『喂。』

單單這一個字，穹蒼就聽出了她的疲憊。

「怎麼了，不順利？」穹蒼開了擴音，把手機放到茶几上，問道：「朱彥合招了嗎？」

『招了。』何川舟語氣裡帶著稍許欣慰，『我們會重新整理資料，對他提起公訴。』

賀決雲聽見動靜從書房走出來，端著電腦，坐到旁邊。

「李凌松那邊難以攻克？」穹蒼不意外地說：「證據並不明確，不能指望他露出馬腳，再找找吧。」

『他也招了。』何川舟清晰吐出幾個字，『他說都是他做的。』

賀決雲驚呼：「李凌松？」

「嗯？」穹蒼同樣覺得不合常理，一時間感受到的是對結果的懷疑。

何川舟說：『你們等等，我先去泡杯咖啡。』

何川舟從來沒有進行過這樣的審訊。明明場面很平靜，她卻有種被壓抑的感覺。

穹蒼從櫃子下面翻出紙筆，靜靜聽著何川舟總結今天李凌松的供詞。

『他大可以否認、狡辯，但是他承認了。他給我的感覺沒有任何的悔意，不是那種犯罪者目空一切的倡狂。而是彷彿知道一切事情，又獨立於外的清醒。』何川舟沉聲道：『可是在我剛提起妮妮的時候，他好像真的有一些困惑，彷彿他不記得這件事情。我不知道是不是我的錯覺。』

穹蒼思忖片刻，自言自語地說了句：「一個能將情緒控制得那麼冷靜的人，為什麼會做出風格如此瘋狂的策劃？」

違和，是的，是揮之不去的違和感。

李凌松是可以用「實驗觀察」為理由，去解釋自己的犯罪行為，然而穹蒼找不到他各種行為間的邏輯性。

情感缺失，不代表一個人會容易衝動、思想偏激，甚至有可能恰恰相反，這種特性會鑄就出一個極度克制、過分冷靜的人。同時文化跟修養，也會影響一個人的行為習慣。

李凌松作為相關專業領域裡的權威人物，彬彬有禮、受人尊重。他用了大半生的時間，去探究人類這個社會群體的特徵，將自己融入進去，又是怎麼會突然對「摧毀一個人」這種課題感興趣呢？

人類的心理，本身就帶著自私與脆弱，他不應該是最清楚的嗎？

退一步說，如果他真的在偏激地進行這項學術實驗，以他的性格，應該要更加嚴謹。選擇目標、制定計畫、控制變數，他都會做到萬無一失。

那他就不該寄送自己的手寫信給韓笑，不應該對實驗對象傾注過多的感情。

他應該是以上帝的視角、旁觀的心態，不帶任何私心地欣賞這場人為的命運。

然而不是。

穹蒼能感受到幕後的人強烈的情緒。

何川舟略微沙啞的聲音打斷了她的思緒：『李凌松說他是想知道，一個人離犯罪的距離究竟有多遠。這是很多社會心理學家都想研究的課題，只不過他相對沒有道德障礙。』

穹蒼聽到這句話，大腦反而清明起來。

她閉上眼睛，放緩呼吸，將自己沉浸到絕對平靜的狀態裡。

她自認是個相當理智的人，如果，刨除掉所有的雜念，她現在就站在李凌松的位置，要開始策劃這項實驗了。

這是值得她追求一生的課題，是她學術領域的終點。

她要從挑選目標開始。

「控制變數，是試驗裡最重要的一個環節。就算是社會心理實驗，也會先利用各種測試進行目標篩選。李凌松這個試驗裡的變數是什麼？不變數又是什麼？范淮、丁希華、韓笑、薛女士之間，有著什麼不可替代的共同點，或者變動的關聯點？」

的確有共同點，但是太少。這些人有著截然不同的生活環境、喜好、性格、智商，乃至是意志力。

如果是穹蒼，她不會把這些人圈在自己的實驗目標裡。太過混亂，她不知道能從這些人身上看見什麼。

穹蒼睜開眼睛，說：「當我被拘捕，罪行暴露的時候，我一定要向所有人展示我這項『偉大』的研究。畢竟我為它耗費了那麼多的心血。我會向世人介紹、炫耀、公布結果。我要在萬眾矚目中，承受所有人的爭議，為心理學領域留下濃墨重彩的一筆。」

何川舟沉默。

穹蒼問：「李凌松有向妳提過他的實驗計畫嗎？」

何川舟的聲音很輕：『沒有。』

「妳現在去問他的話，他一定能答出來，畢竟他很聰明。」穹蒼用手指抵著自己的下巴，視線虛虛地落在前面的電視櫃上，「但是，我覺得他說的不是真的。」

何川舟：『那妳認為應該是怎麼樣？』

穹蒼身體往後一靠，表情凝重地搖了搖頭。

見她沒有要開口的意思，賀決雲只能人工為她傳遞資訊：「她剛剛搖頭了。」

何川舟說：『她什麼時候點頭了，你再告訴我一聲。』

賀決雲頓了頓，百思不解道：「妳們就不能視訊嗎？」

何川舟：『……忘了。』

賀決雲正要為這兩個女人與眾不同的大腦發出一聲感慨，卻突然有人靠上自己的肩膀。穹蒼幾乎是半靠在他身上，對他道：「你給我看看薛女士年輕時的照片。還有另外幾個人的。」

賀決雲半邊身體麻了，轉過螢幕方向，將照片放大給她看。

幾張相似的照片放在一起，乍一看去，竟有些分不清楚。

穹蒼定定在她們臉上注視了許久，眉頭越皺越深，最後，眸光閃動了下，像是終於想通了什麼。

賀決雲忙問：「怎麼？」

穹蒼低聲道：「假如我們真的錯了，對方的目標從一開始就不是所謂的天才。不是什麼掌控。」

何川舟的聲音聽起來更重了，應該是把手機拿到了耳邊。她問道：『那應該是什麼？』

「是我們錯了。」穹蒼半蹲到地上，抓過面前的紙筆，在幾個人的名字上畫了個紅圈，「其實目標的特徵一直都很明確。」

她在幾個女性的名字旁邊點了點，筆尖飛速劃動。

「女性。與薛女士年輕時相似，意志力薄弱，會慢慢服從他的指令，朝著他理想中的模樣進行改變。類似韓笑、妮妮。他對這些人傾注了愛意、控制欲、占有欲。田兆華並不是他的目標，但他是韓笑的丈夫，所以他希望田兆華可以跟韓笑離婚。為此，他不惜唆使梅詩詠，去破壞田、韓兩人的婚姻。」

賀決雲跟著挪動過來，掃了紙張一眼，又落在穹蒼緊繃的臉上，懷疑道：「可是田兆華遇害後，他就失蹤了啊。」

「因為韓笑讓他失望了。韓笑的自作聰明跟自私，間接害死了田兆華。這跟他的計畫，也許有一些出入。」穹蒼冷靜地分析，「薛女士是一個很溫柔的人，韓笑這樣的性格，就算與她再相像，也成為不了她。」

何川舟問：『那他為什麼殺了妮妮，卻沒有殺韓笑？』

「因為占有欲。」穹蒼把筆尖戳在紙上，「韓笑一直愛著他，願意為他離婚、付出一切，而妮妮跟他分手了。分手對他來說，是一種背叛。他無法容忍背叛。或者說，他無法容忍自己的目標移情別戀。」

賀決雲囁嚅著吐出幾個字：「……這麼雙標嗎？」

穹蒼指向另一個名字，用不帶溫度的聲音說道：「丁希華。情感缺失、家庭關係疏離、學習能力優秀，缺乏對自我的準確認知。他的特徵，其實跟李凌松有著些許的相似。這個人，在丁希華身上耗費了巨大的心力，對他進行漫長的引導、教化，陪伴他渡過了整個青春期，試圖將他培養成符合自己理想的人。」

賀決雲了然地接過話題：「然而丁希華同樣讓他失望了。所以他放棄了丁希華。」

穹蒼點頭。

賀決雲抬起頭問：「那范淮呢？他為什麼要選擇范淮？」

穹蒼：「范淮家庭美滿、長相出眾、智商超群、人際關係優良。性格樂觀、態度積極……」

賀決雲聽見這段溢美之詞，差點脫口而出夠了，還不如乾脆用個「完美」來說。

穹蒼未有察覺，一口氣把剩下的話說完：「他似乎很想將范淮引上真正犯罪的道路，因此，對范淮極其殘酷。他對范淮抱有的是摧毀、痛恨、不惜一切的瘋狂。」

賀決雲仔細回憶了一遍幕後人對范淮做過的種種手段，不得不承認穹蒼分析得很對。

一切都明朗起來。

「一種代表著父親，一種代表著母親。那范淮代表著誰？」

穹蒼臉上的肌肉因為緊繃而顫動了下，她用力咽下嘴裡的唾沫，緩聲道：「你還記得李瞻元年輕時的那篇報導嗎？他最感激的人是母親，最崇拜的人是父親。而他還提到了一個人，也許是他一輩子都忘不掉的人。」

賀決雲回想起來，感覺有股寒意在順著脊背向上爬升，不由倒抽一口涼氣。

何川舟等不到他們兩人開口，不由催促道：『到底是誰？』

穹蒼斂下眉目，淡淡道：「我父親。」

何川舟驚道：『什麼？』

穹蒼站起身，將冰冷的手指收進掌心：「我要回一趟老家。」

賀決雲二話不說，拿了鑰匙跟穹蒼一起出門。

銀色的汽車亮著前燈，刺破寧靜的黑夜，在大路上馳騁。臨近午夜的城區，高樓大廈仍舊閃爍著燈光，五彩斑斕的燈火連成一片繁華的景象，映襯著漫天黯淡的星辰。

賀決雲騰出一隻手調整後照鏡的角度，轉動著眼珠，小心觀察穹蒼的情況。

穹蒼在最初的時候有些走神，似在沉思，隨後那份沉思慢慢變成了昏昏欲睡，沒過多久，她乾脆半靠在座椅上打起了輕鼾。

賀決雲哭笑不得，主動放緩車速，用了將近一個小時，總算跨越半個城區，將穹蒼送回原先的住處。

他車剛停下，還沒來得及叫人，穹蒼已經睜開眼睛。她抬手按了下額頭，眼睛迅速恢復清醒，推門走了出去。

這地方穹蒼很久沒回來了。辭職後，她的活動範圍一直圍繞在城區附近，只是偶爾回來拿些需要用到的東西。

先前搬家，她扯了幾塊布用來遮擋傢俱，其餘東西都沒怎麼整理。於是當她推開老舊的房門時，潮溼的味道混著灰塵一起從空氣裡飄了出來。

穹蒼摸黑進去，順手打開旁邊的開關。

光線灑下，畫面清晰。分明是自己布置出來的，隔一段時間再看卻有種陌生的感覺。

賀決雲緊跟著走進屋，問道：「妳回來是想找什麼？」

穹蒼想起正事，走向書房旁邊的小雜物間。

木門側面已經生鏽的金屬合頁，隨著穹蒼粗暴的開啟動作，發出可疑的響聲。

穹蒼恍若未聞，蹲下身，從底下一排箱子裡，挑中了一個塑膠收納箱。

她奮力將箱子抽出。移動物品的過程中，灰塵簌簌地揚了起來。

這久疏打理的情況，絕對不是幾個月時間可以達成了。可見穹蒼平時就不怎麼動這個地方。

賀決雲用手在鼻子前面揮了揮，彎下腰，看著穹蒼拆開箱子，並從裡面摸出一疊紙。

賀決雲茫然道：「這些都什麼？」

「賀卡、明信片、感謝信，還有學校的獎學金紅包之類的。」穹蒼低垂著視線，纖細的手指小心整理著裡面的物品，指尖已經被染成了黑色。

「祁可敘小時候很少收到禮物，所以來自別人的東西她都會存著，不管有沒有用。」

這裡面有些是病人送給她的，有些是曾經的同學寄給她的，還有一些是學校發放的空白明信片。

祁可敘不會再看，也不會再用，就將它們全部放到了小倉庫裡。

穹蒼快速篩選著，在翻到一張藍色卡紙的時候，動作停了下來。

遒勁有力的字體記錄了幾句簡短的詩歌，內容並不露骨，感情卻很豐沛。

落款上寫的是單個字的「李」。

賀決雲也看見了，第一眼瞥到其中兩句：

『妳的眼睛，是薄暮時流光溢彩的絢麗天空，是閃動著粼粼銀光的浩瀚大海……』

他瞬間起了一身的雞皮疙瘩，暗暗遺憾自己沒有李瞻元那文藝細胞，否則也不至於以「單純」的朋友關係，孤男寡女共處一室……那麼長的時間。

真是造孽啊。

穹蒼繼續往下翻，又在後面找到了兩張來自「李」的明信片。

這幾張卡片被隨意地混在其他物品中間，可見祁可敘根本就沒放在心上，甚至沒把上面的詩歌當回事。

「你看。」穹蒼的聲音在靜謐的黑夜裡顯得特別沉穩，有種清澈的溪流沿著光滑的石頭緩緩淌過的感覺。

「祁可敘很笨的，就算李瞻元做得再多，她也只喜歡我父親一個人。」

賀決雲順勢接過她手上的東西：「這不是很好嗎？」

「是很好。」穹蒼扯扯嘴角，露出個不太好看的笑容，「不好在，我父親離開得太早了。」

賀決雲不知道該如何安慰。人生聚散，總是有種被命運捉弄的唏噓。

穹蒼埋頭，最終在箱子的底部，摸到了一張折疊過的白紙。

這次上面留著的不是詩了，而是一幅精細的手繪圖。

一位長頭髮的美麗女士，閉著眼睛，沉睡在黃昏的餘光之中。一條毛毯蓋在她身上，已經從胸口滑落至她的腰間，她側身躺著，任由烏黑筆直的長髮，遮擋住她的半張臉，睡得香甜。

她的身後，是一棟模糊的木屋，遠處是鬱鬱蔥蔥的樹林，天空被渲染成斑斕的彩色。

這幅精湛的畫作並沒有得到重視，從它被簡陋地壓在箱子底部也可以看出。經過多年的不善保存，畫上的圖案已經有些模糊，中間有許多黃色的暈染開的水漬，不知道是沾過什麼髒東西。尤其是左上角，還缺了一個大口。

賀決雲湊過腦袋，認認真真辨認了畫作上的每一處細節。

他確定上面的女人就是祁可敘，從畫面中透露出的恬靜美好的氣息，可以看出繪畫者對她的偏愛。

「畫裡的人並沒有何隊長說的那幾種特徵。沒有微捲的長髮，也沒有類似的妝容。」賀決雲看著穹蒼緊皺的眉頭，小心說道，「這說明什麼？說明妳的母親並沒有被李瞻元控制？」

穹蒼盯著面前的畫紙，瞳孔上下滾動，分出一絲精力，遲鈍地思考了他的話，才心不在焉地回了一句：「嗯？」

賀決雲實在不明白這畫上有什麼值得這樣注意的：「嗯什麼？妳在看什麼？」

「我在看這個背景，我覺得它有點眼熟。」穹蒼淡淡瞥了他一眼，而後指著紙張左上角的缺口道：「我翻到過這東西，你看，這裡是我的口水，我還咬過它。」

賀決雲沉默兩秒，而後驚訝道：「流口水？妳還記得這麼久以前的事情啊？」

穹蒼欲言又止，張了張嘴，無奈說道：「你真的相信了？」

賀決雲：「……」妳能不能在緊張的時刻保持正經？

穹蒼見他眼神幽怨，忍住沒笑，解釋說：「祁可敘沒有這件裙子的。她從來不穿這麼西式復古的服裝。」

準確來說，高中畢業後，除了工作服，祁可敘穿的衣服都偏向中性。偶爾穿裙子，也不會穿寬領低胸的裙子。

她長得漂亮，又家境貧寒，最厭惡別人窺探的目光與暗中的騷擾。然而不是人人都懂得君子，她只能用這種聊勝於無的方式去保護自己。

賀決雲隱隱有些感覺，卻又抓不到癢處：「所以這幅畫……」

「所以這幅畫不是寫實的，它是李瞻元想像中的場景。那麼畫裡的這個地方，對李瞻元來說，或許有別的意義。」穹蒼正色道：「這幅畫以前被祁可敘壓箱底，她經常不在家，我沒事做，翻出來看過……我是說，它跟田芮家裡的那幅畫有點相像。」

賀決雲完全想不起來：「哪一幅？」

穹蒼將滿地散落的東西，囫圇裝回箱子裡，帶著一絲迫切道：「去一趟田芮家吧。」

「現在？」賀決雲抬錶看了時間一眼，時針已經快要轉到午夜，這個時間拜訪，說擾民都不為過。他遲疑道：「這不太合適吧？」

穹蒼仰起頭，用一種說不清情緒的眼神無辜地看著他。

賀決雲沒忍住，很快就沒骨氣地妥協道：「行行行，我先打個電話給她。她要是接了我們就過去，如果她沒接，那明天再說。這樣可以吧？」

田芮那邊很快接起了電話，並同意他們過來。聽聲音，她的心情應該不是非常愉悅。

午夜的住宅大樓裡，刻意放輕的腳步聲在樓梯間迴盪，伴隨著模糊不清的對話聲。女生從裡面推開房門，天花板上的感應燈隨之亮起，照亮內外三張白皙的臉。

田芮疲憊地睜著眼，眼下是一片淡淡的青黑，她用力揉了把臉，嘟囔道：「你們找我還能有什麼事啊？非得在大半夜的。」

穹蒼一把抓住她的手臂，將她輕輕推了一下。

「幹什麼啊？」田芮腳步虛浮，閉著眼睛任由她帶著自己往裡走。

穹蒼輕車熟路地來到上次的地方，在田芮的注視下將畫翻了出來。

——穿著白裙子的女人跟一個小女生，站在古樸素雅的木屋前面，被一圈溪流環繞。小朋友的世界天馬行空，周圍的河流快被畫到天上，表現森林的方式，也是用一排排三角冠的樹木。

賀決雲仔細比對了一番，艱難地將它與穹蒼家裡的畫作聯繫起來，心裡仍舊有點自欺欺人的勉強。

得是想像力何其豐富的人，才能認出這是同一個地方？

那位被她深深敬佩的女士正指著畫作上的木屋認真詢問：「這幅畫是妳畫的？」

田芮不明所以地點頭：「是啊。」

「這是什麼地方？」

田芮清醒了一點，然而腦子還是轉得不快，她蹲下身，從穹蒼手裡將畫接過，一面用手指描繪線條，一面從記憶庫中搜尋有限的內容。

努力過後，她還是按著鼻梁晃了晃腦袋，失敗道：「這我怎麼能記得？好久之前的了。這地方很重要嗎？」

穹蒼放緩語氣，循循善誘地道：「特徵。妳把記住的特徵告訴我。這條河是在什麼地方？長度、寬度、走勢是怎麼樣的？山上有什麼花什麼草？從妳家去這個地方，需要用多長時間？或者妳是從哪個高速公路走的，路上經過了幾個山洞？」

小朋友對山洞或者花草一類的記憶會比較清晰。田芮被她提醒，慢慢開始回憶起一些被她忽略的細節。

她也不知道有沒有用，將自己能想起來的東西盡量描述出來。

「我記得……過了五個山洞。路上還看見過一個水上遊樂園。有一條……河？或者是溪？裡面有魚。路邊有些會結黑色果子的樹……」

田芮敘述的有些雜亂，然而在資料越加健全的地學資訊系統裡，她給的答案，已經足夠推導出準確的地理範圍。

穹蒼望向賀決雲，後者自信地打了個手勢，撥通電話聯絡三天的後臺人員，將內容和指令安排下去。

隨後便是耐心的等待。

田芮很睏倦，眼皮不停地下垂。母親住院的這段時間裡，她幾乎無法入睡，每天都在疲憊與失眠之間掙扎。一個人的空蕩房間，讓她缺乏安全感，哪怕有心理醫師的疏導，她也無法適應。穹蒼跟賀決雲的到來，反而讓她久違地放鬆下來。

田芮趴在沙發上，不知不覺中睡了過去。

穹蒼本來還想讓她確認一下最終地點，盯著她的睡顏看了會兒，最後幫她披上條毯子，輕手輕腳地離開家門。

兩人坐到車上，開著天窗，吹著秋夜裡的涼風。

過了約一個小時，加班工作的技術員打著哈欠，將符合條件的地址範圍傳送到賀決雲的手機裡。

賀決雲利用地圖軟體，在範圍內搜索著指定的木屋，很快，找到一棟搭建在半山腰的木屋。

從放大的景象來看，小樓的側面開出了一片花圃，花圃並未經過專業的打理，大部分是綠油油的草地，夾雜著一朵朵白色的不知名野花。但屋前的道路清理得很乾淨，可見平時會有人去定期打掃。

只消一眼就可以看出，這地方與祁可敘那張繪圖裡的相差無幾。

賀決雲有些驚訝，恍然：「居然是真的？」

最後的突破口，居然是在祁可敘多年前收到的一幅畫裡？

穹蒼緊抿著唇角，感受著胸腔裡劇烈跳動的心臟，耳邊有輕微的嘶鳴。

她覺得這是一種指引，是亡者埋藏在漫長歲月裡，給她留下的痕跡，讓她與自己的父母又有了一絲微妙的聯繫。

彷彿黯淡的圖像再一次閃爍起來，彷彿已經消逝的人化作無形的線牽引著她走向真相，彷彿詭譎的命運在這一刻終於創造出些許的溫情。

這種說不清道不明的感覺，讓她生出指尖發燙的錯覺。

穹蒼掩飾地摸了下鼻子，控制好語氣，無波無瀾地說道：「這應該不是巧合，將自己愛的女人，帶到能讓自己安心的地方，是一種象徵性的意義。這棟房子，對雙親離異的李瞻元來說，或許有著他童年美好生活的縮影。尋找或改造出與母親相似的戀人，帶她去自己記憶中最安全的地方，他是在追求『家』的安定感。」

「這是他最不設防的地方。如果還能找到什麼證據的話，只能是這裡。」

分明是很平靜的一段話，賀決雲莫名聽得心潮起伏。漫無目的的追逐，數次的迷失，他們終於扼住了對方的致命點。

他馬上將地點資訊告知何川舟，讓對方進行二次確認。

何隊長也是個奮戰在熬夜第一線的資深人物，接到情報後，第一時間投入新的工作方向中。

沒過多久，她打開電話，確認了這棟木屋的產權。

這裡是薛女士的老家。李瞻元年幼時，經常跟著父母來這裡過暑假。

賀決雲鬆了口氣，感覺塵埃落了大半，說：「明天早上帶人過去勘查一下。」

「明天早上？」何川舟的聲音異常亢奮，讓賀決雲懷疑她究竟喝了多少咖啡。

『現在過去，路上耽擱搜索一下，差不多就要到早上了。我請兩個值夜班的同事馬上出發，你們那邊怎麼安排？』

賀決雲當然是想回去睡覺的。為人民服務也要分日夜，他加班可沒人給他薪水。

他偏頭瞅了穹蒼一眼，後者用清澈的眼睛望著他，希冀地叫了聲：「賀哥……」

賀決雲頓時感覺自己也被灌了杯有毒的咖啡。

跟美色什麼的沒有關係，這主要是精神上的覺悟。

他乾咳一聲，容光煥發道：「我們現在過去！等等見！」

深夜的山林間迴響著嗚咽的冷風，樹影搖曳著在地上投下鬼祟的黑影，黯淡的月光被遮擋在厚重的雲層之上，唯有大聲的對話能驅散一點空氣裡的陰森。

賀決雲揮開面前的雜草，見穹蒼走得艱難，乾脆拉住她的手，拽著她往前走。

兩人速度緩慢，等他們到的時候，何川舟已經帶著隊伍，發揮出自己飆車的實力，抵達現場進行勘察。

窗戶透出明黃色的燈光，雜亂的腳步聲在屋裡進進出出。

何川舟得到消息，從二樓窗戶探出頭，朝他們招了招手。

屋內的擺設很簡單，基本都是常用家具。幾位偵查人員正在埋頭工作。

何川舟沿著樓梯走下來，一面說道：「屋裡有日常洗漱用的生活用品，不久前應該有人來過。但是房間跟地板已經被清理過了，我們正在尋找完整的指紋。」

賀決雲咋舌：「不會那麼小心吧？」

真的有人能將自己做過的每一個痕跡都清除掉嗎？

何川舟笑道：「應該不至於，屋內清理的並不乾淨。」

眾人都認為，受害的女性，不僅有妮妮跟韓笑兩個。這兩人都是李瞻元眼中的失敗品，被他早早拋棄。在她們之外，應該還有幾位不知情的女士。她們可能已經遇害，也可能像韓笑一樣，只能失去李瞻元的蹤跡。

從某種程度上來說，李瞻元膽魄驚人。他會享受操縱他人情感的快樂，享受人性的風險帶來的刺激，所以在誘騙女性之外，他還會教唆殺人。

這種膽量，只有不斷的成功與嘗試才能培養出來。

韓笑目前還在加護病房治療，其他的證人都已經離世，他們希望能夠在這棟房子裡找到新人物的線索，好幫助警方指證李瞻元。

何川舟沒時間跟他們說太多，讓他們自己安排，又回到二樓勘查。

因為夜裡值班的警員人手不夠，賀決雲臨時受命，拿著相機協助他們拍照記錄。

穹蒼在屋裡逛了一圈，沒什麼發現，獨自走出木屋。

賀決雲本以為穹蒼會隨便找個地方坐著，不過是一轉身的功夫，就發現人不見了。他左右尋不到蹤跡，心下一驚，趕忙跑出去找。

出了門，就看見穹蒼站在院子的白熾燈下，眼神幽深地盯著他的方向，一瞬不瞬，披著半身陰影，像個夜間遊魂。

賀決雲被她看得有些不舒服，立刻起了層雞皮疙瘩，等朝她走過去，才發現穹蒼看的根本不是自己。

賀決雲順著她的視線往原地望去，用氣音問了一句：「妳在看什麼？」

穹蒼緩緩轉過頭，黑白分明的眼睛定定看著他，同樣用氣音回道：「你有沒有發現，兩幅畫的視角其實是一樣的？按照視線方向、光線、位置來看，李瞻元就是從這個角度觀察繪製圖像。」

賀決雲低下頭，看著腳底下的土地。

不知道為什麼，這僻靜的環境加上穹蒼說話的語氣，總是讓他想要默念一遍大悲咒來護體。

穹蒼沒打招呼，突然退了一步，與他拉開距離。

賀決雲瞪眼：「妳幹什麼？」

穹蒼深彎著腰，藉著昏暗的燈光在草皮上搜尋，隨後道：「去找把鐵鏟來，挖挖看。」

賀決雲驚悚問：「妳認真的？」

「認真的。」穹蒼用腳尖蹭了下地面，將已經乾枯的野草踩下去，「雖然秋天的草地很禿，可是這塊地連禿都比旁邊的要矮一截，我覺得有點奇怪。」

野草已經枯萎，但是葉片依舊堅韌地扎在土裡。周圍的枯草是一簇簇地堆在一起，仍舊可以看出它春夏時的茂盛。到了中間這一塊，只留下幾株短小的枯葉，像是剛抽出來，還沒來得及生長的新植株。

賀決雲找不到反駁她的理由，乾脆隨著她折騰：「那妳等等，我回去找找。」

沒過多久，賀決雲順利從木屋裡翻出兩柄小巧的鐵鏟，與穹蒼一人分了一個，各自拿著工具，蹲在地上搗鼓起來。

過了約莫半個小時，一位偵查人員睏得兩眼發花，停下工作出來透氣。他揮舞著手臂舒展筋骨，還沒來得及呼吸一下新鮮空氣，就發現穹蒼在前面掘土。

年輕警員忍不住心肝一抖，生怕穹蒼的行為讓何川舟有了靈感，到時候大家都要加入到挖坑的隊伍裡。

他快步衝過去，壓著聲音道：「你們不會是要掘地三尺吧？不需要做到這種地步啊，我們先在屋裡找找吧，不用急。」

這柄小鏟子並不適用於重度工作，穹蒼挖了那麼半天，將地面鏟得坑坑窪窪，勉強刨出兩個坑，鏟子前段卻已經被砍捲了。

穹蒼抬頭掃了那位警察一眼，不為所動地繼續幹活。

偵查人員覺得她這樣沉默寡言的模樣特別世外高人，不由打聽道：「妳在挖什麼？」

穹蒼漫不經心道：「隨便挖挖。」

經偵人員莫名其妙道：「這怎麼隨便挖挖？尋龍點穴靠風水啊？」

穹蒼豎起鏟子，往泥地裡戳了進去。突然「鏘」的一聲，不是鐵鏟與石頭的碰撞聲，而是金屬與金屬之間的撞擊聲，在空氣裡短促地響了起來。

三人皆是愣住了。

偵查人員跟賀決雲倏然抬頭望向穹蒼，雙目炯炯有神。

穹蒼用鏟子撥開上面一層泥土，偵查人員見她動作過於粗暴，怕她破壞證物，連忙阻攔道：「妳別動，妳別動！放著我來！」

他一溜煙小跑回木屋，很快又抱著自己的工具箱顛顛地出來。何川舟等人聞風跟上。一群人圍到發現地周圍，反而將穹蒼擠了出去。

幾人小心翼翼地動作，最終從土裡挖出一個盒子。這盒子分明已經有了很多年的歷史，表面一層全部氧化生銹，看不出原先的圖形。

何川舟讓人直接撬掉開口處的小鎖，將盒子打開，入目就是幾張隨意疊放的女性照片。

何川舟戴上手套，將它們取出來一一查看。

不知何時，天空已從一片墨黑轉至灰白，晨風一陣陣地吹，將林間的薄霧驅向別處，現出茵綠的原貌。

旁邊的青年用手電筒對準相片照明，方便同事利用軟體識別人物。

一共是七張照片，代表七位女性。除此之外，盒裡還裝著一個隨身碟、幾部手機。東西全部用袋子封好，外側分別貼上了三個證人的名字。

毋庸置疑，這些物品應該就是李瞻元控制三位證人誣告范淮的把柄。

幾人亢奮地聊起天來，聲音裡帶著淡淡的笑意，周圍的氣氛陡然一輕。

「可以啊，李瞻元。」

「今晚這加班真是值了，可以騙一頓火鍋吧？」

「大功一件，那明天換完班必須讓他們請！」

目前來看，證據或許比他們想像得還要明確。

何川舟壓抑住狂躁的心跳，起身：「全部帶回去檢測！大家收拾一下，做好記錄。」

她半跪了太久，這一下猛地起身，眼前有點眩暈。旁邊的青年扶了她一把，被她擋開。

賀決雲見她這樣，不忍道：「何隊長，妳也休息一下吧。」

「趕回去，就差不多到上班時間了。」何川舟用著社會人士常用的藉口，「明天吧。你們也累了吧？之後等我們的消息就可以了。」她摘下手套，過去拍了拍穹蒼的肩膀，那表情裡帶著無比的器重與欣慰，「今天幫大忙了。」

賀決雲鬆了口氣，感慨說：「終於可以回去睡覺了。」

要是往回倒轉個五六年，在他上大學的時候，熬個三天三夜都不成問題。但是現在，只是通宵一晚，他就已經覺得睏乏了。

隔壁穹蒼也不是很有精神，剛才在旁邊站著，眼皮一直往下闔動。

何川舟意味深長地瞅他一眼，叮囑道：「不要疲勞駕駛。你們如果累的話，先在這裡休息一會兒，等清醒了再開車。」

這種地方，要是能走，那是一刻也不會想多待，更別說是休息了。

賀決雲跟他們寒暄了兩句，拉住穹蒼，先行離開。

第八章　瘋狂

兩人回到家，一面對熟悉的環境，強烈的睏意席捲上來。他們隨意吃了兩口東西，各自回房間休息。

可能是因為生理時鐘不對，穹蒼這一覺睡得特別浮躁。

她的夢境在各種光怪陸離的畫面之中交叉，意識迷離浮沉，真真假假分不清楚。

在不知道第幾次陷入半夢半醒的狀態裡時，一陣強烈的震動聲將她吵醒。

穹蒼陡然意識到自己還在做夢，渾身打了個激靈，隨即睜開眼睛。

緊閉著窗簾的房間裡昏沉一片，被褥被她踢到了床腳，床頭櫃上的手機正在不停地震動，亮著微弱的光芒，強調自己的存在。

穹蒼用力抹了把臉，將那種遲鈍的知覺抹去，越過身拿起手機。

她瞇著眼睛，在上方的功能表列裡看見了現在的時間，原來已經是下午了。

來電顯示上寫的是何川舟，穹蒼單手滑開，將它放到耳邊。

何川舟沒任何鋪墊，開口就說了一句：『一個好消息和一個壞消息！』

穹蒼按著額頭，配合地猜測道：「范淮確認清白了？」

何川舟那邊頓了頓，原先高亮的聲音低了下去。顯然她根本沒想到還有這麼一個「好消息」。

『目前這個已經是肯定的了。我們整理好資料，就會對外公布。這件案子影響很大，局裡都很重視。弄清細節關鍵後，會由李局長出面正式公告。不要著急。』何川舟解釋了兩句，又說：『還有一個好消息跟一個壞消息。』

穹蒼背靠在床頭，慵懶地說：「先聽好消息吧。」

『我們順利找到了照片上的兩位女性，她們還活著。』何川舟說：『我們聯絡兩人簡短交流，她們都承認，李瞻元曾經祕密追求過她們。一個在六七年前，一個在五年前。李瞻元勸說她們隱瞞這段男女關係的同時，誘導兩人進行一定的改變。但在交往過程當中，他並沒有與女友發生過性關係。李瞻元這人態度忽遠忽近，還喜歡柏拉圖式的戀愛，讓兩個女士很沒有安全感。當她們提出想要結婚的時候，李瞻元就跟她們分手了。』

穹蒼悶聲道：「嗯？」

驚訝是有的，但要說多意外倒也不是。

如果李瞻元真拿她們當母親的縮影，下不去手也算合情合理？

何川舟接著往下說，語氣裡夾帶了些意味不明：『我們又一次調查了李瞻元的個人情況，大概是因為警方的再三詢問，醫師有了些許動搖。他告訴我們，李瞻元在青春期時期，就發現有性功能障礙的問題，但是在李凌松的請求下，所有的體檢報告裡都隱瞞了這個情況。李瞻元積極醫治過這方面的問題，可惜都沒什麼成效。這大概是天生的。』

穹蒼微微張開嘴，被這消息震得有些發愣。

雖然這樣說很冒犯，但是有性功能障礙的男性，出現心理變態的機率的確會比較高。社會的歧視跟內心的自卑，會讓他們控制不住地想要尋求發洩口。而像李瞻元這種生活在父親光環下，卻又缺失家庭關愛的人，誤入歧途也不是什麼無法理解的事了。

極度的自卑背後，就是狂傲。利用對他人的凌虐，來證實自我的強大。從征服的過程中，滿足缺失的快感。

李瞻元有那樣的能力，所以他真的那麼做了。

這一次，穹蒼心底不再有那種詭異的困惑，像是所有的拼圖都回到了原來的位置。

只不過……穹蒼仔細想了想，不明白李瞻元有性功能障礙，對自己來說應該算是什麼好消息。

在何川舟眼裡，大概任何的新線索都是好消息。

穹蒼問：「那壞消息呢？」

何川舟深吸一口氣，沒有馬上開口。

對話裡驟然的沉默，讓穹蒼升起一股不祥的預感。

『李瞻元跑了。』何川舟還能保持冷靜，然而低沉的聲線裡依舊湧動著一絲憤怒：『小劉他們昨天帶隊守在李瞻元的社區門口，沒看見人和車出現，但是今天早上去抓捕的時候，他的家裡已經是空的。是我的錯，昨天他沒去醫院探望母親，我就應該知道不對。我以為我們動作很快，他應該察覺不到。』

穹蒼並沒有什麼很強烈的波動。抓捕李瞻元，完全是警方的工作，跟她沒什麼關係。她還是更關心范淮的公告會在什麼時候出現。

背景裡有人扯著嗓子在喊何川舟，何川舟應了句，最後對穹蒼道：『好了，我就是怕妳掛心，先來跟妳說一聲。我們馬上就要開會，先掛了。』

她不等穹蒼回應，直接掛斷了電話。

穹蒼看著跳回到首頁的螢幕，才發現方起在兩個小時內，打了十幾通電話給她，還傳了無數則訊息。

穹蒼皺著眉，猶豫著要不要回撥過去，手機再次震了起來。

方起標誌性的聲音急切響起，甚至都沒跟她追究拒接電話的問題。

『穹蒼，這是怎麼回事？妳知道老師被抓了嗎？』

穹蒼「嗯」了聲，從床上爬了起來。

方起呼吸沉重，急得聲音尖細：『妳知道內情，對吧？為什麼！你們懷疑他什麼？他不可能殺人的！』

「你覺得我們會冤枉他嗎？是他自己承認的。」

穹蒼一把扯開窗簾，正午猛烈的陽光刺了進來，讓她瞇起眼睛。

方起那邊呼吸起起伏伏，幾次斟酌著開不了口。他很想問，然而又不敢面對。有些話一旦問出口，就要顛覆三觀，他無法接受自己一直以來最尊重的恩師，其實是一個沒有社會道德觀念的殺人犯。

「師娘說想見妳。」方起囁嚅道：『李瞻元也不見了，聽說今天有警察上門找人。』

穹蒼對他的試探給予了無情的回應：「畏罪潛逃了吧。」

方起被震在當場，說不出話。隨後他那邊傳來一聲沙啞的低吼，似乎在揪著自己的頭髮哀鳴。

「薛女士見我，是想做什麼？」穹蒼用不容私情的態度回覆道：「我不方便再跟她接觸，也不能透露任何消息給她。沒什麼事的話，就算了吧。」

『她快不行了。』方起無力地說：『她真的想見妳……算了，妳自己決定吧。』

穹蒼腦海中浮現出薛女士那張慈愛又憔悴的臉，對方祥和的眼神與關懷的神態還猶在眼前。她移動著視線，在一旁的化妝鏡裡，看見自己表情鬆動，眼底閃過些許猶豫。

隨後，她輕聲回了三個字：「那好吧。」

面對薛女士，穹蒼的確沒什麼好說的。

她停駐在玻璃窗外，看著裡面的病人猛烈咳嗽，臉色因為窒息而變得通紅，大腦就更是一片空白。

薛女士拍著自己的胸口，躺在病床上用力喘息，在生命線的尾端痛苦掙扎。

方起站在她旁邊，眼神悲戚卻無能為力。

很快，幾人發現穹蒼的到來。

薛女士淚眼迷茫的眼睛閃了閃，向護工跟方起揮揮手，示意他們都先出去。

方起路過穹蒼身邊，停下腳步，張口欲言，對上穹蒼的視線後，又神色複雜地止了嘴。他混沌的大腦已經想不出這種時候應該說什麼，最後只道了一句：「謝謝啊。」

等人清空，穹蒼反手關上門，一步步走進去。這一次她與薛女士保持了距離，站在離床尾半公尺遠的位置，沒有靠近。

薛女士的神智還很清醒，她用手撐著，坐直起來，眼睛在穹蒼臉上轉了一圈，垂著眉眼問道：「是誰殺人了？」

她問得那麼直接，倒是讓穹蒼感到錯愕。本以為她會說一些「誤會」、「不可能」之類用於宣洩的話。

薛女士眼尾下沉，讓她整張臉看起來尤為悲傷，眼睛卻是前所未有的明亮。她直直看著穹蒼，沙啞道：「妳說吧，我知道。妳上次來找我的時候，我就知道妳沒事肯定不會過來的。」

穹蒼思索了片刻，迎著她的目光，說道：「不是李凌松就是李瞻元。李凌松承認了，李瞻元消失了。」

薛女士臉上的皺紋伴隨著她的表情向下沉去，她恍惚道：「凌松不會殺人的。他看起來很木訥，其實很溫柔。他做的好事是出於好心。當初他想接妳回去，也是出於好心。他是真的愛護自己的學生，否則不會有那麼多人尊重他，他總會露出馬腳，妳說對吧？」

穹蒼不知道李凌松在裡面扮演著什麼角色。不過李瞻元選擇目標的情報，肯定是來自李凌松強大的人脈。有好幾個人，都是他透過李凌松才接觸到的。

李凌松或許是從犯，或許是無力阻止，或許是真的不知情，這些都沒有關係。事情發展到今天，已經與他脫不了關係。

他那麼聰明，不可能完全不知道。

薛女士回憶起來，手指抽搐的幅度增大，她用力攥緊被子，顫聲道：「其實是我的錯。是我身體不好遺傳給他，才會讓阿元跟我一起受罪。我對他很愧疚，所以竭盡所能地想要補償他。凌松覺得這樣不對，我們在教育理念上出現了很大的分歧。」

穹蒼放緩語氣問道：「所以你們離婚了？」

「差不多吧。」薛女士閉上眼睛，鼻翼翕動，「阿元在青春期的時候，狀態不太穩定。他會說謊……陷害別人，說得特別真實。但是幾次說謊，都被凌松揭穿了。凌松是心理學專家，他覺得這種行為很嚴重，把它說得很誇張。我討厭他把每件事都當成是學術來研究，我覺得他這樣沒有感情，根本不像是在對待自己的兒子。」

穹蒼沉默。

「我覺得阿元長大能學好，幾個小孩子沒說過謊？可是後來我病了，根本管不了他。我也看不出他究竟是不是在撒謊，只能相信他說的每一句話。他長大後變得很完美，事業有成，又風度翩翩。」薛女士苦笑起來，說：「『小時偷針，大時偷金』，所有的父母都不以為意，但它真的會發生。很多錯誤都是源于父母的溺愛，對嗎？我對他太溺愛了。如果我以前同意凌松管教他，說不定就不會這樣了。」

穹蒼聽著她深刻的懺悔，不明白她為什麼會選擇對自己訴說，「妳知道他做了什麼嗎？」

薛女士搖頭，「他說謊我看不出來，但是他偷偷傳訊息、打電話，我還是知道的。他身上偶爾會有女生的香水味，可是他又否認。」

這大概是來源於母親的直覺，在某些地方，她們比偵探還要敏銳。

「凌松一直很理智，我知道，我以前以為阿元也是。後來我發現不一樣。他是想成為像他爸爸那樣的人，所以在外表現得很冷靜。」

穹蒼皺眉：「您到底想說什麼？」

「方起跟我說了一些事情，他說那個人是在針對妳，他想把妳誘導成罪犯，想把很多人的人生毀滅掉……我、我不知道阿元做不做得出來，但是有些事情，我覺得應該告訴妳。不然可能就沒人知道了。」

薛女士終於說到了這裡，又感覺難以啟齒。她忍不住去迴避穹蒼的眼神，想了想，又抬起頭。

她本來可以從容地迎接死亡，可是偏偏在生命的最後時刻，發生了讓她措手不及的事情。

這裡面有她的責任，她無法心安理得地當做不知道。

「我記得，阿元剛認識妳母親的時候，經常在我面前提起那個名字，還帶她過來給我看。真的是很漂亮乖巧的一個女孩子。他雖然不說，但是我看得出來，他喜歡小祁。」

穹蒼聽見這個人，額頭上的青筋開始不自然地跳動。

薛女士跟呢喃似地往下說：「他以前不喜歡吃糖，可是因為小祁喜歡，他也開始喜歡。他是第一次明顯地喜歡一個人。我很替他擔心，因為他不太方便結婚。結果，小祁根本不喜歡他。」

「那段時間，我看得出來他很壓抑。他覺得自己有問題，可是妳父親也有問題，何況小祁根本不知道他身體不好。妳父親那時候眼睛看不見了，脾氣暴躁易怒。在適應眼睛的時間裡，差點打到人。可小祁還是喜歡他。願意關心他、親近他。阿元很難受，不明白自己為什麼比不過別人。我從沒見他那麼失態的樣子。」

穹蒼安靜地聽她說下去，心底激蕩著一股不平靜的情緒。手心緊張地攥緊，縮在衣袖裡。

「妳父親去世後，阿元很關心妳的母親。他那麼積極，我以為會有機會。」薛女士斂下眉目，聲音很輕地道：「妳母親死的那一天，阿元從外面回來，身上還帶著一股奶粉味。我問他是去看小祁了嗎？他說沒有，一直在公司。我沒在意。然後第二天，我就聽見小祁自殺的消息。」

穹蒼渾身一震，腦子裡像懸著個巨大的銅鐘一樣嗡嗡作響。

她覺得空氣開始凝固，氧氣變得稀薄，無法順暢地呼吸，導致手腳軟得快要站不住。

她用了許多年的時間，去接受祁可敘自殺的事實。可如果不是，她應該報以什麼樣的心情？

她聽不見自己的聲音，但大抵是不太客氣的。

「那我父親是怎麼死的？他殺的？」

「這個跟他真的沒有關係。」薛女士急了起來，胸膛劇烈起伏，「那時候小祁快生了，她出去買妳要用的東西，妳父親過去接人。他看不見，聽見紅綠燈讀秒結束就要過去。結果有個司機闖紅燈。小祁在對面看見了，大聲喊他，他聽到了，停在中間，司機轉方向……就那麼正面撞上了。」

穹蒼張開嘴，突然發現自己發不出任何聲音。喉嚨像被死死掐住了一樣，澈底失神。她眨了下眼睛，眼眶裡一片乾澀，酸得生疼。

薛女士的話在她耳朵裡變得不真切。

「她沒告訴妳嗎？妳媽媽很愛妳的，只是她特別難以接受……」

穹蒼已經不記得自己是怎麼離開醫院的。當她回過神來的時候，只看見賀決雲一臉擔憂地在她眼前亂晃。

「妳在想什麼呢？」賀決雲在她耳邊打了個響指，「回來以後整個人都不正常了。怎麼？要不要幫妳找個道士招招魂？」

穹蒼嘴唇張了張，堅定十足的語氣，一個字一個字地往外蹦：「富強、民主、文明……」

賀決雲險些被她身上的正直光芒閃瞎，折服道：「可以可以，穹蒼老師，我願意為妳獻身科學。後面的我也知道，妳別背了。」

他在穹蒼旁邊坐下，語氣隨意地問道：「今天出去見誰了？」

賀決雲醒來的時候，穹蒼已經不在家了。電話不接，訊息不回，好不容易出現，又是一副失魂落魄的狀態。

賀決雲就想不明白了，穹蒼怎麼總是他不在的時候，將自己搞得如此狼狽？

穹蒼被他詢問，想要回答，語言系統卻出現障礙，不管是實話還是謊言都組織不出來。她抿起唇角，面露不滿，還沒思考出答案，感覺手上一暖，賀決雲覆在她的手背上，將她緊握的手指伸展出來。

手指展平放在腿上的時候，穹蒼感覺身上盤旋著的那股鬱氣也隨之減輕不少。她才發現剛才自己的身體肌肉是緊繃著的。

穹蒼抬起頭，看著賀決雲柔和的眼神，緩緩開口道：「今天薛女士告訴我，祁可敘有可能不是自殺的。」

這麼多年過去了，穹蒼以為自己的情感可以變得很淡泊，可以裝作毫不在意地，將所有的事情都按照理性的方式來進行分析，把所有的邏輯都按照固定的形式進行排列。

可是她不行。

她的記憶很清晰，她永遠會記得那一天，祁可敘按著她的頭施虐的畫面，記得對方仇恨地看著她，希望她不要出現在這個世界上的眼神。也永遠記得自己當時的茫然跟無措。她承受了不該屬於她的恨意。她不甘心。這種不甘心即不理性也沒有邏輯，更永遠得不到補償的機會。

然而，每次回憶起祁可敘這個人，她最恨的，其實不是祁可敘的反覆無常，而是她的不負責任。

對比起她精神疾病造成的不穩定，穹蒼更憎恨她拋棄自己的行為。

她對自己的暴力，穹蒼可以把它埋在很小的角落，往上面鋪上她對自己好的回憶，只需要給一個簡單的理由就可以解釋。

可以理解祁可敘的痛苦，理解她的不受控制。

這是一個年幼兒童刻在基因裡的，對母親的孺慕。

但是自殺這件事，穹蒼一輩子都無法釋懷。

只有自殺者的親屬才能體會，那是一種價值被否定的痛楚。彷彿自己的存在，不曾在對方的心裡占據過重要位置。

明明，她把祁可敘當成了自己的全部。身為一個母親，她怎麼能夠就這樣離開？

穹蒼眼底泛出溫熱的水意，她用力眨了下眼睛，想將那股酸澀憋回去。還未將情緒消化，一隻手伸過來，捂住她的眼睛，然後按著她的肩膀，將她攬進懷裡。

穹蒼彷彿被對方手心的溫度燙到，眼皮一陣顫動。隨後那隻手移到她的背後，跟安慰似的，一下下拍撫。

穹蒼深吸一口氣，下意識想要抽身回來，然而賀決雲手上的動作雖然溫柔，手臂的力量卻很強勢，沒能讓她動彈。

賀決雲許久沒有出聲，只是單純地抱著她，似乎在努力思考要說些什麼。

在時間安靜的流逝中，賀決雲的心跳開始加快，應該是終於想好了，而他在開口的時候，又努力保持著平和，讓自己的聲音足夠冷靜。

「我聽別人說，在人的一生當中，父母的存在其實不是最深刻的，因為他們能陪伴子女的時間不長。人慢慢長大，就要學會離巢，開始獨自生活。」

穹蒼靠在他的胸口，臉頰感受到他隔著衣服傳來的體溫，這種能聽見對方心跳的距離，讓她有種極其真實的感覺。她能用直接的心跳窺破對方的內心。

賀決雲說話，聲帶與胸口一起傳來輕微的震動，他問：「那妳知道什麼關係，是維持得最久的嗎？」

穹蒼有點出神，沒聽見他後面的聲音。

賀泱雲憋住口氣，自問自答道：「是愛人。是認認真真，想過一輩子，想為對方負責的那種愛人。」

穹蒼愣了愣。

賀泱雲一鼓作氣地問出來：「我年紀也不小了，所以……穹蒼老師，要跟我交往嗎？」

這個問題問得有點突然，卻又好像十分合理。賀泱雲的「狼子野心」早有端倪，而在長期的相處過程中，穹蒼並不覺得討厭。

穹蒼的注意力被澈底帶偏，大腦陷入混亂。思緒第一次像匹野馬一樣，沒有方向、沒有目標地在腦海中疾馳。

賀泱雲察覺到她的安靜，心裡有點發虛，手臂的力道微鬆，但是轉念一想，又說服了自己。

不乘虛而入，什麼時候才能找得到女朋友？單身那麼多年就告訴了他一個道理，做人不能太客氣。

賀泱雲決定適當地展示一下自己的豪無人性。

「我有錢，對吧？以後妳想做什麼就做什麼。只要妳不過分任性，可以為所欲為。比如每天在一千坪方公尺的大床上醒來，在廁所裡擺七個純金鑲鑽的馬桶，請一百零八個傭人專門負責妳的生活起居，建一棟城堡，存放妳無處安放的筆記紙……」

穹蒼臉上閃過遲疑。

原來她在賀決雲的心裡，就是個神經病嗎？

……不過最後一點聽起來確實挺誘人的。

賀決雲說到一半停住了，也發現自己有點神經質。如果繼續暢想下去，恐怕會被穹蒼暴力扭送至精神病院。

他對自己的語無倫次深感焦躁，搜腸刮肚又無力補救。

……除了有錢，他還能幹什麼？

賀決雲正對自己生氣，就聽見懷裡的人悶聲說道：「我考慮考慮。」

賀決雲都做好被拒絕的準備了，聽見穹蒼的答案，著實驚愕了一把。好在彼此都看不見對方的表情，錯過了他呆傻的模樣。

賀決雲知道，穹蒼的敷衍總是浮於表面，對於迴避性的問題只用「嗯」、「哦」一類的字勉強回應，而對於她不喜歡的事情，她從來不會客氣。

她會說「考慮」，已經是很認真的態度了，且主觀性是偏向同意的。

這說明什麼？天才都是委婉的，這就是同意的意思啊！

賀決雲激動起來，彷彿剛才聽見的就是「我愛你」三個字，血液跟著心跳奏響了一曲澎湃的詠嘆調。

穹蒼難以忽視，幽幽道：「你的心跳很快。」

賀決雲連忙放開她，短暫的手無足措後，開始今日的賄賂流程，「要吃什麼？」

穹蒼斜睨著他，覺得他窘迫的樣子特別有趣，揶揄道：「這不重要。不如先給我來個鑲著黃金的馬桶開開眼。」

賀決雲的皮膚很白，以致於耳邊浮現的一點紅暈都十分明顯。

「別鬧。」他回憶起一分鐘前的自己，不願意承認那個看起來不太聰明的傢伙，是霸道總裁賀決雲本人，虛張聲勢地說：「只有做我太太的人，才可以提這些無理的要求。」

穹蒼不理解他們這些有錢人的生活，不敢太過放肆，轉了口風道：「那算了。我怕我上廁所的時候會忍不住抗拒地心引力。」

賀決雲笑罵道：「怎麼？妳到底吃不吃？」

穹蒼識趣道：「走吧。」

當天晚上，方起又打了通電話給她。

接通電話後他沉默良久，最後平靜地說了一句：『師娘死了。』

穹蒼百感交集，含糊地應了一聲。

方起卻舒出一口氣，輕鬆地說：『這樣也好吧，她可以走得稍微安心些。』不用親眼目睹自己的丈夫跟兒子被送上審判庭，在看著他們接受人民憤怒的唾罵。

方起又問：『老師那邊怎麼樣了？』

穹蒼如實地說：「我不知道。沒有跟進。」

方起：『李瞻元跑哪裡去了？』

「不知道。」

『哦……』方起沒什麼好說的了，而且他有點疲憊。

李瞻元跑了，李凌松又被拘留，薛女士沒什麼別的親人，只能由他們幾個學生幫忙處理一下後事。

『那我先去忙了。晚點再找妳。另外……』方起支吾了幾聲，嘆說：『如果有李瞻元的消息，不管是死是活，順便告訴我一聲吧。』

穹蒼更想知道李瞻元去了哪裡，她還有事想當面找他問清楚。且這個念頭極為強烈，恨不得那個人現在就站在她面前告訴她答案。

穹蒼捏著手機，上下翻轉，視線無神地落在前面的電視櫃上。

李瞻元罪行已經暴露，逃跑無濟於事。他習慣了風光人前的生活，應該無法適應四處流竄的困窘。何況如今他最重要的雙親都因為他而深陷不幸，他不可能熟視無睹。

穹蒼相信，他還在A市，或者是在附近。

他在憎恨那些破壞了他平靜生活的人。比如何川舟，比如穹蒼。他正埋伏在暗處，如同雙眼閃著綠光的野狼，窺覷著她的一舉一動，伺機報復。

穹蒼手指輕動，隨後點開自己的社交帳號，在上面打了一段文字。

這個帳號她不常使用，發布的都是些跟工作相關的通知，好友裡不是同事就是學生。

她在上面寫道：『原來只是一個性無能的心理變態，這種觀賞他人痛苦的感覺，能讓你生理勃起嗎？你的所作所為，最後只是讓自己的母親承擔責任。你看見你母親聲淚俱下地痛哭、懺悔的模樣了嗎？她就死在冰冷的病房裡，死在我眼前。可惜沒有人會原諒她，同情她。』

穹蒼打完字，抬手蒙住自己的臉。在黑暗中長長吐出一口氣。

他會來找自己的，一定會。

范淮壓低帽檐，吃著碗裡的麵，透過朦朧的白霧，看著面前的手機螢幕。

沒過多久，車門打開，一個身材嬌小的女生鑽進來，坐到他旁邊。

女生看著他眼底的紅血絲，小聲建議道：「淮哥，要不你先回去休息一下？一直在這裡等也沒有辦法。他不一定會回來的。」

范淮沒有作聲，他吃了兩口，放下筷子，把手機拿到眼前，將訊息上下翻動了一遍，嘴裡輕聲念了出來。

他像是知道了什麼，朝旁邊的女生道：「妳下去。」

女生抓緊安全帶，急道：「我不要！」

范淮皺眉，也不想跟她僵持，三兩口將碗裡剩下的食物掃乾淨，啟動車輛，朝著穹蒼的定位駛去。

翌日早晨，穹蒼在天際還未澈底轉亮的時候，就穿戴好出了門。

她特地輕手輕腳地出去，連關門的動作都做得小心翼翼，離開前還確認了賀決雲的房間毫無動靜，隨後一路去了停車場。

她低頭整理安全帶，順便回覆一則訊息給何川舟，等她抬起頭，就發現賀決雲正一臉陰沉地站在車頭前。

老賀同仁背著雙手，用犀利的目光譴責她，像一個祕密前來視察，卻發現了重大錯誤的長官一樣，表情寫滿了失望。見她終於注意到自己，冷笑著在脖子上做了個斬殺的手勢。

穹蒼：「……」怎麼會這麼神出鬼沒？

賀決雲走到側面，敲了敲窗戶。

穹蒼迎著清晨的西風，先發制人地問道：「你怎麼過來了？」

「妳還敢問我！是不是背著我幹些見不得人的事情，還怕我發現？」賀決雲幾要跳腳，面目扭曲地哂笑道：「妳沒駕照就敢上路？妳很囂張啊。妳知道我國每年要發生多少起交通事故嗎？知道每年因交通事故死亡的人數，都在十萬人以上嗎？這個行業不需要妳添磚加瓦！」

穹蒼被他訓得一愣一愣，弱弱說了句：「我有用自動駕駛。」

賀決雲吼她，一手用力指著方向盤：「自動駕駛也要駕照啊！妳上路不會有突發情況？」

穹蒼喉嚨滾了一下，不知道自己在慌什麼，可能純粹是受他情緒影響。她冷靜下來，解釋道：「我叫了代駕，他進不來社區。我現在是出去接他。就……一公里的距離？」

「撤單！讓他回去！直接給他好評！」賀決雲想想，不高興地補充了一句，「不撤我就給他負評！」

……代駕何辜？

賀決雲不依不饒：「而且叫代駕又怎麼了？我告訴妳，從這裡到社區門口，就算只有一公里，妳也是無照駕駛的一公里！妳在犯罪！妳對不起那麼多年幫妳上教育課程的老師！開門！按下旁邊那個亮起來的地方！」

穹蒼知道，快一步地按了下去。

賀決雲拉開車門，提著她的後衣領，跟抓小雞似的將她拎下來，高冷地點點下巴，示意她去另一面，然後自己坐進駕駛座。

穹蒼理虧，一聲不吭地坐到旁邊。賀決雲跟隻雄踞著自己領地的獅子一樣，慢條斯理地整理著白色的衣袖，將內翻的領口和沒扣對的紐扣歸於原位。動作裡帶著三分霸道三分薄涼還有四分當場捉拿的驕傲。

穹蒼：「……」

賀決雲火氣消了一點，問道：「要去哪裡啊？」

穹蒼遲疑著沒有回答，反問道：「你不去上班嗎？」

賀決雲說：「我準女友開著我的車，莫名其妙地在一大清早背著我出門，我還上什麼班？」

他的頭髮是亂的，顯然是從床上一蹦而起急忙衝出，還能記得換上乾淨的衣服已經是極限，過多的要求顯然太過苛刻。

他對著鏡子抓了把自己蓬鬆的頭髮，發現頭頂有一撮怎麼都壓不下去的呆毛，惱怒中又一次瞪向穹蒼。

穹蒼第一次發現，賀決雲這人挺會打蛇隨棍上的。怎麼就突然變成準女友了？還幫自己升級頭銜了啊？

臭不要臉。

賀決雲掙扎沒多久，決定放棄自己的髮型，先把車開出社區。

他行過社區門口的欄杆後靠邊停下。不遠處一個穿著藍色工作服的男人，原本正把雙手插在口袋裡朝門口張望，見他們出現，立刻小跑著靠過來。

青年彎下腰，在車窗上敲了兩下，叫道：「穹蒼老師。」

穹蒼抿著唇，別過臉，滿目深思地望著窗外。

賀決雲緩緩降下車窗，木著一張臉與外面的人對視。青年認出是他，倒抽一口涼氣，隨即想伸手遮擋。

賀決雲當然認識他，別以為戴個帽子黏個鬍鬚就可以偽裝成另一個人。前段時間大家還見過好幾次，建立起了革命情誼，就差勾肩搭背互稱兄弟了。

賀決雲一手架在車窗上，笑道：「老張同仁啊，公務人員現在可以兼職代駕了嗎？何隊長開給妳的薪水嗎？還是薪水太少，你們不得已要找點路子來養家糊口啊？」

青年乾笑著彎下腰，揮手跟他打了個招呼。

「好巧啊，我這就是路過，順便來接穹蒼老師去逛逛街，開拓一下……」

他在賀決雲逼視的目光中含淚閉嘴，覺得自己這人民公僕做得太慘了，接個人跟來偷情似的，一點體面都沒有。

賀決雲審視地看著他們，危險道：「你們到底想背著我去什麼地方？」

保全看他們的眼神已經很不對了。摸下巴的細微動作裡透露了他豐富的想像力。

賀決雲不希望在未來的某一天，聽見關於自己的綠帽謠言，招手說：「先上車！」

青年立刻跳上後座。

「何隊長。」對講機傳來沙沙的聲音，顯然這一帶的信號並不好。青年按著耳機道：「人沒了，房子空了。」

何川舟沿著平坦的小路往上行走，目光不時在兩側的田地上掃過，設想著李瞻元出現在這裡時的情形。最後腳步不急不緩地停在一棟鄉村自建房的前面。

房子的兩側還掛著已經褪色的春聯，院子裡停了輛黑色的轎跑型小汽車。

正在裡面記錄的青年見她到場，走出來跟她介紹道：「何隊長。這就是李瞻元開出A市的那輛套牌車。但是他名下並沒有這輛轎跑車，公司財產裡也沒有登記，不知道是用誰的名字買的。也不知道他手上還有多少類似的交通工具。」

如果李瞻元狡兔三窟的話，他們的追捕行動恐怕又要陷入被動。

這一幕簡直似曾相識，當初范淮逃跑的時候他們就經歷過一次。差別在於范淮最終能成功逃脫，跟何隊長一時的猶豫也有些關係。

何川舟相信范淮不是凶手，也認為范淮能夠幫助他們牽引出調查方向，只是她沒有明確的證據。

何川舟眼神深邃，看著空曠的房間用力抹了把臉，兩手插腰地站在院子裡。

他們申請支援，數十人連夜翻查監視器畫面，最後是擴大時段，一輛一輛車地進行排查，才終於找到這輛套牌車，再根據套牌車的行車路線，火線追凶。

那麼多人連夜不休，結果竟然還是晚了一步。

明明他們每一次都踩中對方的命門了，李瞻元仍舊能像幽靈一樣甩開他們。

『快了。』何川舟不知道是在跟他們說，還是在跟自己說：『加把勁，我們追到他的節奏了。』

這種時候，李瞻元肯定比他們更恐慌、更害怕。

『何隊長。』耳機裡再次響起一道男聲，對方似乎是站在風口的位置，聲音聽起來不太清晰，『在路口發現了一個私人架設的鏡頭。我們試著連了一下，訊號已經中斷了。』

旁邊的青年大嘆可惜地捶了下腿：「看來李瞻元知道我們追過來了，他不會再回來了。」

何川舟眉頭緊皺，內心有種不詳的預感，但是在臉上沒有分毫表現。她舔了舔嘴唇，朝著眾人下達指令：「李瞻元肯定才剛走不久，就算他再神機妙算，也不可能原地失蹤。所有人！加大範圍排查周邊的道路，去村裡調取監視器畫面，確認李瞻元離開的路線！聯絡周邊的警察局，讓空閒的工作人員幫忙排查。小劉，你暫時留在村子裡，去找當地的居民打探一下情況，看看有沒有什麼發現。」

眾人被分派好工作，大聲應了句，立即跑動著過去安排。

何川舟還是有些不安，案件臨近收網時她經常會有這樣的感覺，這讓她到最關鍵的時刻也能保持足夠的警醒。畢竟越接近結尾，嫌疑人被逼至絕路，就越可能會出現變故。

她想了想，拿出手機，傳送一則訊息。

何川舟：『小張，你那邊有情況嗎？』

張：『沒什麼問題，就是賀決雲也跟上來了。』

何川舟：『李瞻元不見了，他可能會去找穹蒼。你記得靈活應變，不管遇到任何情況，以保障生命安全為主要目的。』

張：『是！』

何川舟：『你們到哪裡了？我讓附近警局的人去接應你們一下。』

張：『剛上國道，我發個定位給您。』

黑色的眼睛被遮掩在帽檐下，男人深深藏著半張臉，盯著平板電腦上的畫面。在看見警車從他家門前經過，他表情抽搐了下，差點咬破自己的嘴唇，又很快恢復自然。

汽車音響裡正在播放一首搖滾曲，炸裂的音樂與沙啞的嘶吼，不停撩撥他內心深處的焦躁。

男人跟著節奏晃了晃頭，隨後關掉軟體，一拳捶在方向盤上。

他一下又一下，發洩似地捶打著面前的黑色圓盤。汽車發出刺耳的鳴笛聲，將他未能喊出口的憤怒都宣洩出來。

片刻後，男人終於冷靜下來。他停下動作，撫摸右手的指節。等調整好情緒，重新打開另一處的監視器畫面，看著賀決雲那輛車駛出社區，沉沉吐出口氣。

他緩緩將車開到監視器的下方，摘下口罩，無所顧忌的，對鏡頭後面的人露出了陰森的笑容。

第九章　一切都會變好的

一大清早，即便是主城區的交通依舊十分通暢，賀泱雲以時速六十公里的速度，聽著老張結結巴巴把事情講清楚了。

何川舟帶人循著線索追擊李瞻元了，又擔心穹蒼一個人會走霉運，就讓他過來保護。

老張對穹蒼做了個遺憾的表情，攤手說：「不是我不幫妳隱瞞啊，是我真的忍不住了。」

穹蒼無奈地說：「我只是想去幫我父母掃墓，沒別的事情。」

昨晚李瞻元失去蹤跡，開始逃亡。穹蒼想，如果李瞻元要找上自己，需要時間安排，所以她刻意挑個大早，讓李瞻元沒有反應機會，這樣路上會比較安全。

她本意是打算，如果何川舟那邊始終沒有線索，她就在墓園附近等待李瞻元的出現。那個男人生性高傲，面對天網系統的追捕，肯定無法接受苟且的生活。

他一定會安排一場盛大的落幕。

「沒別的事情不叫我？開車我不行嗎？」賀泱雲一面設定導航，一面不平道：「我是沒有手還是沒有腳？這種事情，妳寧願找何隊長幫忙，麻煩別人，也不來找我？」

穹蒼眨著眼睛，無法理解道：「有困難，當然是找警察叔叔。」

賀泱雲說：「妳現在的情況跟以前不一樣，妳有困難可以來找我。我比他年輕，也比他強壯，還比他能打。這種事找我不是更好？」

老張知道這種時候開口不合時宜，會影響他們兩人之間的友誼，但他還是難以容忍人民公僕的能力被低估，於是壓著嗓音說了一句：「我配槍了。」

賀決雲視線朝後照鏡一掃：「配槍了了不起嗎？這輛車是我的！這車通體防彈！」

「哇！」老張同仁為了自己不被丟下車，敷衍地誇了一句，「好厲害啊……」

穹蒼：「……」現在能皮也是刑警的必修課了嗎？

賀決雲轉動著方向盤，將車開往路標指示的方向，又不解地問道：「妳父母的墓怎麼會是在A市外面？他們不是一直住在A市嗎？」

穹蒼說：「長輩安排的。」

墓地是很早以前就選好的，選在A市城外，據說那邊風水好，穹蒼父親的許多親屬都葬在那裡。

他們兩人去世，後事不是穹蒼料理的。因為位置離得太遠，又有點抵觸，她去掃墓的次數寥寥無幾。

賀決雲看了下路程，還有起碼一個多小時。穹蒼出門偷偷摸摸，連早餐都沒吃，導致賀決雲也是餓著肚子。

他示意老張去翻後座的包裹，說：「聽點東西聽點歌，慢慢來吧，我車上備了點餅乾跟飲料。」

老張欣慰道：「謝謝啊！」

賀決雲說：「我跟准女友說的。」

老張：「……」友情消失了。

穹蒼從老張手裡接了盒小麵包，還有一盒餅乾，隨便吃了點。

賀決雲餘光看著她臉頰鼓動，認真吃飯，心裡跟撓癢癢似的不安分起來。他咳嗽一聲，暗示說：「穹蒼，我也沒吃早餐。」

穹蒼應了一句：「哦。」然後沒有了下文。

賀決雲：「……」非要我求妳嗎？妳吃我的東西，難道就不會嘴軟？

他不能對穹蒼生氣，只能藉著後照鏡瞪了老張一眼。

都是他，電燈泡。穹蒼才會變得含蓄。

老張悄悄把車窗開了一條縫，試圖用呼嘯的風聲來挽救車內的尷尬。

這是他的錯嗎？他只是一個開不上車的代駕而已啊。

國道的路曲折，路面也不是十分平坦，好在這輛車底盤很穩，並沒有顛簸的感覺。

老張一直在後座傳訊息，跟何川舟那邊聯絡好的人進行交接。他手指飛動，時不時還要回頭看一眼車後的情況。

這疑神疑鬼的模樣，讓老張有點想笑。老職業病了。

賀決雲在開一段環山起伏的道路時，終於還是忍不住，問道：「昨天的事情，妳考慮清楚了嗎？將近十二個小時了啊，就算除去八個小時的休息時間，妳還有四個小時可以用來思考。思考一遍，假定需要三秒鐘，那麼妳就可以考慮……」

穹蒼幫他算出來，小聲提醒道：「四千八百次。」

「是啊，四千八百次！」賀決雲用餘光小心打量她，說：「妳那麼聰明，思考四千八百次還解不出來的，得是世界未解之謎了吧。」

穹蒼低聲吐字：「它本來就是啊。」

老張茫然道：「什麼問題？」

兩人異口同聲地回答。

賀決雲：「婚姻。」

穹蒼：「愛情。」

穹蒼疑惑地看向他。

「愛情、愛情。」賀決雲咳了一聲，掩飾自己步調過快的事實，「父……男友之愛人，必為之計深遠。就這麼個意思。」

穹蒼：「……」我就知道你還是想做我爸爸。

賀決雲沒安靜一會兒，又說：「妳是不是覺得自己會有危險，昨天才拒絕我？李瞻元就是一個瘋子，沒有抓到他之前，妳沒有安全感。其實，妳本來是想答應我的。」

穹蒼沒有停頓的飛速接道：「不是。」

賀決雲一字一句地說：「妳肯定是！」

「你不要這麼執拗。」穹蒼說：「你都不接受我的答案那你還問什麼？」

賀決雲理直氣壯：「妳沒給我解題的過程。我有理由懷疑妳口是心非。」

老張沒想到自己還能被牽扯進這番男女的愛恨情仇中來。可是他聽了一會兒，沒明白，扒著前座的靠背問道：「啊？你們不是早就在交往了嗎？都同居了啊。」

賀決雲聞言，得寸進尺地大吼：「看！你看！在別人的眼裡，我已經沒有清白，妳是不是應該對我負責？」

穹蒼有那麼一瞬間，想把他的頭按在前面的擋風玻璃上。

所以當初邀請她同居的人，到底是誰啊？這清白難道不是賀某主動獻上的嗎？

老張覺得自己終於明白了，以過來人的語氣說：「你們是……那個關係啊？哦，我懂我懂，時代開放了吧。不過年輕人，還是穩定一點比較好。如果夜生活可以很和諧，是能試著發展下一步的。好好想清楚。」

……聽得賀決雲都以為老張比自己大一個輩分。

兩人都不說話了。

他們的夜生活十分得純潔，也很和諧，但完全沒有老張想像中的那麼豐富。

老張以為他們害羞了，笑嘻嘻地靠回椅背上，讓兩個單身狗好好品味人生哲學。

正在賀決雲醞釀著下一句要說的話時，從轉角處的視線盲點，駛來一輛SUV。

對方原本好好開在自己的車道，在看見他們後，突然實線變道，朝他們衝了過來。

賀決雲眼睛瞪直，罵了一聲，飛快調轉方向，將車轉向山體內側。

他的車性能好，開的車速也不快，這一撞問題不大。他藉著山體的摩擦力，安全將車停下。而那輛SUV因為緊急制動，在護欄上撞了一下，打了個圈，前後調轉了方向，就停在他們後方。

賀決雲沒有馬上下車。他察覺到危險，渾身緊繃著肌肉，兩手死死握住方向盤，藉由後照鏡，觀察那輛車的情況。

距離過遠，他看不見車裡的人究竟是誰。

很快，SUV的車燈再次亮起，死踩著油門朝他們衝了過來。

賀決雲這時候深刻體驗了，李瞻元的確是個不要命的瘋子。

「靠！」賀決雲跟著起步，朝前方加速開去，試圖跟後面的車輛拉開距離。

然而道路九曲十八彎，有不少大車途經，並不適合飆車。他沒李瞻元那麼不要命，不敢猛踩油門，偏偏後面的車跟瘋狗似地一直咬著他們，車頭不住頂撞，根本不計後果。

「他怎麼會出現得那麼早！」老張在後座根本坐不穩，被慣性甩得東倒西歪，伸手去摸自己的配槍，幾次嘗試，只能將它拿在手裡，卻無法瞄準射擊。

老張叫道：「你開穩一點啊！」

「這怎麼可能開得穩！」賀決雲一心多用，注意力全凝聚在前後的車輛和大角度的彎道上，他叫道：「穹蒼，抓緊！」

穹蒼抓住旁邊的把手，臉色一片青白，胃部有一股酸液在翻騰，險些要噴出喉腔。

賀決雲往前逃了一段，還是沒能甩開尾車的追擊。最擔心的一幕卻發生了。前方轉彎的位置，傳來幾聲鳴笛，等畫面顯現出來，發現是一輛小貨車正在彎道超車，而左側車道上開著的一輛紅色的大型貨車。

賀決雲瞳孔緊縮，恐懼化作涼意爬上他的脊背，同時也讓他的注意變得更加集中。與其被前後夾擊，或者被大車碰撞，賀決雲當機立斷，踩下剎車，撞向一旁的護欄。車輛衝破石欄，沿著斜坡往下墜了一段，隨後翻滾下去，並在樹木的格擋下順利停了下來。

視角快速翻轉，穹蒼感到一陣眩暈，分辨不清方向。她的手指因為過於用力而開始發白，失重和碰撞讓她，安全氣囊和安全帶，讓她胸口一陣發悶，難以呼吸。

她緊緊閉著眼，咬緊牙關，想要扛過這一次事故，在車輛終於停下時，她的頭被什麼東西撞了一下，溫熱的液體順著額頭流出，意識逐漸陷入迷迷糊糊的黑暗。

車廂內部並沒有受到太多損壞，但是賀決雲在撞車下去的時候，刻意將車子左側轉向下方，以致於現在他左半邊手臂被撞到發麻。

那陣猛烈的撞擊結束後，他的大腦呈現出一片空白。

他後仰著頭，靠在椅背上，痛得齜牙咧嘴，眼睛裡分泌出淚水，只能依靠不停地大口呼吸來緩解。等那道白光過去，他意識開始清醒，立即用衣袖將視線裡的朦朧用力蹭去，頂著那種刺骨的疼痛，嘗試抬起左臂。

左手的肌肉不停發熱、顫抖，稍一挪動那種痛感就開始加劇。賀決雲抬到一半，只能放棄，轉頭去查看穹蒼的情況。

「穹蒼？穹蒼！」

穹蒼沒有回應。

賀決雲艱難解開安全帶，爬過駕駛座，用手擦了把穹蒼額頭上的血漬。後者五官緊緊皺起，嘴裡發出一聲顫抖的呻吟，下意識地避開了他探查的動作。

還是有一點意識的。賀決雲鬆了口氣。

穹蒼那邊的門被茂密的樹叢擋住了，賀決雲反身踢開車門，用右手小心地降低椅子高度，將穹蒼抱到駕駛座來，再把她運出車廂。

只是做這一個簡單動作，賀決雲臉上已經滿是冷汗，他把人平放在地，粗略檢查一遍穹蒼的身體情況。

沒有骨折，除了頭部以外沒有明顯外傷，情況並不嚴重。

賀決雲呼出口氣，又去後座查看老張的情形。

老張在車禍前，解開了自己的安全帶，想探出窗戶，從後方制衡那個追擊者。結果車翻得太突然，他一下子被撞到前排的靠椅上，暈了過去。

賀決雲半趴著後座的座椅，試探了下他的鼻息，確認他也還活著，只是因為他沒繫安全帶，無法確認他身上是不是有嚴重骨折，賀決雲也不敢輕易將他挪動。

「何隊長，妳看！」

青年抱著電腦跑過來，將螢幕正對著她，點擊播放。

影片裡的畫面，正好是李瞻元露出全臉，朝他們微笑的監視器畫面。

「這是挑釁嗎？他是什麼意思？」青年臉上浮現怒意，「他這也太囂張了！」

何川舟表情凝重，沒有出聲。

當一個逃犯主動暴露自己的行蹤時，要麼是他勝券在握，即將逃出生天。要麼……

頻道裡一個女聲彙報道：『何隊長，李瞻元的行車路線出來了。他在往靠近A市的方向行駛。我們正在追蹤他的車輛，但是中途失去了蹤跡。』

何川舟聲音嚴厲：「什麼叫失去了蹤跡？」

『就是沒了。車牌號碼跟同款車型的車，我們都沒捕捉到。可能是他中途又換了輛車。』女聲語速飛快，『這裡有一段施工路段，附近經濟又不是非常發達，監視器畫面設備長距離缺失。我們沒辦法追蹤的太細。』

抱著電腦的青年用力敲了下鍵盤，諷刺道：「這李瞻元真是老奸巨猾！他是不是早有準備？就他這性格，恐怕連後事都安排好了。」

李凌松被捕的時候，他應該已經有所預感，所以動作才會那麼迅速。常年的偽裝和犯罪經歷，讓他早早安排好一切。

何川舟冷冷道：「我看他是狗急跳牆了。」

青年問：「現在怎麼辦？」

女聲道：「我們正在確認方向，重新調整計畫。不要著急，給我們十分鐘。」

何川舟聲線裡有難以察覺的顫抖，她細聲道：「李瞻元最好的挑釁方法是什麼？」

「啊？」青年抬頭，「是什麼？」

何川舟抬起眼，看著遠處的高山，聲音縹緲：「是在警方的圍捕和保護下，再殺一個仇人。」

眾人感到一陣惡寒。

何川舟深吸一口氣，叫道：「不要找了，馬上定位小張的位置，將附近的隊員全部調動過去，查看他們的情況。李瞻元去找穹蒼了！」

汽車前方的音響在沙沙地發出噪音，老張壓在身下的手機一直震個不停。

賀決雲想把它拿出來，又難以著手。緊跟著，他的手機也響了起來，車禍後的事故訊號已經自動傳送到交通部門。

賀決雲平穩住呼吸，向工作人員彙報這邊的傷患情況。還沒交代完，何川舟打了通電話過來。

賀決雲把訊號切過去，用顫抖的時候將手機用力按在耳朵旁，收拾好心情。告訴何隊長三人在半山腰，遇到了李瞻元的埋伏，另外兩人已經無法行動。

何川舟聲線發緊，臉上彷彿被狠狠抽了一巴掌。然而越是這種時刻，越是需要鎮定。她用最沉穩的語氣安慰賀決雲，表示警方的人已經在附近，馬上抵達現場。讓他注意安全。

賀決雲簡單說了聲「好」。

掛斷電話，賀決雲喘著粗氣，靠在車門調整狀態。

他抬手揉了把臉，往手心裡哈著熱氣，等好一些，彎腰在車座底下翻找醫療包。

這時，不遠處的草木傳來一陣窸窣的響動，一道人影從上方跳下，腳步穩健地朝這邊走來。

賀決雲屏住呼吸，用舌頭舔了舔乾澀的嘴唇，在地上撿起一塊石頭，沿著汽車側面迂回慢慢朝對方靠近。

他狗摟著腰，根據對方的腳步聲悄然行動，在還未正式會面前，對方的腳步聲先行停了下來。

賀決雲心跳失速，低頭看見地上被拉長的影子，心裡暗道不妙，還沒反應，一根鐵棍已經敲了過來。

「靠！」賀決雲厲聲一喝，後退躲避，同時抬手阻擋。

鐵棍用力敲在他的右手臂上，疼痛讓他手指張開，緊握的石頭隨之掉到地上。賀決雲的耳邊盡是海浪般的悶聲鳴叫，讓他聽不清環境裡的聲音。同時李瞻元那張用口罩遮了一半的臉出現在他面前。

賀決雲咬緊後牙槽，嘴裡嘗出了一絲鐵鏽味。他喉嚨裡發出一聲低沉的嘶吼，在李瞻元還沒反應過來之前，朝他猛撲過去。

雖然李瞻元年紀大了，動作卻很靈活。當即旋身一躲，避開賀決雲的襲擊。

兩人擦肩而過的時候，賀決雲腳下橫掃，蓄力踢向對方的腳踝，在將對方撂倒的同時，自己也因為慣性摔在地上。

賀決雲雖然受傷，身上卻爆發出了前所未有的蠻力。他身手敏捷地在地上滾了一圈，找准方向，趁著李瞻元掙扎著起身的時機，再次用雙腿絞住對方的右腳，往旁邊一拉。

「呵——」李瞻元一聲低喝，身形不受控制地摔到賀決雲旁邊。他臉上的口罩已在打鬥中被拉下，露出他怒紅猙惡的面孔。

兩人互相敵視地望著，眼中俱是濃濃的烈火，實質的殺氣幾乎要化成尖刀，將對方生生凌遲。

兩人扭打在一起。賀決雲的兩隻手處於半廢的狀態，近距離搏擊沒有任何的優勢，他迎著李瞻元的拳頭，一口咬住對方的耳朵，死死合緊牙關，似要從對方身上啃下一塊肉來。

李瞻元大聲痛呼，順手從地上抓起石塊，狠狠砸向賀決雲的腦部。

兩人跟野獸似地搏鬥，進行最血腥的原始廝殺。

賀泱雲被捶打得視線發花，感覺體溫正隨著血液快速流失，口腔裡充斥著濃烈的血腥味，引得胃部一陣作嘔。即便如此，他依舊不肯放手，只知道纏住面前的人。

突然，他的腰側傳來一陣電流，讓他全身都痙攣地抖動起來。他本能地卸下力道，四肢蜷縮在一起，緊跟著手腳不停使喚，被李瞻元推到一邊。

李瞻元捂住耳朵，半跪著忍受這股疼痛。等調整過來，他隨手把電擊器丟到旁邊，趔趔趄趄地站了起來。

他沒有趁機對賀泱雲施加報復，甚至沒有多看賀泱雲一眼，只拿他當做最不起眼的一條蛆蟲，直接走向車後，找到穹蒼，把人扛在肩上。

賀泱雲的視線裡全是星星點點，等神智重新恢復的時候，只看見李瞻元架著人即將消失在樹林裡。他嘴裡發出幾個無意義的音節，焦急的往前面爬去。

范淮一個急剎，把車停在路邊，看著車道中間飛濺出來的汽車零件，直覺不妙。

女生慌亂叫道：「淮哥！」

范淮臉色凝重地說：「妳下去看看。」

女生下車，腳步倉促地跑到被撞毀的石欄旁邊。她還沒下去，就看見了滿臉血正艱難往上爬的賀泱雲。

賀泱雲的手心被割破，爬過的地方留下了一個個血印，卯足了勁，不停向上挪動。

樹林深處還有老張一聲聲虛弱但又綿長的呼喊。

女生被這恐怖陰森的畫面嚇到了，愣在原地不知所措。直到范淮出聲喊了她一句，才恍然驚醒地大聲叫道：「有人！還活著！」

范淮問：「穹蒼呢？」

女生幫忙轉問。

賀決雲渾身肌肉都在顫抖，臉上表情更是猙獰可怖，活像一個從地獄裡爬出來的修羅。

他想說話，可惜已經沒有力氣，只能伸手朝前方一指示意。

旭陽被茂密的樹葉遮蓋，從縫隙裡透出刺眼的光線。一直縈繞在山頭的淡淡薄霧此時已經徹底驅散，像化入空中一樣消失不見。蔚藍的天空下，長長的山道不知能通往何處。

女生滑下山坡準備過去幫忙，耳邊聽見了汽車發動的聲音，她探出頭，發現范淮果然開車跑了。

「啊——淮哥！」女生尖叫起來，卻還是喚不回已經離開的范淮。她低頭看了賀決雲一眼，心下焦急，也只能繼續下去把人拉上來。

等賀決雲爬上山道，一輛鳴著警笛的汽車從拐彎處飛馳而來，在地上拉出一道長長的剎車線，並最終停在他們的位置。

「找到車禍地點了！何隊長，找到車禍地點了！」

穹蒼在被李瞻元放到地上的時候就半醒了。她背靠著一個鐵罐，鼻子動了動，在空氣裡聞到濃郁的汽油味。

穹蒼掙扎著坐直身體，可是兩手被綁在身後，無法自由活動。

她睜開眼睛，環顧一圈，確認這是一棟廢棄的工廠，而她被放在二樓的一個平臺上。平臺邊緣有一個老舊的鐵質護欄，但從欄杆生鏽的程度上，不知道能承擔多少重量。

穹蒼從車禍的恍惚中回過神來，緩緩地吐息。

「李瞻元。」穹蒼喊他的名字，「李瞻元，出來吧！」

沒人回應。但穹蒼知道他肯定在。

一片死寂中，一樓的大門突然被打開，光線透進來的同時，響起了奔跑的腳步聲。對方踩在四處丟棄的金屬板上，堅硬的鞋底發出沉悶的撞響，清晰的將他的距離通過聲音傳達給二樓的人。

穹蒼爬到平臺邊緣，看見一個逆光的身影停在大廳中間，正在四望觀察情況。

「范淮！」穹蒼朝下叫道。

范淮循聲抬起頭，摘下帽子，露出底下那張年輕又英俊的面孔。

「李瞻元不見了。」穹蒼聲音不大，但在這間安靜的廠房裡迴盪，依舊十分清亮，

「他還在這座工廠裡。」

范淮一言不發，朝她這邊跑了過來。

樓梯間裡腳步聲越來越近，隨後范淮推門走了進來。

他蹲下身幫穹蒼解開身後的繩索，可是那條繩子綁了死結，又特別堅固，他磨得手指發紅，還是沒能扯開。

沒過多久，李瞻元也出現了。

穹蒼眼皮上的血漬已經乾涸的，讓她總有一種臉上有異物的錯覺。她半闔著眼，眉毛一高一低地看著入口。

范淮一手按住她的肩膀，將她往自己身後推。

李瞻元並沒有趁機發難。他用手一頂，將鐵門鎖上，在兩聲清脆的落鎖聲之後，拔出鑰匙，當著兩人的面，隨手將它丟了下去。

穹蒼的眼皮在跳動，且是左右眼一起狂跳，跟踩踢踏舞似的，挑動她的神經。

李瞻元往前走了一步，笑著從後腰的位置抽出一把刀，在兩人戒備的目光中，將刀丟到地上，用腳尖踢了過去。

范淮跟穹蒼的眼底都出現一絲疑色，但沒表現出來。范淮上前一步撿起武器，一面盯著李瞻元，一面去割穹蒼的繩索。

李瞻元與他們保持著三、四公尺遠的距離，靜靜地看著他們。

他似乎很有耐心，走路的步調、說話的語氣，都帶著從容不迫的淡定。可是如果看他的臉，就會發現他的臉上正閃動著無比瘋狂的神色，嘴角的獰笑更是讓人脊背發涼。

穹蒼第一次見到他的時候，他還是一個溫和儒雅的中年男人，此時他摘下眼鏡，那種隨和的氣質淡然無存。讓人難以相信同一個人可以有這樣截然相反的兩幅面孔。

等范淮將穹蒼的繩索割開，李瞻元拍了拍手。

清脆的掌聲孤獨地響起，代表了他一個人的狂歡。

「歡迎你們，終於見面了。」他誠摯地訴說了自己的欣喜。

賀決雲坐在警車後座，一旁的青年正粗糙地幫他清洗傷口。

他臉上有一道偏深的傷痕，鼻青臉腫的，雙手重傷，看起來像個傷殘人員。

何川舟看得直皺眉，勸道：「你先回去，行不行？」

賀決雲倔強道：「不行！」

「你跟上來也沒什麼用，回醫院吧。你要是出了什麼事，我們的責任就大了。」何川舟鄭重道：「我向你保證，一定會安全把蒼帶回來！」

賀決雲眼神黯然，咬了下牙，堅定道：「我要看著……是我把穹蒼弄丟的。」

何川舟不知道該怎麼安慰他。她的指揮也有原因。她沒想到李瞻元被逼迫到絕路後就澈底瘋了，瘋狂到這種地步。

頻道裡不停傳來眾人的彙報聲，所有人都在馬不停蹄地搜集線索，尋找李瞻元的蹤跡，為這場時間的爭鋒搶奪寶貴的優勢。

『穹蒼身上的定位消失了。』

『根據車牌號碼，已經重新追蹤到方向。』

『無人機拍攝到了李瞻元的車。現在把地點傳送過去。』

『前方有車禍，正在通知交警處理。』

『看見范淮的車了。』

『無人機拍到了工廠的位置，李瞻元停下了。』

『確認李瞻元的位置，已經通知救護車和消防隊，請保證各條道路交通通暢。』

『已聯絡附近的警察局，引導周圍居民進行轉。』

『……』

一股隱隱的興奮與緊張，夾雜在那些冷靜的聲音裡。

最後響起了老張悔恨不已的哭腔：「我沒完成任務！」

何川舟：「……」

賀決雲同樣開始不正確地反省：「早知道我就應該直接跟他對撞！比性能，我的車會輸嗎？啊？大不了一起翻車！」

老張：「我就應該開槍，反正後面沒車，打歪了也能干擾一下他的行動。」

何川舟趕緊叫停他們：「人已經差不多找到了，你給我躺下，先休息一會兒。別瞎鬧。」

車輛一路疾馳，開車的警員靠著自己多年飆車的技術，火花帶閃電地瘋狂超車。然而在路上被一起惡意製造的車禍阻擋下來。

司機不走尋常路，直接從中間硬生生開了過去。

幾分鐘後，車輛碾過一條凸起的減速帶，整個騰空起來。輪胎剛落地，又是一個急刹。

賀決雲被晃得頭暈目眩，旁邊的人已經紛紛解安全帶。

「到了！定位就是這裡！」

李瞻元那輛車頭被撞到凹陷的車停在路邊，除此之外，還有范淮的座駕。地方絕對沒錯了。

一群人匆匆跑到門口，推了把鐵門。

「這門鎖住了，還是個自動鎖，挺新的，特地換上的。」

「李瞻元真是屬兔子的，狡兔三窟，一個都沒少！」

何川舟用腳踹了一下，未能撼動大門分毫。她揮了下手：「拿東西來開鎖！小劉、小馬，去周圍看看有沒有別的入口。野猴，你爬到上面去查看一下情況！」

外面兵荒馬亂，而工廠內的三人還在對峙。

穹蒼很平靜，哪怕心臟正如擂鼓般跳動，大腦裡卻是靜如止水。她看著李瞻元，冷冷地說了句：「你沒有退路了。」

「我的確沒有退路了，不過我也不需要。」李瞻元在靠牆的一個鐵桶上坐了下來，似笑非笑地看著她，歪著脖子反問道：「那你們有嗎？」

穹蒼鼻翼翕動，聞了聞，嗅到股輕微的煙火味。她趴下身，朝一樓看去，就見工廠深處，冉冉飄來一股白煙。

這瘋子居然把工廠燒了！

穹蒼深吸一口氣，但坐起身來的時候還是一貫的面無表情。

范淮小步移動，從側面貼近，將三人的位置拉成了三角形的牽制狀態。

李瞻元瞅了他一眼，又淡淡收回視線，似乎並沒有想抵抗的心情。

穹蒼一手撐著護欄，譏笑道：「怎麼，死到臨頭，想幫自己找個陪葬？你放心，你死後不會寂寞的，有很多人還在下面等著你。」

李瞻元頓了頓，認真地說：「我沒有殺過人。」

一句話激怒了范淮，他猛然抬起眼，身上帶著血腥的殺氣，低沉道：「你說你沒有殺過人？」

「人都不是我殺的。」李瞻元攤開手，一臉無辜道：「我的手上乾乾淨淨。」

范淮死死握緊手中的刀，胸膛不住起伏，眼前已經浮現出他將刀鋒扎進李瞻元喉嚨的畫面。

只要那麼一刀刺下，就可以讓這個偽善又惡毒的人永遠地閉上嘴，就可以讓那些枉死的人得到安慰。喧囂的聲音迴盪在他耳邊，范淮需要用理智才能將這個不斷翻騰的惡念壓下。

穹蒼冷笑著道：「你要是真的乾淨，今天為什麼要把我們堵在這裡呢？」

李瞻元仰著頭，了無生趣地說：「因為這遊戲我玩膩了。」

「玩？呵呵……」

穹蒼一哂，像是聽見了什麼很好笑的事情。她臉上的血漬，配上她沉悶的笑聲，讓她看起來有種虛幻的張狂。那種張狂，加劇了她眼裡的諷刺感。

穹蒼說：「不是吧？你從出生起就有缺陷，喪失了男性最基礎的生理特徵，從此在自卑裡渡過。你有資格說你是在玩？難道不是窮極一生地在遮掩自己的缺陷嗎？」

李瞻元的眼神驟然犀利起來，朝著穹蒼刺去。

「你是在玩別人，還是在被別人玩？」穹蒼越說越好笑，「變態、戀母、缺愛。喜歡的女人不喜歡你，重視你的母親被你傷害，你想超越的人一輩子都壓在你的頭頂。你卑鄙、卑劣、卑微，還要自欺欺人地裝作人上人，不過就是一個喪心病狂的跳樑小丑而已。弄清楚了，不是你覺得玩膩了，而是你玩不下去了。」

提起薛女士，李瞻元難得有了點失態，他抽搐著唇角的肌肉，憎恨道：「是妳逼死她的！」

「是你。」穹蒼抬起下巴，一字一句地說：「所有的壞事都是你做的，薛女士的打擊都是來源於你。你從不對自己的事情感到後悔，那就要你母親去面對自己的良知。」

李瞻元臉色變幻不定，從憤怒、焦躁、冷眼、憎恨等種種情緒間閃過，幾乎要噴出火來，最後想起了什麼，定格在充滿惡意的微笑上。

他問：「妳知道妳的母親是怎麼死的嗎？」

穹蒼的大腦彷彿被鐵錘重重敲了一下，她目光幽深，平視著對方，沉聲道：「是你殺的，薛女士告訴我了。」

「不是，她是自殺的。」李瞻元笑得開懷，拖著長音，回憶似的目光亂瞥，在半空中揮舞著手臂，「我把她帶到一個，沒有人的高樓。她褲子上沾了奶粉，頭髮凌亂，特別狼狽。一看就是個瘋子。」

穹蒼口腔乾澀，做了個吞咽的動作，喉嚨裡傳來輕微的刺痛。

她知道，那天她踩著椅子去拿奶粉的時候，因為沒有拿穩，把奶粉罐摔下來了。

李瞻元痴痴發笑，笑了一陣，繼續道：「她說她要去找醫師，求我放她出去。她很後悔，說自己不應該打妳。看她那麼可憐，我就給她一個建議。我說『每天傍晚五點左右，會有一個管理員來大樓檢查機械和鎖門的情況，但他不會上天臺。妳有一個辦法可以讓自己被他發現。只要妳的屍體被確認，警察一定會去妳家裡找妳的孩子，到時候妳女兒就能去看醫師了』。」

范淮錯愕地看向穹蒼，後者依舊維持著自己的面具，只是垂放在兩側的手臂暴露了她內心的動盪。

像沙漏一樣，血液不停地從心臟流出，胸口的位置快要變得空蕩蕩。

「她真的很笨，她太笨了。哈哈哈——」李瞻元用手勢做了個飛翔落地的動作，而後癲狂的大笑，「她為了救妳，完全放棄了思考。這就是一個女人愚笨的結果。我一直看著她歇斯底里，從痛哭流涕，到苦苦哀求，最後澈底放棄，坐在天臺旁邊發呆。在夕陽快要落下去，天空一片通紅的時候，咻——」

祁可敘還記得自己是一個母親的。把穹蒼放在比自己更重要的位置上。

只是她已經不再熱愛生命了，她最不重視的人就是自己。

李瞻元一直觀察著穹蒼的表情，沒能從她臉上看見哀慟還覺得失望。

穹蒼用冰冷的聲音說道：「所以她寧願選擇死，都不願意跟你在一起嗎？」

李瞻元的笑容頓時凝固在臉上，眼睛裡散發著凶狠的光。

「你給她的是兩個選擇吧？怎麼，她的寧死不屈傷到你的自尊心了？她可以為了一個瞎子陷入瘋狂，卻不肯給你一點好臉色。證明你在她心裡有多麼的噁心的存在。」穹蒼聳動著肩膀，「也是，除了你媽，還有誰能愛你？所以你戀母。真可笑。」

「所以妳是不是很想殺了我？」李瞻元張開雙手，吼道：「來啊！」

穹蒼搖頭，看向下方已經開始卷過來的火舌，說道：「為你這種人，不值得。」

「真的嗎？」李瞻元轉向范淮，低語慫恿道：「來啊，你不是想殺了我嗎？刀就在手裡，錯過這個機會，就再也沒有了。你不想找我報仇嗎？」

空氣裡的溫度開始上升，火焰順著汽油迅速蔓延，濃煙飄上平臺，帶著濃郁的嗆鼻的味道，讓穹蒼忍不住眼睛發酸。

這門比預想中的難開，跟市面上大部分的鎖不一樣。隨車的警員也不是專門開鎖的。他被眾人盯得冷汗直流，更加無法平靜。

而真正專業的支援，還在趕來的路上，就算速度再快，距離這個地點還有五分鐘的路程。

爬在高牆上，從鐵窗口往裡探查情況的警員時時彙報著裡面的情形。

「著火了。」

「火勢蔓延過來了。地上被潑了汽油，按照火勢的情況……我們大概還有五分鐘到十分鐘的時間。」

「三個人打起來了！手裡有刀！」

賀決雲聞言急得跳了起來，身上肌肉再次開始抽痛：「誰打誰！」

警員被他影響，跟著叫了起來：「范淮打了李瞻元！」

賀決雲頓時鬆了口氣，感覺生命力又回來了。

何川舟看不下去，對了下時間，有限的耐心澈底告罄，叫道：「不行，算了，直接開車撞吧！」

眾人趕忙收拾了東西，從門口清開。就近的青年第一時間跳上駕駛座，兩輛車一起後退，蓄勢待發。

工廠內，李瞻元還在不遺餘力地唆使范淮：「范淮，像個男人一點！你知道你妹妹過的是什麼樣生活嗎？你想想自己在牢裡的那十年。」

范淮渾身一顫，又被拉入最恐懼的深淵，他咬牙道：「閉嘴。」

李瞻元：「我一說有證據，那個女人就像一條狗一樣跪在我面前……」

范淮不能再聽，嘶吼道：「我叫你閉嘴！」

「我手上乾乾淨淨，沒殺過一個人，但是她不一樣，她真的殺了他們。」李瞻元遺憾道：「我都做到都這樣了，你還是那麼沒出息。」

他話音未落，范淮已經握著帶寒光的刀衝了過去。

穹蒼顫聲叫道：「范淮！」

「對，對！」李瞻元被他壓在地上，絲毫沒有生命被威脅的恐怖，反而極度亢奮道，

「殺了我！你有本事就殺了我！」

范淮的刀尖離李瞻元的脖子只剩一指遠，方才幻想了無數次的場景得以實現。他的血液在瘋狂叫囂，那是一種壓抑許久後，終於被解放的快樂。

幾道聲音在他腦海中不斷盤旋，占據他的腦海。

——刺下去！他就解脫了！

——這樣的人死有餘辜！

——如果不是為了報仇，他活到現在是為了什麼？

然而他的手腕上還有一雙瘦弱的手，白到近乎透明的手背上青筋根根外突，硬生生的拽住他，扼制住他的殺意。

范淮轉過臉，眼底是一片猩紅，無聲地發出自己的質問——不恨他嗎？不想殺了他嗎？

他們兩個人的人生，再也沒有重來的機會，全被這人的輕描淡寫摧毀了。

穹蒼放緩呼吸，努力平和道：「他就是一個不敢自殺的懦夫，他只是想把你拖下水。」

刀身壓到李瞻元的脖子上，切進皮膚，流出血液。

傷口讓李瞻元更加興奮，他開始瘋言瘋語起來：「你知道我為什麼會選中你嗎？純粹只是因為我看不順眼。那不過是我無聊時的小遊戲！」

「嘭——」

入口處傳來一陣震天的響聲，應該是有人在試圖破門。

穹蒼這才注意到，已經有人來了。

他們這一下的動靜，讓范淮有了片刻分神。

李瞻元噁心地笑道：「我跟范安的丈夫關係很好，你知道嗎？」

范淮眼中閃過決絕，手上懸而不決的刀鋒，再次往前逼近了一點。

「范淮……」穹蒼兩手顫抖，根本敵不過他的力量。她啞聲道：「江凌臨終前，打過一通電話給我。她對我說，她不應該請求我做你的老師……」

范淮愣了下。

江凌的聲音永遠是柔和而輕緩的，那一天，她在對面，用緩慢的語速，跟穹蒼傾訴道：『對不起啊，穹蒼老師，跟范淮扯上關係，也給妳帶來了那麼多的麻煩。』

穹蒼說：「我不知道妳在說什麼。」

江凌自言自語似地說道：『真的，我相信我兒子是好人，但是，不是所有的真相都可以被世人承認的，堅持了那麼多年，其實是我自己累了。我以為做好最壞的打算，我們一家人還可以從傷痛中重新開始，但是我現在發現我錯了。』

「我不應該叫他們那麼堅強，不應該不給他們希望，不應該讓他們按住自己的嘴，說不出話來。我沒有做好一個母親，沒有保護好兒子，也沒有保護好女兒。我太軟弱了。』

最後，江凌如釋重負般地吐出口氣，用極其堅定的語氣，第一次在穹蒼面前說：『范淮是無辜的。他是無辜的。』

穹蒼哽咽道：「你以為她為什麼會自殺？因為她想告訴所有人你是清白的！她想告訴所有人你們過得好難，你們已經走投無路了，她在懇求他們放過你。她沒有別的證明方法。范淮……江凌希望你好好活下去。」

穹蒼沙啞道：「為了這種人……不值得的。」

范淮嘴唇顫抖，眼淚止不住地往下淌，頃刻打溼了他的臉龐。他想起江凌的臉、江凌對他說過的每一句話，突然失去了全部的力氣，慢慢收回自己的手。

所有的愧疚和不安，都不知道該傾倒往什麼地方。

這一刻，范淮迷惘，什麼樣才能叫好好活著。

李瞻元見此情景，不滿地咋舌一聲，曲起膝蓋朝范淮的腹部頂去，在范淮弓起身體的時候，一腳踹在他的腹部，將他踢遠出去。

穹蒼下意識地去查看，脖子猝不及防的被李瞻元從後方勒住。

劇痛襲來，穹蒼澈底無法呼吸，她臉色漲紅，掰著李瞻元的手臂，用指甲抓撓，試圖讓他鬆手。而李瞻元以想擰斷穹蒼脖子的力道，牢牢將她禁錮在身前。

穹蒼腳下用力踩蹬，帶著李瞻元不停後退。

李瞻元被賀決雲打過一頓，力氣已無法維繫，腳步趔趄地後退，根本站不穩。

兩人在平臺上東倒西歪地亂撞，最後碰倒了擺在邊緣處的汽油桶。汽油灑在兩人身上，濃重的臭味溢滿他們的鼻腔。李瞻元被壓在下面，眼睛被澈底糊住。

他痛苦地叫了一聲，閉緊眼皮，卻還是不肯鬆手。

范淮爬起來，跟他們糾纏在一起，三人跌跌撞撞，衝向了欄杆。

李瞻元看不清，一直到腰身撞上護欄，才清楚自己的位置。

穹蒼深深看了范淮一眼，沒有停住的趨勢，也沒有開口叮囑，猛力朝外，帶著來不及鬆手的李瞻元一起翻了出去。

范淮被她的舉動嚇得驚慌失色，千鈞一髮之際，抓住了穹蒼伸出的手，將她吊在半空。李瞻元則直接摔到了一樓。

一樓的火已經燒過來，捲著汽油，飛速地覆蓋到李瞻元的身上，把他裹成一個火球。

李瞻元當即傳來聲聲淒厲的慘叫，他瘋狂地在地上打滾。然而現場的一切都是他布置的，沒有任何能滅火的工具。

他起身朝著門口的方向跑了一段，隨即又因為疼痛而倒下，嘴裡尖銳地喊叫。

「啊——救我！救我！！」

在真正面臨生不如死的痛苦時，他失去了所有的體面。不過就是個脆弱的小人物。

穹蒼冷眼看著李瞻元在生死間掙扎，不知該報以什麼樣的心態，范淮卻根本無暇分

心，只顧抓住她的手腕，

穹蒼身上也被汽油潑了一道，那滑溜溜的液體布滿她的手臂，無論范淮用多大的力氣，都無法把她拽到平臺上，反而看著她不斷下滑。

如果就這麼摔下去，她的結果跟李瞻元沒有兩樣。

「穹蒼！」范淮憋住一口氣，臉色轉向深紅。

穹蒼仰著頭與他對視，兩人能看見彼此眼中的火光。

一滴汗落到穹蒼臉上，又墜了下去，迅速化作白霧消失在火焰中。

「別鬆手！求妳……」

穹蒼反手抓著他。那手心的液體，已經不知道是汗還是汽油。

當范淮快要堅持不下去的時候，門口傳來一聲巨響。

在汽車多次的猛烈撞擊下，前方的大門終於轟然倒塌。

何川舟等人迎著火勢，跟披著金光羽衣的英雄一樣，朝他們衝來。

「滅火！把人搬出去！」

幾位警察拿著擺在車上的小型滅火器，朝李瞻元身上猛噴。

另外幾人來到穹蒼的下方，一起拉扯著條毯子，叫道：「跳下來，我們接著！快！」

穹蒼笑了笑，嘴唇張闔，朝他說出一句話。

范淮閉上眼睛，鬆開了手。淚水倒流下去。

「有汽油，有汽油！快往穹蒼身上噴！」

「范淮，跳——！」

「消防隊來了！快讓開！」

「接到范淮了！所有人往外撤！」

視線裡是一片熊熊燃燒的火紅。

——我們的世界會好的。

第十章　祝你平安

穹蒼聞到了消毒水的味道，可她卻是站在大街上的。

周圍人群熙來攘往，談笑風生，然而臉上都蒙著一層馬賽克似的的陰影。他們從穹蒼身邊穿過，像是完全沒有看見她，如果仔細去聽他們的對話，會發現內容顛三倒四，根本不明白是什麼意思。

穹蒼思緒有些混亂，看著眼前停滯住的紅綠燈，久久佇立在原地。

這一個地方她非常熟悉，街邊商家的門牌她都能記得一清二楚，包括隔壁小吃店紅黃招牌上染著的油漬。

但她不知道自己為什麼會站在這裡。一個只有她真實的世界。

像是秒鐘輕輕撥動了一下，世界恢復正常，紅綠燈上的數字開始出現變化，綠色的小人標誌在顯示器中快速走動。

一道黑色的高大身影從穹蒼身後走出來，行動間帶起的風裡夾雜著淡淡的香氣，穹蒼愣了下，感覺原本灰白色的世界，突然有了色彩。看著他的背影，下意識抓住了他。

男人偏過頭，表情有些錯愕，那張年輕英俊的面孔極為清晰，每一道皺紋清楚分明。

這時一輛黑色的車從前方上疾馳而去，男人聽見聲音，無神的眼睛又轉向車道。

穹蒼手心的溫度開始上升，隨即沁出一層冷汗。

祁可敘從對面快步過來，朝穹蒼點了點頭：「謝謝妳。」

她抽出一張紙巾，擦了擦男人的額頭，帶著慶幸的語氣道：「妳知道嗎？剛才有人闖紅燈了。」

男人抓住她的手，淺笑著說了一句：「是嗎？東西都買好了嗎？」

祁可敘重重點頭：「嗯！」

男人摸過她手上的袋子，跨在手臂上，隨後又笑著跟她兩句話。

穹蒼聽著自己細如蚊聲的詢問：「幾個月了？」

祁可敘笑了起來，眼神溫柔似水：「三十七週，快生了。」

穹蒼：「她叫什麼名字？」

「還沒想好呢。」她一手按在肚子上，神態裡是無比的慈愛。

穹蒼喉嚨滾了滾，沙啞問道：「妳愛她嗎？」

「當然啊。我……」祁可敘後面的聲音像化進風裡，聽不清楚。

穹蒼笑了起來。

祁可敘停下聲音，奇怪地問道：「我認識妳嗎？」

穹蒼釋懷道：「也許以後會認識吧。」

她又看了男人一眼，低聲說：「我要回去了。」

祁可敘問：「妳要去哪裡？」

穹蒼頓了頓，仰起頭，迎著旭日的陽光，雙目熠熠生輝。她笑道：「回家吧，我要回家了。」

畫面出現蛛網般的裂縫，然後盡數化作光點散去。

穹蒼鼻間聞到的氣味又濃郁了一點，機器嘀嘀運作的聲音開始變得明晰。與此同時還有一雙溫熱的的手，抓著她的手心，又撫過她的臉頰。

賀決雲壓著聲音叫道：「媽，妳別摸她了！妳這樣看起來……有點猥瑣。」

賀夫人哼了聲，不理他：「你自己摸不到，還不讓我摸啊？把自己搞成這個樣子，最後什麼都沒得到，也好意思說我。什麼叫猥瑣？你沒被媽媽摸過啊？我那麼大個人站在你面前，你看不見？」

賀決雲沒忍住，說了句：「妳怎麼就知道我什麼都沒得到？」

賀夫人不屑地睨他一眼，就算捨棄形象，也要表現出對他的鄙視。

賀決雲不甘心地說：「我都受傷了，媽，妳能不能給我點關愛？」

「煩死了，你不要跟我說話。」賀夫人一提這個就氣，揮了下手，不耐道：「傻白甜扮不好，病美人扮不會？你就給我躺著，到時候……欸，穹蒼醒了呀？」

賀決雲聽見這話，連忙支起身想查看，結果手臂的痠痛讓他跌了下來，重新砸在枕頭上，又牽動了頭上的傷口。

賀夫人白他一眼，訓斥道：「你又在搞什麼？讓你不要動，閒不下來是不是？這是會留疤的，懂不懂？」

賀決雲也氣，齜牙咧嘴道：「我是妳親生的嗎？」

賀夫人為了補救那點岌岌可危的血緣親情，過去幫他掖了掖被子的邊角，四個邊角全部折進去，把他封印在床上。

穹蒼眨了眨眼睛，只記得自己被水槍滋了一下，加上吸入不少毒煙，剛送上車就暈了過去。她抬手看了看，發現身上的衣服已經換了，汽油也被擦乾淨，沒有不舒服的地方。

賀夫人轉回身來，坐在她旁邊，一臉慈祥地看著她。

穹蒼眼珠轉了一圈，問道：「范淮呢？」

賀決雲臉色黑了點，不情願地說：「在隔壁病房。」

「哦……」穹蒼清了清嗓子，又問：「李瞻元呢？」

賀決雲聞言冷笑了下：「還活著。因為重度燒傷在手術室。妳放心，我把最好的醫療團隊都派過去了，會盡可能讓他多活一段時間。」

穹蒼點頭：「好。」

賀決雲等了等，發現穹蒼沒了動靜，不信邪地問道：「然後呢？」

「然後？」穹蒼迷惑道：「然後，挺好的？」

賀決雲：「……」

賀夫人見他在那裡鬧彆扭，懷疑是不是沒有幫兒子生個「任督二脈」這東西，否則耳濡目染也該被自己打通了。她彎下腰，主動對穹蒼說：「然後，我們家決雲也挺好的。」

賀決雲頓時有種赤裸裸的尷尬，大聲叫了句：「媽！」

賀夫人捂住耳朵：「幹嘛？當我聾了啊？」

「我知道。」穹蒼像細沙一樣的聲音在旁邊響起，「聽起來中氣十足。」

賀決雲不說話了，恨不得自己沒長這張嘴。

賀夫人無情地笑出聲。

穹蒼醒了，除了有點頭痛就沒什麼大礙。她喝了碗粥，表示想出去走走。

這家醫院，穹蒼也算是二回熟了，她踩著拖鞋，走在狹長的走道裡，並在光線通明的盡頭，看見了站在陽臺上范淮。

范淮摘掉了帽子，指縫裡夾著一根菸。眉宇間說不清是淒然還是恍惚，連菸快燒到盡頭了也沒有察覺。

穹蒼推開玻璃門，與他並排站在一起，遠望著天際處的夕陽餘暉，有些出神。

火紅的光色將天地連成一片，跟今天早上的那場大火竟有相似的熱烈。只是一個代表了溫度，一個代表了黑暗來臨前最後的燦爛。

范淮已經快要忘記這樣正大光明站在人前的感覺了，忘記自己上一次正面迎著他人目光是什麼時候。

他微微張開嘴，吐出一口薄煙，眼中的迷惘被朦朧的白霧遮掩，最後全部掩蓋在閉起的眼皮下。

穹蒼問：「什麼時候學會抽菸的？」

范淮抖了抖手指，把菸掐滅，笑了下說：「無聊的時候。」

穹蒼指向正坐在藍色連排椅上，時不時朝這邊張望的那個女生，戲謔道：「那個女生是妳女朋友？」

「以前打工的時候認識的一個朋友。」

范淮跟著看過去，後者以為被發現，心虛地低下頭。

范淮很快收回視線，語氣平靜地說：「對我很好，有點笨。」

穹蒼不知道他後面接的那兩個短句，是單獨的陳述，還是因果關係。

范淮偏過頭，狀似輕易地問道：「那時候妳跟李瞻元打在一起，就那麼跳下去，不怕我接不到妳嗎？」

「還行。」穹蒼不在意地輕笑，說道：「我說過，我相信你，就像你相信我一樣。」

范淮跟著她笑了一下，而後一手插進口袋裡，摸出菸盒：「妳出去吧，我再抽根菸。」

穹蒼拍了下他的後背：「該戒菸了。」

范淮舉著手示意了下：「最後一根。」

警方的公告是在一個早上發布的。

在眾人都剛從睏頓中甦醒，倉促行走在上班的路上時，正式的通告被發布到網路上。

案件的詳細內容沒有直接公布，只簡單寫了結果，表示警方抓到了十一年前雨夜凶殺案的最新嫌疑人，詳細調查過程會在今天晚上的新聞發布會中進行宣告。

三天分享了這則貼文並置頂在首頁，隨即相關熱度快速在網路上發酵。各大官方號和行銷號紛紛轉載，網友打開社交軟體，看見的頭條都帶著范淮這個名字。

范淮的案子備受關注，但主要原因並不是十一年前的殺人事件。當時這起案件的殺人手法不夠殘酷，偵查過程也不曲折，唯一的爭議點大概就是未成年人犯罪。

真正讓它備受矚目的，是三天的多次副本聯動，以及范淮出獄後相繼死亡的五位證人。

縱然網友已經有了類似的猜測，在真正得知的時候，仍舊非常震驚。無論是線上還是線下，眾人全在討論這件事情。

『范淮真不是凶手？』

『這居然真的是起冤案啊？那范淮也太慘了吧。』

『凶手的性質過於惡劣，買通證人陷害未成年，他是跟范淮有什麼仇？希望嚴懲！』

『十幾年前的案子了，當時的嫌犯人都已經刑滿釋放，沒想到竟然還能抓到真凶。唏噓。』

『如果不是五個證人相繼死亡，可能這案子真就悄無聲息地結掉了。這算不算是命運？』

『五位證人相繼死亡太過巧合，我不認為可以用命運來解釋。真凶當初可以買通證人進行誣告，現在也可以殺人滅口。』

網路上出現了各種猜測，眾人在百感交集的同時，也後怕不已。

如果他們是范淮，經歷一遍范淮的黑暗，可能等不到正義出現的這一天。而生命的寶貴與殘酷之處皆在於，它沒有試錯的機會。

沸沸騰騰的爭吵，在到晚上八點時，抵達高峰。

上千萬人同時線上，蹲守直播間觀看警方的新聞發布會。

何川舟等人作為案件主要偵辦人，坐在臺上，應對記者問答。

這一次的公告，他們準備了很久。李局長說得十分平靜，表情中帶著肅穆，語氣幾乎沒有起伏，在報告的同時，連同十一年前的案件偵查情況也進行了說明。

在發現死者屍體後，因為雨天證據被沖刷，警方開始了大範圍的排查與走訪。他們詢問了整個社區裡所有的居民，同時調取了周邊監視器畫面，確認范淮在案發當時，有足夠的作案時間。再配合五位證人的證詞，以及一些其餘的間接證據，他們最終選擇對范淮提起公訴。

法院依照執法機關提供的證據，最終判處范淮十年有期徒刑。

十一年間，警政人員有過調動。范淮家屬曾多次懇求重新審理案件，由於沒有足夠的證據重啟調查，相關的工作只能在私下祕密進行。

負責人員在多次核實過程中，都未能獲得有效資訊，於是檔案被重新放置。

直到范淮出獄，孫乾死亡。

警方起先並沒有聯想此事，只是很快，另外兩位證人相繼遇難，調查內容部分洩露，在網路上掀起軒然大波。

警方立即對范淮進行監視器畫面，並成立重案組，多部門聯動調查。

數十名工作人員協助翻查錄影，重現了三起凶殺案案發時范淮的行動軌跡，未發現他的作案證據。因社會輿論影響過於負面，他們沒有放鬆對范淮的監視器畫面。

因為案件沒有頭緒，重案組多次討論，最終決定徹底審查五位證人的證詞情況。

因時間過於久遠，這一項工作進展緩慢。警方在排查過程中遇到了許多困難。

他們開始擴大調查範圍，並在翻閱十一年前相關時間點的檔案時，從一起未偵破的搶劫案中，找到了其中一名證人說謊的證據。

這個發現，改變了警方的調查方向。

隨後范安夫妻死亡，范淮擅自逃離警方監視器畫面範圍，警方對其發布了通緝令。

「根據當時警方掌握到的證據，偵查人員做了大膽猜測，認為殺死五位證人的凶手，是受人挑唆，不只一人。這個猜測在之後的審訊中得到了證實。」

隨後，李局長分別闡述了警方在調查五起死亡案件中，付出的心血和精力。

在三天的副本中，決定性證據可能被藏在家裡、身邊，或者各種小細節中，玩的是解密遊戲。

而現實的調查過程要比這曲折許多。

警方會面對許多語焉不詳的證詞，面對死者家屬的唾罵與不配合。翻看數十小時、乃至數百小時的監視器畫面錄影，走訪數十人、或者上百人的普通群眾，才能從眾多複雜的資訊裡，找到有用的線索。

同時李局長還感謝了穹蒼與三天，對案件偵破給予的幫助。

所有的努力，都被化為輕描淡寫的幾句話。調查方向幾經調整，警方人員不放棄的日夜追查，在最終，找到了殺害孔鐘靈的凶手，以及策劃這起案件的幕後者。

這場新聞發布會，用了將近四個小時才結束，畢竟涉案人員過多，案情錯中複雜。

在直播過程中，已經有人就李局長的發言，對案件做了時間梳理。

網友不停更新著內容，從最初看熱鬧的狀態，漸漸回憶起自己當時參與這起案件時的瘋狂。他們對幕後人的深深惡意感到膽寒，也對自己過去的傷害感到慚愧。

『我只想知道，范淮去哪裡了，他還好嗎？』

『可以捐款給范淮嗎？以前罵過他，對不起，我願意支付精神損失。』

『當時帶風向的媒體都有哪幾家？他們是真的不無辜吧。』

『我記得范媽媽也因為這件事情去世了，凶手殺死的不僅僅是孔女士，還有所有被扭曲了人生軌跡的人。』

『好無力。網友再怎麼悔恨，受害者得到的也只是一句對不起，可是又有什麼用呢？』

『范淮剛上高中就被抓走了吧？他真的太可惜了。這世界沒學歷，都無法生活。就算國家有補償，也彌補不了多少。』

『范淮是個天才啊，就算坐牢也有跟穹蒼學習。現在否極泰來，希望他以後一切都好！』

『提醒我了，國民好老師。她能不能跟范淮組個師生檔？@三天，考慮一下吧。』

『@三天，幫范淮開個直播間吧，我想贊助他。』

『范淮到底在哪裡啊？這個問題我問了幾個月了。』

范淮此時正在享受自己難得的閒暇時光。什麼都不用管，也什麼都不用想，可以無所顧忌地揮霍時間。

江凌留下來的房子一直空著，他悄悄過去打掃了一遍，但因為那邊有許多故人，他不知道應該怎樣面對，又怕觸景傷情，就沒有住在那裡。

穹蒼空閒的那套房子終於有了用處，迎來了它短暫的住客。

許多媒體想要採訪范淮，都被他拒絕。還有電視臺想邀請他去參加節目，或進行捐款，范淮也不予回應。

他不希望再因為案件的原因出現在公眾視野中，他清楚明白所謂的輿論，是最多變也最不可控的東西。只要他出現得頻繁了，理解會變成懷疑，同情會變成厭棄。惡意在網路這個世界會被無限放大。

他也不希望讓自己的人生再處於別人的評論之中，不希望別人一次又一次地去挖掘他的過往，他的家人。

他希望真正的結束，是塵埃落定，再也沒有漂泊。

警方是為了讓范淮盡快恢復正常的生活，先公開了十一年前那起謀殺案件的調查結果。之後，隨著對李瞻元跟李凌松的審訊，越來越多的細節被公布。

李瞻元承認對范安的教唆殺人行為，李凌松坦誠自己的包庇罪行。兩人的身分被媒體挖掘出來，擺在公開的平臺上接受大眾審議。

李凌松的社會地位崇高，且影響力巨大，作為行業泰斗，他犯下的錯誤，無論是對業內還是社會，都產生了巨大的衝擊。

受過李凌松幫助的人不在少數，曾經的李凌松對他們而言，是一盞高高懸掛的指路明燈，無私而慷慨。如今他們發現，在燈火的下方，真的有光線不曾照耀到的地方。李凌松並不如他們想得那麼明亮偉大。

那些學生看著他如今受到萬人唾棄，心情艱澀難言。他們無法跟著網友一起責罵，又無力開口為他進行辯解。

如果沒有李瞻元，李凌松堅持一生，清白磊落，或許會帶著榮光離去。而如今，他做過的所有功績都被抹消，打上了與李瞻元相同的印記。

也許這是父對子的責任，是他多年研究中還未能解透的一個專題。

李凌松接受得很坦然。

網友在得知范安殺人的真相後，同樣是不知所措。

他們在三天的副本裡，曾親眼目睹過范安忍受的生活。在那樣不安動盪的環境中，她犯下的錯誤似乎都可以得到諒解。而她也已經離開人世，一生都在書寫著悲劇。

只是，殺人終究是殺人，這是任何動機、任何理由都無法解釋的過錯。

最後，幾位受害人家屬相應出面表示了原諒，請求網友停止相關的討論。

這場悲劇的源頭已經無法追究，與其用激烈的情緒去苛責一個已逝的可憐人，他們更希望能用勇氣去面對未來的人生。

他們對范安給予了最大的善意，從某種程度上也是為了表達對范淮的愧疚。從此以後，就算做不到相逢一笑泯恩仇，起碼可以互不記恨兩不相干。自此恩怨消弭。

因為范淮始終不露面，網友也明白了他的意思，漸漸減少關於他的話題，將目光焦點放在凶手的身上。

這段時間裡，范淮其實並沒有看新聞，他不在乎那些人的結果會是怎樣。

李瞻元重度燒傷瀕臨死亡，全臉皮膚潰爛，生活難以自理。對他來說，這樣的未來生不如死。不管法院如何判處，他的下場都是不得善終。

朱彥合深染毒品，難以自控，有數次前科，影響惡劣，高機率情況會被判處死刑。范淮憎恨他，又覺得他可悲，不願意在他身上再花費任何多餘的時間。

期間內，范淮唯一接見的，就是警察局的負責人。

何川舟知道他不想被打擾，只跟李局長兩人來慰問他。三人在客廳裡坐了一會兒，沒聊什麼，說了些家常，以及范淮未來的打算。

范淮曾經計畫好的未來，都是圍繞著范安跟江淩的，如今這兩人不見了，他的未來也變得空白。只不過曾經，他的世界是狹窄的，而如今，多出了海闊天空。

何川舟見他面露迷茫，笑著對他說：「不要急，慢慢來。先休息一下，你還年輕。」

范淮聽著愣住了。

他還年輕？

他一直在自己身上施加了各種壓力，經歷了比同齡人更為跌宕的人生，停下來想一想才發現，是啊，他才二十七歲，過完這個新年，也才二十八。

范淮的表情說不出是落寞還是其他，他從前無數次以為，自己的人生已經到頭了。卻原來，才剛剛開始。

何川舟說：「等法院那邊的檔案落實，你應該可以得到四百多萬的賠償。我們會盡量替你爭取。你有什麼要求嗎？」

范淮臉上的肌肉幾不可聞地顫動了下，他抿緊唇角，斟酌再三，最終平靜地說：「沒有。」

范淮並不期待這筆錢，他還無法平靜地去接受，一想到它的來歷，就有種在揮霍母親與妹妹生命的錯覺。

雖然案件結束了，但它的影響始終都在。也許范淮需要用更長的時間才能將它忘懷。

何川舟點了點頭，在桌上留下自己的名片，言簡意賅道：「有事找我，我會幫你。」

范淮抬起頭，張開嘴，剛做出一個口型，何川舟已經打斷了他：「職責所在。」

范淮把名片收起來，起身送他們出去。

穹蒼跟范淮並沒受到太大傷害，醒來後就直接出院了。但賀決雲由於傷情嚴重，還在醫院躺著。

他幾次申請回家休養，表示雙手完全不影響正常生活，但都被賀夫人打了回來。

賀夫人的理由很簡單：你就是活該，欠教訓！

她堅決要求行使母親的權力，賀決雲只能留在醫院安心養病。好在穹蒼沒有放棄他，也沒有忘記自己生病時賀決雲對自己的關照，每天準時過來送飯給他。

而在穹蒼風雨無阻的送飯過程中，經常能碰見前來探望長官的宋紓。

這位精力無限的年輕人，是病房裡最熱鬧的存在。每天穹蒼坐在病床前面，他就開始向穹蒼講述他老闆的英勇事蹟，以彌補穹蒼在昏迷過程中未能見證的盛大場面。

「當時那個李瞻元，拿著一把刀威脅我們賀哥，逼他把妳交出來，但是我們賀哥面冷似冰，絲毫不懼。雖然他的左手在車禍過程中受了重傷，但只要他還有一根頭髮絲能動，他就不會放任妳遇到危險。於是他霍然上前，擋在妳的面前……」

「李瞻元這臭不要臉的白痴，被賀哥緊緊按在地上捶打，沒有還手的餘力。於是他想到一個陰險的方法，使用現代科技武器！他偷偷摸摸，極其猥瑣地從自己的褲襠裡掏出了電擊棒，然後趁著賀哥不注意，陰險地刺了上去。」

「我們賀哥淚流滿面……啊，沒有淚流滿面！真男人怎麼會哭呢？我們賀哥頂著滿腦袋血，一面宣誓，一面順著布滿荊棘跟尖石的山道往上攀爬，向路邊的人求救。所以妳看，他的手才會傷得這麼嚴重！」

宋紓同仁的語言表達可能有些匱乏，但是他的肢體動作極為靈活，每一天在表演上都能有新的感悟。高度沉浸的表演，連故事主角都無法打斷。

穹蒼看了幾場，竟然只看見一小部分重複的細節，不由嘆為觀止。

……明明她才是當事人，竟然比不過藝術氣息豐富的宋紓。

她的讚賞讓本就沒什麼數的宋紓更為驕傲，加快了來病房探望賀決雲的頻率，整天藉著關愛上司的名號，行翹班摸魚的事實。

賀決雲忍了他一次、兩次，最後實在忍無可忍，看見他就想將他頭尾連成一個圈然後讓他從窗戶裡滾出去。偏偏宋紓嘴甜又討人喜歡，俘獲了賀夫人的芳心，得到太后懿旨，不僅沒有滾，還被准許可以每天光明正大地過來講段子。

熟悉業務後，他不僅自己來，還要帶上他的同事，讓賀決雲的心受到了深深的摧殘。

范淮某次意思意思，過來跟賀決雲打聲招呼，正好遇上《凶案解析》專案組的成員前來探視，一群人整齊地揮舞著手臂，深情演唱〈祝你身體健康〉給賀決雲聽。

這首改編自生日快樂歌的曲目，給范淮留下了極大印象，只是單純一面，他就被三天的企業文化震撼住了。

這似乎是一個待久了會變笨的部門。他們到底都在幹什麼？

賀決雲形象受損，一直跟穹蒼吐槽宋紓那小子，穹蒼覺得他也沒好到哪裡去，但是不敢說出來。

她端著碗，面無表情地把飯餵到賀決雲嘴邊。

每天這個過程總是極為緩慢，吃到飯菜都涼了才能結束。

賀決雲細嚼慢嚥的樣子，讓穹蒼險些忘了他曾經吃飯的速度。

今天是他出院前的最後一天，賀決雲吃得更為認真，那依依不捨的神情，彷彿在對待人生的最後一頓午餐。

穹蒼幫他準備了蝦子、雞肉、豆腐和青菜。她仔仔細細地剝完蝦殼，把肉送到賀決雲嘴邊。

賀決雲一直盯著她的臉，有點心不在焉，結果蝦肉掉到了被子上。

穹蒼都沒反應過來，賀決雲已經以迅雷不及掩耳之勢，把蝦肉撿起來丟進嘴裡。

他吃完才察覺不對，抬起頭，對上穹蒼悠悠的眼神，振振有詞地說：「不靈活，一點都不靈活！」

穹蒼懂的。就像有些人眼盲心瞎一樣，老賀同仁殘的其實是幻肢。

她當做無事發生，面色如常地把剩下的飯菜餵完，收拾好東西後，跟他說了一聲，去幫他辦出院手續。

賀決雲自認心虛，乖巧應下，換好衣服後坐在小沙發上等她回來。

辦出院應該是很快的事情，畢竟醫院裡的人都認識穹蒼，結果賀決雲打完一局遊戲，也不見穹蒼回來。

他看了看表，發現半個小時過去了，推開房門往外找了一圈，也沒發現穹蒼的蹤跡。

賀決雲皺眉，覺得事情不對，主動下樓找了過去。

穹蒼待的地方倒是不偏僻，賀決雲剛走過休息區，就看見一群人擠在那吵個不停。

他哭笑不得，原來是碰上了三天這群人。

賀決雲走進去的時候，這群小子正兩眼發光地圍在穹蒼身邊，激動地叫嚷著一些不知道什麼意思的詞。而穹蒼雖然面色平和，態度卻十分王霸，心安理得地享受眾人的追捧。

宋紓看見他出現，激動地舉手叫道：「老大！穹蒼算命太厲害了，我第一次知道她還有這樣的特長！」

賀決雲開始思考自己員工的智商究竟有多少。讓他們負擔三天的日常工作好像很艱難的樣子。

眾人嘻嘻哈哈地說笑，對穹蒼的「火眼金睛」大感好奇。

賀決雲揮了揮手，轟趕道：「都散開，回去工作了。我今天要出院了，你們還來幹什麼？」

眾人遺憾輕嘆，一溜煙地跑開，留下他們兩個單獨相處。

賀決雲不解地看著她，說道：「不是要回家嗎？走吧。」

穹蒼卻沒起身，而是勾了勾手指，示意他過來。

賀決雲彎下腰：「怎麼？」

穹蒼猶豫了下，說：「我有些話想跟你說。」

賀決雲下巴一點：「妳說。」

穹蒼表情嚴峻，視線不停在他臉上逡巡，將賀決雲看得緊張起來，最後才低緩地道：

「我在思考，怎麼用凡人能理解的方式告訴你。」

「……我在妳心裡究竟有多蠢？」賀決雲不滿道：「差不多夠了，回家！」

他剛轉過身的時候，穹蒼特有的嗓音在他身後響起：「做我男朋友。」

跟她本人一樣的霸道又突然，還有點不講道理。

賀決雲感覺身上某個部位被燙了一下。可能是大腦，可能是心臟，也可能是指尖。這讓他全身肌肉開始顫慄，甚至比之前受傷時還要嚴重。

好在他所有的激動都隱藏在西裝之下。他深深吸了口氣，發揮出此生最大的潛能，讓自己保持冷靜。

過速的心跳讓他無法衡量時間的流逝。賀決雲調整好後，後退一步，回身重新打量穹蒼。

……所有的氣氛都被穹蒼架著條腿，唯我獨尊的坐姿破壞了。

賀決雲覺得剛才那句話不如理解成「老子看上你了」比較合適。

穹蒼催促他：「說話。」

賀決雲抬起手道：「妳等等。」

穹蒼體貼道：「你快一點。」

賀決雲指著她：「妳先把妳的腳放下。」

穹蒼把架著的腿放下來，不可避免地腿麻了。她用手捶了捶，眼睛還盯著對方，催促著面前的男人趕緊給個回覆。

賀決雲覺得有點不公平。

當初他表白的時候，穹蒼就對他愛理不理，連藉口都找得敷衍。怎麼現在換了她自己，他就得全情配合了？

賀決雲腦袋裡像是有根玻璃棍在攪拌，他努力用殘存的一點理智去思考，並在艱難探索後成功找出了自己想說的話。

賀決雲抬起頭，正怕她聽不清楚，一字一句說得極為認真：「從世俗的角度來看，妳高攀了，因為我特別有錢。」

「我還特別聰明呢，我是超聰明。」穹蒼接話超快，「對基因的改造功在千秋，利在萬代，你的財富能保證流傳那麼久？所以你賺了。」

賀決雲：？

賀決雲咬牙切齒道：「妳能不能別那麼不服輸？妳先讓讓我，好不好？」

「好。」穹蒼嘆了口氣，縱容地說：「你繼續說。」

他轉頭對上穹蒼一張無奈又高傲的臉，發現自己說不下去。

賀決雲洩氣道：「算了，我沒什麼想說的了。」

穹蒼問：「所以呢？」

「好吧，還能怎麼樣？」賀決雲頹然道：「妳說還能怎麼辦？能馬上去登記嗎？」

「太好了，你願意今天上崗。」穹蒼挽住他的手臂，帶著他走出休息間，「我想去幫江凌掃墓。你作為家屬一起過去吧？」

賀決雲麻木道：「哦。」

等兩人來到醫院門口，穹蒼才反應過來。

她看著賀決雲略帶遺憾的表情，問道：「我是不是打斷了你技能條的讀取功能？」

賀決雲的臉抖了抖：「……我謝謝您。」

穹蒼謙虛道：「倒也不必，不算什麼。」

賀決雲差點朝她呸一口，念在兩人才剛確定關係，還經不起波折，又強行忍了下來。他握住穹蒼的手，不容置疑地揣進自己口袋裡，同時目不斜視地注視著前方，裝作自然。只是耳朵有點微微發紅。

不久後，范淮的車在他們面前停下，車窗降下，示意他們上來。

兩人一起坐在後座，前排坐著的是那個沉默寡言的女生。范淮氣色好了不少，他看見兩人交握的手，笑了一下，試探叫道：「師公？」

賀決雲頓時被他一個詞取悅了，如果范淮是三天的員工，賀決雲能當場幫他加一倍薪水。

車輛平穩起步，穿過街巷，開往郊區的墓園。

半路的時候，穹蒼叫道：「范淮。」

駕駛座上的人靠在車窗上，慵懶地應了一聲：「嗯？」

「有打算嗎？老師幫你分配工作。」穹蒼說：「需要學習一點專業技巧，跟你能力吻合。平時不需要加班，工作強度適中，每年有多個假期，可以輕鬆年過百萬。」

范淮精神了一點，笑道：「真的？」

穹蒼說著看了賀決雲一眼，點頭道：「是啊，讓你走後門。」

賀決雲聞言沉思片刻。

有那麼點微妙的感覺，但是又說不太出來。

一個小時後，眾人抵達墓園。

白色的鮮花擺在墓碑前面，隨著細風輕撫，微微抖動著花瓣。

范淮跪在地上，虔誠地磕了個頭。

他不知道該說什麼，手不停撫摸著墓碑上的文字。好像這樣能向她傳達自己的平安。

穹蒼站在范淮身後，百感交集地說了一句：「我幫妳把人帶回來了。」

那一刻，好像所有的石頭都已落地，所有的落葉都已歸根。她肩上再也沒有任何的重量。

墓碑上的女人，眉眼是一如既往的溫柔，她淺笑地看著幾人，笑容化在秋日的暖陽中。

范淮又起身走到范安的墓前，低著頭，語氣哀傷而溫柔，似在耳邊的輕語：「安安，哥對不起妳……我來晚了。下輩子好不好？下輩子哥肯定第一個找到妳……」

許多受到傷害的人，都想用所謂的明天，去忘記慘痛的過去，然而其實所有的明天都帶著昨日的烙印，正是一步又一步染血的足跡，才會有站在這裡的今天。否認過去，便要絕望地否認自己。

人生也許就是一條無法回頭，也無法躲避的道路。哪怕需要披荊斬棘，趟過刀山火海，也要不停向前。

祝你平安，奔波的遊子。

——《案件現場直播04 遲來的正義》正文完結——

番外

後來的兩人

一月二十五日，距離春節還有一個星期左右，穹蒼處理完手上的工作，不得不開始思考起一個嚴肅的問題——她覺得賀決雲變了，變得奇奇怪怪的，已經到了她無法忽視的地步。

這並不是什麼男女交往後的病態錯覺，而是基於縝密觀察後的合理推測。

因為賀決雲的邀請，穹蒼暫時留在三天幫忙進行後期測驗工作，同時繼續維持與警政系統的顧問合作。這樣一來，她跟賀決雲見面的機會就不可避免地增多了。

除卻平時工作相關的交接，一有空，賀決雲還會過來找她聊天，拉她吃飯。他這種明顯沒事找事、故意秀恩愛的表現，激得宋紓等單身狗嗷嗷直叫，險些影響了團隊之間的和諧關係。

但是這兩天，賀決雲鮮少主動來找穹蒼說話，而是用一種試探跟觀察的眼神，在穹蒼辦公室門前亂晃。

穹蒼好幾次看見他了，想跟他打招呼，但賀決雲始終一副憂心忡忡的樣子，要麼不在狀態，要麼返身就走，表現極為反常。

還有一次，穹蒼路過賀決雲的辦公室，想送點水果給他，推門進去的時候，正好碰上賀決雲在打電話。

他的聲音急促緊張，故意壓低聲音怕被外人聽見，焦急地跟電話對面的人解釋，並在發現穹蒼出現的第一瞬間，立即把手機掛斷，丟到桌上。

……分明一副做賊心虛的模樣。

穹蒼問他剛才在聊什麼，賀決雲抬手撓了撓頭，隨後風輕雲淡地說甲方腦子有洞，又來跟他提出不合理要求，他義正辭嚴地拒絕了，為了保障員工的正當權益。

穹蒼露出略帶懷疑的表情。

賀決雲不知道自己說謊的時候，臉上的每一處線條都會跳躍。

當然穹蒼沒有要打探賀決雲隱私的意思，她認為就算是男女朋友也可以保持一點距離，只是賀決雲的舉動實在是太過鬼祟，她很難裝作熟視無睹。

回家後，穹蒼認真翻找了許多的資料，無果，又找方起做了諮詢。

方起給她的答案是：「是有毛病，閒得慌啊？」

穹蒼皺眉：「你說Q哥？」

方起木然挖耳朵：「我說妳。」

穹蒼：「……」這果斷是不正確的。

穹蒼求知的心無法停歇，於是又上情感論壇匿名詢問，寄希望於廣大網友的情感智慧。

網友多數回答都是：『出軌了，勸分手，不分不是人。』

這是不可能的。

穹蒼相信賀決雲不會做那麼道德淪喪的事。

在熱心網友五花八門的回覆中，穹蒼找到了一個相對可靠的猜測。

這可能就是男性的正常焦慮吧，穹蒼心想。畢竟在晉江，三十歲的主角已經要被年輕讀者嘲諷作老男人了，賀決雲正在逐漸步入這個階段。

穹蒼對此表示了理解、關懷以及寬容。

她覺得這種時候不能過度刺激賀決雲，所以她選擇裝不知情。

穹蒼關掉電腦，淡定起身，往養生壺里加了點枸杞跟黨參，等著賀決雲回來。

晚上九點半，賀決雲才拖著疲憊的身體回到家。

臨近年關，公司的事情尤其多。他除了要忙新副本上線的事情，還要策劃新年活動。賀決雲癱軟在沙發上，身心俱疲。穹蒼幫他端了杯枸杞養生水，又聽見他捂著揚聲器，在那裡神神祕祕地打電話。

「好了好了，我知道了，我會去看你的，你別找穹蒼！」

「交給我，我知道我會！我跟她好好說。你千萬別衝動！」

「……我知道要負責，但是我也不想刺激她。這是兩碼事。你知道的，穹蒼成長環境比較特殊。」

穹蒼把杯子放下，朝他笑了笑，而後回了臥室。

晚上睡覺的時候，賀決雲一直在床上輾轉反側。

穹蒼睡得淺，就算賀決雲動作放得很輕，依舊被打擾睡眠。一直到後半夜，實在抵擋不住睏意了，才闔眼睡去。

她睡了沒多久，不甘寂寞的賀決雲又晃著她的肩膀叫她的名字。

「穹蒼，穹蒼。」

穹蒼迷迷糊糊的，聽著那一聲聲呼喚，感覺魂魄在頭頂飄揚。她有些忍不住，皺起眉毛，囫圇應了一聲。

賀決雲貼在她耳邊，輕聲道：「穹蒼，跟我回家過年好嗎？我想帶妳見我爸媽。他們人很好的，一點也不凶，特別喜歡妳。過年的時候倆老寂寞，我們回去住兩天。妳看怎麼樣？」

穹蒼從胸腔裡擠出的悶哼明顯帶著睏意，連眼睛都不願意睜開。

賀決雲跟魔鬼低語似的，不停地說：「穹蒼，好不好啊？跟我回家吧。」

穹蒼真的是聽清楚了，只是無法思考這句話的涵義。她滿腦子只想睡覺，當下什麼都能答應，蹭著枕頭點了點頭。

賀決雲念叨了那麼多天的事情終於解決，當即欣喜若狂，什麼失眠疲憊沒胃口的毛病全部不治而愈，大晚上跟打了雞血一樣，靠上去將穹蒼抱在懷裡。

他抱了一會兒，不滿意穹蒼背對著自己，又讓她轉過身來。

穹蒼扭過頭，眼睛裡的迷離退散不少，已經快清醒了。她在黑暗中幽怨地盯著賀決雲，說：「最後一個要求了吧。」

賀決雲笑著點頭，終於有了點擾人清夢的自覺：「對，抱著我，馬上睡覺了。乖，對不起啊。」

穹蒼轉過身，挪到他懷裡。

第二天大早，賀決雲煥然一新，精力充沛地跑前跑後，幫穹蒼收拾行李。

他把穹蒼的衣服全部搬過來，一件件堆在床上，一邊整理一邊問她：「這些衣服要不要帶啊？還是要買些新的？妳不喜歡逛街的話，乾脆各買一件下來試試。」

穹蒼靠在床上，帶著事後的茫然，有種喝斷片的錯覺。

賀決雲渾然未覺，又把她身後的枕頭抽了出來，一併裝到箱子裡去。

在他開始整理書的時候，穹蒼終於忍不住問：「你在幹什麼？」

賀決雲心情很好地做著家務：「回家啊。」

穹蒼茫然道：「……那我現在是在哪裡？」

賀決雲抬起頭，看著穹蒼的表情，心裡美了一下。

這說明在穹蒼眼裡，兩個人住的地方才是家。

他很快樂地解釋說：「我是說回老家，我爸媽住的地方。」

穹蒼愣了下，問道：「我答應你了嗎？」

賀決雲也愣，隨即立刻大聲叫道：「妳答應我了！」

他以為穹蒼想要反悔，急赤白臉地叫道：「妳昨天自己答應我的！妳說『嗯』，妳還點頭了！」

穹蒼臉上浮現疑惑的表情，歪著頭開始回憶。

賀決雲感覺自己的青春結束了，一瞬間頹喪下去，兩手垂落在箱子上方，沒了收拾的動力，也沒了生命的活力。

他淡淡嘆了口氣，眼神裡是超脫於年齡的成熟，彷彿已經看破世事，只能妥協人生。

他這樣子，穹蒼心有不忍。她想了想，問道：「你這幾天神神祕祕的，就為了這個？」

「就？」賀決雲扯著長音，盯視著穹蒼，無形地譴責她，「這是很重要的事！我還沒帶人回去見過我爸媽！妳知道這是我們賀家特別的傳統嗎？見了我的家長，妳就是我們家的人了。」

他這邊擔心得形銷骨立，穹蒼竟然一無所知。

是他家的錢不夠多嗎？是他給的暗示不夠明顯嗎？穹蒼能不能受一點誘惑，讓他也享受一下被逼婚的快樂？

賀決雲低垂著頭，遮掩住半張臉的神色，語氣哀傷而憂慮，「唉，我一個大齡單身未婚青年，每到過年的時候，親戚好友齊聚一堂，我都是他們嘲笑的對象。」

穹蒼心想，你們有錢人也會有這種樸素的煩惱嗎？但是她更關心的是另一件事情。

「齊聚一堂？」

穹蒼不喜歡跟長輩打交道。準確來說，如果不是遇見賀決雲，她更喜歡獨來獨往。

賀決雲心裡一跳，自覺失言，連忙改口說：「背著我齊聚一堂，說我壞話。家裡就……我們一家四口。」

穹蒼遲疑著說：「這樣不太好吧？」

賀決雲連忙點頭：「這樣非常不好！我媽跟他們說妳是我女朋友，他們還不相信。」

穹蒼說：「這有什麼好不相信的？」

賀決雲覺得這個問題很難回答。

過了一會兒，穹蒼思考清楚了，說：「那就去吧。」

賀決雲差點叫出聲來。他克制地說：「真的啊？那我繼續整理了啊？」

穹蒼：「嗯。」

賀決雲再試探：「那今天中午就出發了？」

穹蒼難免驚訝：「你那麼急嗎？」

「我不急。」賀決雲掩飾地說：「主要是我媽很急，妳知道她的性子很急嗎？」

穹蒼是見過賀夫人的，她對那位女士的美麗跟大方都印象深刻，而這兩個特點不管放在哪種情境下都不會讓人討厭。於是她蹲下身陪著賀決雲一起收拾。

要見賀決雲的父母，穹蒼其實並不緊張，因為她發現二老比她還要激動。

賀決雲打電話告知對面，今天要回家時，賀夫人亢奮的叫聲，在沒開外放的情況下都能聽得一清二楚。

賀決雲完全沒有出賣自己親媽的負擔，他把手機收起來，朝穹蒼笑道：「他們要是包紅包給妳，妳記得一定要收下來。兩老沒別的愛好，就喜歡做散財童子。那就是他們的好意。」

穹蒼聽著血壓都有些起伏。

實不相瞞，她也很喜歡做那個永遠長不大的童子。

穹蒼矜持地「嗯」了一聲。

賀決雲怕跟穹蒼說太多關於父母的喜惡，會給穹蒼帶來壓力，他一路天南地北地扯了一點，不知不覺就到了目的地。

賀決雲放緩車速，沿著空曠的主路往前開去，很快看見了人影。

社區入口兩側，十幾位穿著統一制服的年輕保全，正兩排而立，嚴陣以待。

在賀決雲車輛緩緩駛過的時候，他們漸次敬禮，聲音洪亮地進行恭迎，並目送兩人離去。

穹蒼不由投去了鄉下人的目光。直到今天才知道，原來有錢人每次回家，都能弄得跟登基一樣，實在是太長見識了。

說不定黃金鑲鑽馬桶，不是傳說？

穹蒼的神情過於專注，所以沒看見賀決雲強忍著的抽搐的眼角。

……神經病啊？這到底是誰搞的？

保全隊長遠望著車輛消失在花園後方，深藏功與名地灑脫一笑。

小老闆，我只能幫你到這裡了！

賀決雲一路沉默地將車停在車位上，下車時深吸了口氣，在心裡默默祈禱雙親沒準備什麼「驚喜」等待他們。

他牽著穹蒼走到門口，解鎖後將門推開。

門扉開啟時，穹蒼同時看見了站在大門後方的賀先生。不知道他是剛好路過，還是一直在等。

賀先生一身西裝穿得筆挺，連頭髮都梳得齊整。長相英俊，跟賀決雲有五成相像，不過眉宇間看起來比較成熟嚴肅。

穹蒼不著痕跡地打量了他一眼，又低下頭看了看自己身上休閒家常的著裝，一時間對自己的不夠鄭重感到慚愧。

穹蒼上前，朝賀先生標準地鞠了一躬，禮貌道：「你好。」

賀先生被她的架勢震住了，也略微彎了彎腰，朝她點頭道：「妳好。」兩人跟長官會面似的，握住手上下晃了晃，表情肅穆，態度端正，彷彿一開口，討論的就是國家大事。

賀夫人衝上來，一手肘擊在賀先生的後腰上，挑著美目朝他瞪去。

賀先生一臉無辜。這是他的錯嗎？

「穹蒼來了呀！哎呀回家還帶什麼禮物？」

賀夫人熱情上前，拉著穹蒼的手將她請進屋，順便遞了個欣慰的眼神給賀決雲。

萬萬沒想到啊，自己的兒子真的出息了。

賀夫人將穹蒼按在沙發上，貼著她坐，賀先生被她趕到了另一面。

她也不知道應該要做什麼，只能拼了命地把水果往穹蒼面前搬。

穹蒼不餓，推拒了下，最後拿了個蘋果放在手裡，跟她一起看最新出的狗血偶像劇。

賀先生看完片頭，其實已經很想起身走人了，因為他對演技感人的偶像劇沒有半點興趣，可是他又不太敢。

在穹蒼過來之前，賀夫人耳提面命地告訴過他，說今天穹蒼到家後的兩小時內，他必須牢牢蹲守在客廳。不管是玩手機還是看電視都沒關係，總之不能一個人回書房。之後每天也要花至少半個小時，跟穹蒼進行交流。

媳婦第一次到家裡，他得給人家面子，不指望表現得多慈祥親近，起碼不要冷落人。

賀先生覺得很有道理，於是答應了。他當時不以為意，認為跟穹蒼的話題應該很好找，隨便聊點什麼，幾個小時眨眼就過。

誰想到賀夫人對此事異常重視，自己列出幾個娛樂選項，將穹蒼的閒置時間安排得滿滿的，賀先生的唯一選擇就是被動參與，作為她們的聊天背景板散發光與熱。

……他給穹蒼面子，但是他老婆忘了給他面子。

賀先生不停地低頭看手錶，數著兩個小時趕緊過去。同時為了彰顯自己的存在，還得在賀夫人時不時的點名下，乾笑著發表一下自己的感慨。

賀決雲在旁協調，調節氣氛，見他們三人雖然聊得艱難，但還算和諧，也放下心來。

他覺得偶像劇有哪裡尷尬的？再尷尬也沒有坐在這裡的他尷尬。大家誰也別嫌棄誰。

看到後面的時候，賀先生突然釋懷了。

一旦用這種包容的心態去看待劇情，他竟然感受到了別樣的樂趣。

所以兩個小時後他沒走，他留了下來。

他看電視劇的角度變得深入而專業，學會了自由發散，主動搭腔，可謂漸入佳境。

「上市公司連續兩年虧損是要ST的。」

「這位家境清寒的女主角住的房子，月租起碼兩萬起跳。我覺得這棟大樓不錯，前兩年才剛炒起來……」他說到這裡的時候，終於想到了自己能做的事，異常激動地說：

「我買棟大樓給妳吧！」

穹蒼一時沒反應過來：「啊？」

她驚訝的神色太過明顯，賀先生不知道讀出了什麼，又了然點了點頭，又說：「不行，現在都搞限購，一棟有點難了。還是直接買一間貴的吧，這樣作為婚前財產，省力又有價值。」

穹蒼為自己的貧窮感到一陣哽咽，艱澀地說：「不用，我有房子。」

「把那間賣了吧，我聽決雲說過，妳住的那個地方的警衛不太行。哦……妳學生要用是不是？要不妳直接轉給他吧，我買新的給妳。」賀先生說著幹勁十足，起身道：「妳有什麼要求？我現在就去幫妳看看。」

穹蒼被他們有錢人的直接震撼到了，偏頭求助般地看向賀決雲。

他說給紅包，但沒說給房子吧？這兩個是不一樣的吧？

「爸，爸！」賀決雲哭笑不得地拉著人坐下，說道：「讓穹蒼自己選擇，這件事情您就別管了。」

賀夫人聽著不滿意道：「妳不要老讓人跟你住那破房子。我上次去看，東西都要放不下了。說不定人家穹蒼更喜歡靠海的別墅呢，你問過了嗎？」

穹蒼忙說：「沒有，我挺喜歡現在住的房子的。」

賀夫人不由感動道：「多麼樸素的女孩子啊。」

穹蒼跟著感慨。多麼樸素的有錢人啊？

「不要客氣。」賀先生終於找到了自己的主場，不願意放棄，繼續勸道：「這也是爸……叔叔唯一力所能及的事情了。有什麼要求妳儘管開，叔叔一定讓妳滿足！」

穹蒼覺得這個話題十分詭異，險些被他們傳統家族的糖衣誘惑弄迷糊了，最後是保姆出來喊他們過去吃飯，二老才意猶未盡地停止自己的撒錢行為。

吃過飯後，穹蒼怕二老再提送房子的事情，直接去了賀決雲的房間。考慮到賀先生是個連看狗血電視劇，都能聯想到婚前財產的人，穹蒼覺得有必要讓賀決雲委婉地表達一下婉拒的想法。

「不要讓叔叔送房子給我……也不要送什麼貴重的物品。我沒什麼能用的地方。」

賀決雲嘴裡「嗯」了聲，手下整理著箱子，正在認真思考一件更加重要的事情。

他買了幾件禮物，悄悄塞在行李箱的角落，全部都是他精挑細選的。

他的計畫很完美。每天早上醒來，送一件低調又不失奢華的禮物給穹蒼，在對方感動的時候送上一個香吻，等穹蒼慢慢卸下防備，再讓他媽旁敲側擊地幫忙催婚。這樣，如果不成，穹蒼也能明白他的苦心。如果成了……那還用說？

賀決雲想得很美，結果，可能是因為前幾天休息不足，澈底放鬆後睡得很沉。第二天早上，等他醒來時，穹蒼已經不在房間裡了。

他想像中的，在清晨醒來的第一眼，為穹蒼戴上寶石項鍊的浪漫畫面沒能發生。還沒開始，居然就折戟了。

賀決雲懊惱地從床上爬起來，把從床頭櫃裡翻出裝項鍊的禮品盒放進口袋後，就跑去找穹蒼，試圖補救。

他沿著走廊小跑到一樓，大聲叫著穹蒼的名字，在轉到客廳的時候，被驟然出現在眼前的陌生畫面震在原地。

原本空空的客廳已經被各種東西塞滿。禮服、大衣、成排的鞋子，還有各種珠寶項鍊。

衣服都是剛送來的新款，珠寶則是賀夫人多年的珍藏。

賀決雲看著賀夫人手上拿著的那條價值連城，精雕細刻的藏品，再摸了把自己口袋裡的首飾盒，聲音都顫抖了，「……媽？」

賀夫人聞言抬了下頭，高興道：「你起床啦？自己隨便找點吃的。等等，你覺得穹蒼戴這條藍寶石項鍊好看，還是戴這條鑽石項鍊比較好看？」

穹蒼麻木地站在那裡，眼神裡一半是強行營業的快樂，一半是搖搖欲墜的堅持。

賀決雲恍然大悟。

——失算了！一個家裡三個都有鈔能力，他被捷足先登了！

賀決雲大步上前，說道：「媽，妳別老是拿錢砸穹蒼，她不是喜歡錢的人。妳這樣一直塞東西給她，她不一定會高興。」

賀夫人後知後覺地不好意思起來：「主要是好久沒當媽媽了，有點不習慣。」

賀決雲：我長大後就不是您的兒子了，是嗎？

賀夫人握著穹蒼的手，臉上是讓人不忍苛責的柔弱：「乖寶貝，妳會不會覺得我很煩人啊？」

穹蒼當然說：「沒有，我挺高興的。」

賀夫人得到肯定，不管是客氣還是真誠，立刻又興致勃勃道：「那就好，那我們少挑兩件。先挑一件除夕穿的，好不好？」

賀決雲的禮物還是沒能送出去，主要是有了對比，他不好意思送。這導致他之後幾天都有點怏怏不樂，縱然他極力掩飾，穹蒼還是看出來了。

最後是穹蒼自己在床頭櫃裡發現了賀決雲的小心思。她還在裡面看見了對方寫在卡片上的日期跟祝語，當下有點好笑又有點感動。

她不動聲色地把東西放回去，在過年那一天，才把它們重新拿出來。

賀決雲等在客廳裡，見穹蒼換完衣服出來的時候，過去挽住她的手。他起先還沒發現，再仔細一看，才發現穹蒼戴的是自己選的耳環，自己選的項鍊，還有自己選的鑽石髮夾。

他瞪直了眼，驚喜到組織不出語言：「妳妳妳……」

穹蒼笑道：「我怎麼了？」

賀決雲深吸一口氣，終於氣消。他在穹蒼的臉上重重親了一口，眼裡的笑意滿溢出來：「妳真好看。」

說謊的證人

八點二十五分，三夭總部。

穹蒼準時來到指定的遊戲房間外，正準備進去，看見范淮從遠處走來。

她特地在門口等了一下，在范淮路過時，跟他打了聲招呼。

穹蒼笑道：「工作怎麼樣？」

范淮按著胸前的紐扣，將西裝脫下來，籲出一口氣，笑道：「還不錯。」

他所在部門專門負責技術支援，裡面都是一群對工作有熱情，又不太擅長處理複雜社會關係的年輕人。大家單純而傻氣，每天都洋溢著瓜皮的氣息。

范淮目前正處於學習階段，在同事的引導下慢慢接觸三夭的相關業務，以及三夭的企業精神……雖然他覺得這企業精神不學也罷，那群人瘋起來，都敢在後臺寫他們小老闆的同人文，還偽裝成垃圾郵件傳送到事主的帳號裡，享受在刀尖上跳舞的快感。

范淮很喜歡這種生活，但同時也很猶豫，他不知道是不是應該告訴自己的老師，她每天都在三夭工作人員的大腦裡忙碌地上演狗血愛情劇。

「冷酷無情大魔王VS多情舔狗小嬌夫」、「黃金天才大腦VS世界第一首富」、「多情霸總：天才老婆妳別跑」、「美麗佳人：世上沒有我搞不定的男人」諸如此類的東西。

范淮深深看了穹蒼一眼，覺得還是算了。

汙染她的世界。

穹蒼讀出他臉上閃過的複雜，有點莫名其妙，換了個話題，問道：「緊張嗎？」

范淮沒有作聲，微微低了下頭。

三天製作許久的凶案副本終於要進行公測了，而主角就是范淮自己。讓他再回到當年的場景，直面當時的困境，對他來說也許是種殘酷的挑戰。但是，那種蒙受不白之冤的痛苦深深鐫刻在他的靈魂裡，是之後一切悲劇的源頭。他曾無數次地做著妄想，如果自己當時能走出看守所，會是什麼樣的結果。

這種想像毫無用處。

但是除了他自己，沒有人能幫助他走出這段過去。

「沒什麼。」范淮抬起頭輕笑，「早就過去了。」

穹蒼卻是十分認真的：「我會把你帶出來的。」

歡迎玩家來到全息模擬直播遊戲《凶案解析》（特殊限時副本），您申請的身分是「緝凶者」。案情相關記憶已封鎖，請根據已有線索，找出真凶，完成情景還原。

身分：QC（你現在是一名公務人員。）

玩家評分：97（你已經打敗了全國99%的人！）

與角色契合度：100％（在不抹黑職業形象的情況下，可無限制地扮演你自己。）

劇情進展：50％（你們抓住了一位嫌疑人，他看起來很可疑。）

（注）本遊戲基於大資料與刑事檔案自動生成，請仔細辨別遊戲中出現的線索。

熟悉的轉場白霧，籠罩在穹蒼眼前。她的大腦一陣空白，沒能在第一時刻運轉起來，顯然這一次遮罩的記憶有點多。她皺著眉頭，適應了下這種感覺，快速翻閱起劇情介紹，而後將畫面關閉。

場景逐漸清晰，露出周圍的原貌。

她正坐在一張辦公桌後面，陽光穿透過窗戶，照亮了她前方的白色書寫板。上面貼了十幾張照片，還有各種密密麻麻的連線，顯然是剛剛開完會議，結束案情總結。

穹蒼低下頭，用手翻了下桌面上擺著的，剛打開的筆記本，順著上面的內容看下去。

沒過多久，房門被敲響。

對方禮貌性地叩了兩聲，不等她回應，直接走了進來。

穹蒼認出是賀決雲，指著對面的椅子，示意他入座。

即便還什麼都沒有發生，穹蒼所屬的直播間非常熱鬧。準確來說，這群觀眾已經過度亢奮很久了，在穹蒼還沒正式登入的時候，就已經洗版了整個留言區。

快速一掃，基本上就是個無節操的大型認親現場。

『來了來了！穹蒼爸爸，我等妳很久了，妳怎麼現在才出來？妳失散多年的兒子都自動成年了，再放養我就不認了，好嗎？』

『老婆妳再不出現，我連孩子都養不起了。』

『想妳的三百六十五天！』

『我女兒不算新人了吧？為什麼這個監察者還跟著她？』

『我就說這個監察者一直在以公謀私，果然沒猜錯。』

『看來穹蒼的祖孫三代都在留言區齊聚一堂了啊。』

賀決雲進了辦公室，還沒來得及開口，就接到了一則系統警告。

『因檢舉資訊過多，無法及時核實。請監察者約束自我行為，查實違規將做批評處理。』

賀決雲愣了下，這絕對是他收到的史上最冤的警告，其中必然有宋紓等人的手筆。

他仔細反思一遍，覺得目前為止自己做過的最錯的事情，就是活著出現。

這則明顯帶著唯恐天下不亂意味的站內訊息，加上他面前只有穹蒼一個人……賀決雲小腦袋一轉，覺得大概知道是怎麼回事了。

穹蒼兩手攏在桌上，將筆記本往前移了一點，視線還黏在上面。等了一會兒，沒聽見賀決雲開口，嘴裡發出一個疑惑的音節。

一雙手伸到她耳邊，將她額前的碎髮小心別到耳後，又扯著她的衣領將它拉得挺直，連邊角處的褶皺都沒放過。

他的動作放得很慢，像是故意拉著時長。直播間的視角就停留在賀決雲那雙骨節分明的手上，連他似有似無擦過穹蒼側臉的動作都拍得一清二楚，讓畫面顯得特別曖昧。最重要的是穹蒼沒有躲開。

原本還是插科打諢的留言區，在經過的一秒的世紀冰封後，澈底陷入癲狂。網友齊聲大呼驚訝。驚嘆號和混亂的貼圖跟瀑布一樣從畫面飛過。

『天殺老賊！辱我親父！』

『我就說！我就說！我沒了！』

『三天還缺人嗎？監察者的那一種。我可以免費上班。』

『妳為什麼不捏爆他的頭？啊？妳變了！』

『不——不！』

這種時候後臺的投訴，才真的叫如雪花般飛來。宋紓等人手忙腳亂，嘴裡咽下一口血淚，差點想對賀決雲下跪。

造孽啊！

賀決雲接到後臺一個痛哭流淚的求饒貼圖，才滿意地收回手，朝穹蒼笑了一下。他抽出本子，開始說正事。

「九月二十一日晚上九點半左右，死者劉某，女性，在HY社區的後巷中被人殺害。她胸前一共中了三刀，三刀都刺得很深，其中一刀刺破了肝臟，是致命傷。」

「凶器暫時沒有找到，但根據法醫驗屍結果來看，應該是一把打磨過的水果刀，前端非常尖銳，刀口平滑。一部分刀片碎裂，留在死者身體裡。綜合來看，這很大可能是一起預謀殺人案。」

「第二天早上五點半，劉某屍體被附近早起的居民發現，然後報警。民警趕到現場的時候，現場已經被大面積破壞。」

賀決雲把一排照片擺到她面前。

照片從各個角度記錄下了案發現場。

由於昨晚剛下過雨，地表都是泥濘。昨夜殘留的痕跡被雨水沖刷，而早上的新鮮腳印又被留下。

屍體周邊圍繞著許多雜亂的腳印，那些印記一看深淺度就知道是在屍體被發現後才留下來的。附近居民不知道怎麼保護案發現場，導致現場難以取證。

穹蒼將照片一張張翻過去，最後定格在死者的身上。

那位女性緊閉著眼睛，臉部被雨水泡得浮腫，全身呈現青白色。

穹蒼問：「死者身上有打鬥傷嗎？」

「沒有。」

「周圍人有聽見呼救聲嗎？」

「沒有。昨夜雨水很大，大部分人家裡都關著門窗。加上凶殺地點離馬路很近，附近許多居民又都是老人，我們走訪一圈，所有人都說自己沒聽見動靜。」

賀決雲用手演示了一遍：「死者身上的刀口是從正面切入的，而死者沒有抵抗，也就是說，凶手突然發難，死者卻完全沒有防備，對方很可能是她認識的人。三刀中有一個刀口，位置偏下，角度傾斜向上，所以案發時，兩人應該是一個站在臺階上，一個站在臺階下。凶手刺了一刀後，快速把死者按在地上，用手堵住她的嘴，並快速補了兩刀，確保她死亡，然後倉皇逃跑。」

賀決雲拿出一張地圖，用紅色記號筆在上面標記了一下：「逃跑路線可能是這樣的，有兩位證人恰好看見凶手離開。」

兩個目擊點之間的距離挺遠，如果用紅線連接的話，路線有點曲折。

穹蒼看著圖示，左手無意識地摩挲著自己的下巴。

「根據目擊證人的口供，我們還原了凶手當天穿的衣著，以此作為標準進行排查，很快找到另一位證人。對方在HY社區附近開店，已經有十幾年的歷史。他向我們提供了嫌疑人的名字。」

賀決雲把最後一張照片放上來。

「寧冬冬。十六歲，現讀高一。」

照片上的人，五官還帶著點青澀的味道，眼睛裡是桀驁不馴的笑意，就那麼直勾勾地看著螢幕。

這個建模與現實中的范淮並不相似，但那種神韻可謂十分逼真。

穹蒼盯著照片看了數秒，隨後才將視線移開。

這時，又一位青年敲門進來，停在門口說道：「隊長，寧冬冬到了。」

范淮坐在封閉的審訊室裡，一動也不動，盯著桌面，全身上下都寫滿了焦慮。就算他極力想要掩飾，身上的肌肉還是緊緊崩成一塊。

穹蒼一眼掃去，就看出他表情中壓抑的抗拒。

賀決雲走在前面，拉開兩邊的椅子，與穹蒼一起入座。確認鏡頭正常開啟後，將面前的電腦打開，準備記錄。

范淮聽見動靜，稍稍抬起頭。他對上穹蒼的視線，身上那種刺蝟般的攻擊性卸去一點，沉沉吐息，等著他們提問。

穹蒼問：「昨天晚上，你去了哪裡？」

「ＨＹ社區。」范淮的聲線很平坦，重複著那段他可能已經說過無數遍的話，「準確來說，原本不是要去花園社區，但是昨天晚上下暴雨，約我見面的人為了避雨，躲到了社區裡面。我對那個地方比較熟，就同意跟她在避雨棚的位置見面。」

清脆響亮的鍵盤聲緊密響起，那種高速敲動的頻率，似乎也推動了兩人之間的節奏。

穹蒼：「然後呢？」

范淮：「然後我去買了一臺二手相機。」

「哪來的錢？」

「賺的。」

「怎麼賺的？」

「上課賺的。」

「上課還能賺錢？」穹蒼不帶感情地笑了一下，「你不要敷衍我。」

兩人對話的速度很快，甚至夾帶著一點火藥味，這讓直播間的觀眾異常驚訝。

他們原本以為，穹蒼會循循善誘、耐心地引導自己的學生。然而坐到這個位子後，她似乎變了一個人。

范淮依舊低垂著頭，任由額前的瀏海遮住些許視線。他頓了頓，繼續解釋道：「劉璐讓我去幫她聽課，記錄課上的內容，並調查班裡的學生。十二堂課，兩萬八千塊。」

「誰的課，哪裡的課，為什麼？你沒懷疑過嗎？」穹蒼接連拋出幾個問題，那灼熱的目光，似乎要從對方身上挖出一個洞來，「那班裡的學生到底有什麼特別？」

「沒有。我不知道，當時看有錢賺就沒想那麼多。」范淮搖頭，「那是幾節社會心理學的課程。她讓我去聽課，我就去了。她說沒有收穫也沒關係，到時候把課程錄音交給她就行。我覺得很正常，畢竟是知名大學的公開課。」

穹蒼挑眉：「就這樣，兩萬八千塊？」語氣裡分明帶著笑意，只是這種時候的笑不會讓人感到任何友好。

范淮聲音放低：「對。」

穹蒼換了一個姿勢，單手搭在桌上，手指握著一支筆，上上下下不停地轉動。

范淮知道，這個姿態代表她在思考，或者說，她在懷疑。

他也知道自己的解釋不那麼可信，甚至有些荒誕，然而再一次被人質疑、探視，那種冰涼的感覺仍舊不可避免地從他腳底生出，緩緩往上蔓延。

不知過了多久，穹蒼終於別開視線。她第一次掀開桌上的檔案，用細長的手指夾著紙張來來回回翻看。

「你說你九點二十分左右見完死者，之後就跟她道別了。可是你再次抵達相機店的時候，已經將近九點四十五分。按照兩地路程，不管你走得多緩慢，都不可能需要那麼長的時間。」穹蒼掀起眼皮，目光銳利地望著他，不放過他臉上的每一個細節，「這段時間裡，你去了哪裡？」

范淮說了出人意料的答案：「我穿了一雙新鞋子。」

穹蒼不明所以地偏過頭：「嗯？」

「我媽買了雙新鞋給我，我不希望它被弄溼。」范淮道，「後來雨越下越大，出去的路，地勢又比較低，前面漲了有多積水，不小心就會把鞋子泡壞。所以我在一戶人家的屋簷下面等了等。想等雨小一點，再從旁邊過去。」

他的喉結隨著他說話，小幅上下滾動，放在桌上的手指也收緊起來，暴露了他的心情。

穹蒼問：「有人能替你作證嗎？」

范淮還是搖頭，動作很輕：「沒有。」

穹蒼：「那有上網記錄嗎？」

「……沒有。」范淮的聲音變得低沉暗啞，「我當時在打單機遊戲。」

穹蒼沉默，賀決雲也因為兩人的沉默而停下了記錄的動作。

這種令人窒息的安靜，讓范淮臉上出現恍惚的神態。

這一幕太過熟悉，范淮有種雲裡霧裡的不真實感，彷彿自己的靈魂飄出了身外，正在從協力者的視角圍觀這可笑的場景。

一個罪犯，在無從狡辯的情況下，胡扯著可笑的理由進行辯解。他對面穿著制服的警察，會用一種不屑、冰冷、諷刺的目光看著他、評價他，並且在心底幫他打上卑鄙者的標籤。

范淮深深吸了口氣，將腦海中的零碎畫面前部驅趕出去。

穹蒼：「劉璐在調查什麼事情？她有沒有什麼仇人？」

「不知道！」

范淮這一次的回答顯得有些生硬，對自己的無力感到生氣，也對自己的處境感到不滿，所以無法控制好自己的情緒。

輕微的一聲，文件被闔上。

穹蒼一手按在扉頁上，分明是沒有起伏的陳述，卻有著能將人的火氣瞬間挑動起來的不善，「關鍵的問題，你一個都不知道；能證明你清白的證據，你一件都沒有。是嗎？」

范淮的眼睛裡蹦出怒火，他梗著脖子，倔強地抬起頭，與對面的人直直瞪視。那是十六歲的「寧冬冬」唯一能表達抗議的方式。

直播間的觀眾早已心生不忍，他們用力打字的手指差點把鍵盤按碎，強烈的代入感，讓他們對穹蒼都產生了怨懟。

『憐愛范淮了，知道他是無辜的之後，我再也不能看他露出任何受傷的表情。寶寶，快讓我抱著安慰一下。』

『不要虐了，不要虐了！虐死人了（捂心.jpg）。』

『穹蒼妳再這樣對范淮，妳的兒子們就要跑光了。妳是不是搞錯陣營了？怎麼還來了一波反向輸出呢？』

『真實情況應該比現在更加難受吧，畢竟那時候的范淮只有十六歲，而審訊的警察也沒有穹蒼那麼中立冷靜。審訊過程中，警方一定會施加很多壓力，從對方嘴裡獲取有效口供的。』

『范淮從來沒有認過罪！從來沒有！一次都沒有！』

『坦白講，如果審訊的人是我，我真的會認為范淮是真凶……太巧了吧！我會覺得他連狡辯都不走心。』

范淮對劉璐死亡的細節，知道的不多。穹蒼很快結束了審訊，起身出去，留下范淮獨自落寞地坐在房間裡，等待下一個玩家。

賀決雲收拾東西的時候，餘光看著范淮身上縈繞的陰鬱氣場，胸口都不由陣陣發澀。但是他很清楚，比起不曾存在過的安慰與關懷，那種血淋淋的真實，才是范淮真實經歷過的人生。

范淮現在已經不需要過期的安慰了。那些被浸泡在淤泥池塘底部，無人知曉的苦楚，才是應該浮出水面，重見天日。

穹蒼大步走出審訊室，在紙張的空白位置快速寫下一段話，撕了下來，遞給一旁的刑警。

接到任務的警員快速掃了一眼，戴上帽子，往外跑去。

穹蒼拿出手機，傳了一則訊息到群組裡：『通知開會，半個小時後，大會議室。』

半個小時後，能趕回來的刑警，都聚集在了寬敞的會議室裡，正在外面做排查的警員，也找了個相對安靜的位置，接入群聊頻道，旁聽他們的討論。

穹蒼翹著腳坐在上首，抬起手錶看了一眼，見時間差不多，冷峻地說了句：「那就開始吧。」

賀決雲滑動著滑鼠，朝著其中一個帳號發去影片請求。

投影螢幕上，正是不久前被穹蒼派出去執行任務的那個警察。他站在類似陽臺的地方，手裡提著一雙白鞋，對著鏡頭進行全方位展示。

「已經洗了。洗得很乾淨。」

眾人看見這一幕，小聲討論起來。

「這麼貴的鞋子，一般不那麼粗暴地水洗吧？」

「寧冬冬他媽媽說，她看寧冬冬很喜歡這雙鞋子，但鞋底跟鞋面都被泥水打髒，就忍不住洗了。」

「那就沒辦法看出鞋子的汙染情況了，也沒辦法在鞋底提取出有用證據。」

「我說，寧冬冬肯定是在撒謊吧？他說的那些理由我都不信。就那麼巧合？」

螢幕中的人將鞋子放下，而後關閉了影片。

會議室短暫地安靜下來，眾人齊齊轉頭看向穹蒼。

穹蒼抬手做了個邀請的姿勢，示意他們暢所欲言。

幾人也不客氣，從容不迫地闡述出來。

「寧冬冬的身上，有許多致命的疑點。」

「第一，那兩萬八千塊錢。劉璐為什麼要給他兩萬八千塊？上幾堂課就行？這兩萬八擺明就是白送的吧？為什麼非要找寧冬冬呢？還有，如果要給錢，為什麼劉璐會選擇在晚上？」

「第二，寧冬冬沒有不在場證明。準確來說，他的所有解釋，都無法令人信服。」

「第三，已經有多位目擊證人可以證實，他就是唯一出現在凶案現場的人！」

穹蒼淡淡看著發言者，等他說完所有的話，才點了點頭，平靜問道：「那你知不知道，你的推測裡，也有很致命的疑點？」

先前說話的那人面露錯愕，坐正了一些，問道：「哪裡？」

為了投影清晰，會議室的窗簾緊緊拉著。穹蒼的位置恰好在用來照明的燈光下方。眾人看著她，就見她的臉隱在半明半暗的光影之中，輪廓分明，表情平靜，卻有種不怒自威的凜然氣場。

莫名的，眾人從她臉上讀出了嚴厲的味道。

穹蒼輕斜著眼，問道：「寧冬冬為什麼會知道，劉璐身上有兩萬八千塊？又為什麼會知道，劉璐之後要去哪裡？」

幾人思忖片刻，互相對視，其中一人斟酌回覆道：「他們之間通過電話。通電話的時間，跟寧冬冬所說的吻合，是在九點左右。寧冬冬主動打給劉璐，通話時長只維持了短短一分多鐘。沒有人知道他們到底說了什麼。有可能是在對話的時候，劉璐隨口說了句『今天雨很大，我的包包裡有剛領出來的錢，不能淋雨』，於是寧冬冬知道她身上有錢，趁機以送傘為藉口，打聽出她的位置。」

穹蒼似笑非笑道：「你覺得合理嗎？」

被她盯著的那人頓時感覺身上冷了下。

另一邊的青年插話道：「我覺得不合理。根據相機店的老闆說，寧冬冬先去他店裡坐了一會兒，順便跟他聊聊天，那時候寧冬冬已經知道自己會拿到兩萬八千塊了，這個時間點在劉璐領錢以前。」

馬上又有一青年補充道：「而且劉璐在雨夜裡領了一筆錢，再繞路去一個自己不熟悉的社區，種種反常的行動都說明，應該是跟人有約的。」

「也就是說，兩萬八千塊的事情，寧冬冬並沒有說謊。」

「可是為什麼呢？難道真的，隨便去上幾節課就能拿到如此豐厚的報酬？這麼好的差事哪裡找來的？」

劉璐雖然還年輕，但絕對不是一個愣頭青。她從事記者職業已經有段時間了，工作沉穩，做事很有分寸，不可能心血來潮去做散財童子。這是他們無論如何都持懷疑態度的一個點。

對於成年人來說，兩萬八千塊也許沒有那麼大的魅力，但是對於學生來說，它還是很具誘惑力的一筆財富。

未成年人，尤其是正處於敏感青春期的學生，為了兩萬八千塊而犯罪，這個猜想非常合理。

「劉璐是一名記者，而且是知名記者，她曝光過很多社會熱點事件，會不會，寧冬冬是她的一個線人？」

「我覺得賺錢的事情應該是真的，但賺錢的方式，或許不像寧冬冬說的那麼簡單。他可能隱瞞了某些細節。」

「這種時候還隱瞞，他不要命了嗎？」

穹蒼靜靜聽著他們討論，端過桌上的水杯飲了一口。冰涼的液體淌進喉嚨，但虛擬的資料並不能真的緩解她的口渴。

「那有沒有可能是這樣？兩人的確相約見面，劉璐也同意支付兩萬八千塊，可是兩人在交流過程中發生了衝突，最後寧冬冬錯手殺人？」

「我覺得你這個假設比較合理。如果按照寧冬冬的口供，他見完劉璐後，直接拿錢走人，一句廢話也沒說。又因為地上雨水過多，走到半路時，蹲在某個屋簷底下耽擱了十幾分鐘。而劉璐那邊，獨自一人繼續留在原地，在不久後被凶手殺害。」

簌簌的紙張翻動聲響起。

「社區裡另一位證人說……他看見凶手從小巷裡倉皇逃出的時間是在九點三十分左右。根據與案發地點的距離推測，寧冬冬離開後不到五分鐘的時間裡，劉璐就被凶手殺死了。這個時間點很尷尬，對寧冬冬而言十分不利。」

「寧冬冬在九點四十五分的時候，再次出現在相機店，買下那個二手相機。從這個被發現地點，一路奔跑，恰好可以在相應時間內抵達店鋪。過分巧合。」

「根據我們向通訊公司調取的通話記錄，當天晚上，劉璐只跟寧冬冬有過聯絡。」

「所以……」

眾人說完，抬起頭面面相覷，眼神裡俱是寫著相同的意見，在沉默中達成了共識。

越分析，越覺得凶手就是寧冬冬啊。

穹蒼的聲音冷不丁地響起，將眾人注意力都拉了過去。

「寧冬冬對這個地方很熟，他去過好幾次。」

眾人茫然道：「是嗎？」

穹蒼朝賀決雲抬了抬下巴，後者會意，在電腦中找出HY社區的地形圖，投映在前方的白幕上。

穹蒼起身過去，單手支著桌面，另一隻手握住滑鼠，半邊身體虛靠在賀決雲身上，在螢幕中找到凶案現場、幾個目擊點的位置，然後用紅線連接，並慢慢滑向范淮最終出現的相機店。

「寧冬冬不是第一次去這個地方，他應該很清楚，怎麼跑，往哪裡跑，才能夠有效避開人群，同時快速離開HY社區。可是他卻偏偏繞了一個遠路，深入住宅區後，再從靠近街區的方向回到相機店，導致一路上多出了四位能指證他的目擊證人。」

穹蒼換了個綠色的線條，重新在地圖上標注出路線。

這樣一比對的話，凶手似乎從一開始就跑錯了方向，因此後面的道路變得迂回曲折起來。

「可是——」坐在下方的青年叫出聲來，指著地圖道，「隊長，妳畫的這個不能通行啊。」

穹蒼轉身，緩步往窗戶的方向走去：「地圖上雖然沒有標注明確的道路，但其實是可以通行的。中間只有一堵高度不超過兩公尺的圍牆。以寧冬冬的身高和身手，想要翻越過去輕而易舉。」

賀決雲放大地圖，將現場真實路況播放出來。

確實跟穹蒼說的情況一樣。

警員遲疑著說：「可能是他不知道吧？」

穹蒼停在玻璃窗前，往兩側推開窗簾，室內瞬間明亮起來。

「他知不知道，你要試試才能下結論。」

范淮的房間重新迎來兩個警員。

青年給他一支筆，還有一張白紙，同時丟下簡單的一句話：「把HY社區的路況畫出來。」

范淮面露迷茫，下意識地拿起筆，卻沒動作，仰著頭問：「然後呢？」

警員加重音，瞇著眼睛道：「越詳細越好，把你知道的細節全部都畫出來。懂了嗎？」

范淮審視了他兩眼，無法從他臉上看出什麼，片刻後，低下頭在紙上描繪起來。他的速度很快，且手很穩，畫出的線條幾乎沒有抖動，筆直得像用直尺勾畫出來的一樣。這種人，要麼是經過專業練習的，要麼是天生資質出眾的。

因為警員說了要詳細，范淮連兩側房屋的構造都簡易地畫了出來。幾分鐘後，他抬起頭淡淡說了一句：「畫不下。」

青年垂首站在他身側，正看得傻眼，被范淮接連叫了兩次才重新回神。他拿過紙張，對折起來，尷尬道：「倒也不用畫得那麼詳細。縮略圖，把ＨＹ社區的道路圖畫出來就行了。就跟地圖軟體上的一樣懂吧？主要是不要漏掉所有的細節。細節！」

范淮看他的眼神變得有點複雜。如果對方不是警察而他不是嫌疑人，他可能已經從年輕人內心的直接，一句「瓜皮」贈過去了。

警員乾咳一聲，道：「好，我再去拿張紙給你。」

還是一樣的白紙，鋪到范淮的桌上。

范淮拿到手後，用指節比對了一下長度。他用了大概一分鐘的時間確認大致範圍和比例，然後用那支紅色的筆流暢地畫了下去。

警方提供的筆都是特殊製作的筆，它的筆尖只有小小的一節露在外面，無法用來自我傷害，同時使用起來也不太順手。

范淮運筆卻十分熟練，不停轉動著紙張，以與常人不同的角度，像描繪過千百次一樣，快速將雛形勾勒出來。

不到半個小時的時間，他就完成了手上那幅精細度很高的素描。

「厲害啊……」青年一時沒忍住。

他一手捏著紙，一手開著地圖軟體，視線不停在左右之間轉動。他旁邊的同事做著跟他相同的動作。兩人用自己的表情生動形象地表現出了什麼叫「不敢置信」。

年輕警察憋了許久，終於吐出一句：「你是成天沒事，描地圖玩嗎？」

范淮斜睨他一眼，不是很熱情地回答道：「沒有。」

線條的長度、轉折、角度，簡直跟複製一樣。如果不是親眼看見，青年絕對不會相信，這是個沒有經過專業訓練的普通高中生畫出來的。

而在地圖軟體上沒有標注出的那條小路，在范淮的畫裡很清晰地被標注出來。中間用兩道橫線畫代表圍牆，證明他的的確確到過這個地方。

年輕警察回憶了一遍自己對寧冬冬的調查結果，求證地問道：「你的成績普通吧？」

范淮眉頭輕皺：「那又怎麼樣？」

「沒什麼沒什麼。」青年很是感慨地嘆了一句，「就是覺得應試教育……確實不夠完美。」

范淮意識到自己被委婉地誇獎了，一時間心情十分微妙。

其餘警員已經從監視器畫面螢幕中目睹全過程，雖然沒看到結果，但根據同事的反應也能猜到一二。

穹蒼一手插在口袋裡，依舊是一副平和鎮定的表情，看起來尤為高深莫測，像是不會為任何的意外產生動搖。

她慢悠悠地開口道：「如果你們還有懷疑的話，可以讓他再畫一下警局裡的地圖，讓他將今天走過的地方全部畫出來。」

幾人忙道：「不用了。」

穹蒼點頭，面色如常道：「寧冬冬有非常卓越的空間想像能力，對於距離、方向等三維空間的資料十分敏感。跑錯路這種事情，絕對不可能發生在他身上。這或許也是凶手沒有想到的。」

「在過於慌亂的情況下呢？」

「如果他心理素質真的那麼差，就不會在殺人後，還能冷靜地去買相機了。這是矛盾。」穹蒼思路清晰地將一個個錯誤猜測全部否去，「相反，我認為真正的凶手應該是第一次來HY社區。這個社區的道路規劃不那麼合理，所以他只能依靠地圖定位去尋找出路。一路疾跑，卻還跑錯了方向。」

眾人點頭，這樣的解釋確實更加合理。

然而他們的心情並沒有因為這個重大發現而感到任何輕鬆，反而因此變得極為凝重。一個個面沉如水，彷彿狹小的監視器畫面室內流動著的不是空氣，而是某種能將人溺斃的液體。

「可是凶手穿著寧冬冬的衣服……」

如果，如果凶手真的不是寧冬冬，那麼幾位作證的證人又應該怎麼解釋？

這起案件，到底牽涉了多少人？他們為什麼要對寧冬冬，報以如此大的惡意？

直播間的留言區變得混亂，網友關注點千奇百怪，說任何話題的都有。

三天管理員不敢懈怠，不停點擊更新，審核留言內容，好保證風向正確，沒有激進分子趁機帶惡意節奏。

冤案一類的事件本身就是爭議熱點，其中最難評判的就是關於責任的歸屬，很容易引起敏感話題。

『說真的，如果不是站在上帝視角，我的想法會跟警方一樣。巧合太多，我沒辦法相信范淮的證詞。』

『所以警方的系統，是很需要各種專業人才的。他們社會責任大、工作危險度高、精神壓力負載。從事警察的工作卻渾水摸魚，真的是害人害己。』

『如果當初是穹蒼主辦這個案件……』

『別想了，世界上一共才幾個穹蒼啊？』

『出現了，看起來好像很簡單，其實是心裡沒有數系列。』

『不是，范淮這一手，看起來就知道不簡單啊！』

穹蒼等人再次坐到會議室裡，開始制定新的調查方案。

一旦換了思考角度，整個案件就變得截然不同。有種霧裡探花，難辨真假的感覺。

這一次，在分析的過程當中，大家都帶了一點遲疑跟謹慎，不再像以前一樣那麼大膽。

準確來說，目前為止他們的線索，全部都是基於推測。所有真實獲取到的證人證物，只能將凶手目標指向寧冬冬，而這一假設，被暫時推翻了。

眾人根據穹蒼的建議，嘗試著梳理一遍已知資訊，再次捋出案件的脈絡。

「凶手知道寧冬冬穿著什麼衣服，也就是說，他一直在跟蹤寧冬冬，持續了一段時間，做過完善的準備。他還知道寧冬冬今天要去跟劉璐見面。」

穹蒼站在椅子後面，兩手搭在椅背上，用略高一截的視線從眾人臉上掃過。她低了下頭，發白的指尖扣在深色的紅木上，不急不緩地說道：「寧冬冬當天穿的是校褲，那件寬鬆帽T的款式也很尋常，是同齡人經常會穿的衣服。案發時，燈光昏暗，距離過遠，天上又下著大雨，路人未必能看得清楚。類似的身形、類似的顏色、相似的款式，加上一定的心理暗示，就會讓他們潛意識認為，凶手穿著跟寧冬冬一樣的衣服。」

眾人愕然，對於穹蒼各種大膽且不拘於常規的想法感到驚訝。

「也就是說，凶手其實不一定穿著跟寧冬冬一樣的衣服？」

「我是說，可能。找到同款衣服需要時間，相似的卻很簡單。凶手又沒有繼承寧冬冬的衣櫃，怎麼能夠確保，寧冬冬一定會在這一天穿那件帽T？如果他心血來潮，穿了一件新衣服呢？」

穹蒼的每一個停頓都恰到好處，帶著種莫名的力量，將眾人原本有些急躁的心情安撫下去。

「我們沒有必要，將凶手的能力想像得過於高超，這樣很容易陷入他們的思維，被誘入對方的節奏。當證詞與邏輯存在矛盾時，應該對證據的真實性做再一次的確認。」穹蒼面朝左側，抬手指了個青年，問道：「有證人明確表示，自己看見的是寧冬冬嗎？」

青年先是點了點頭，為了保險，還是翻了遍筆記。

「有。一位叫丁陶的商人，他是在路口附近看見寧冬冬的。他將寧冬冬的打扮描述得比較清晰，包括對方衣服正面的大寫字母。我們將照片拿給他看，他也點頭表示確認，第一時間指出了寧冬冬。」

「還有一個叫吳鳴的學生，他看見寧冬冬從巷子裡面出來，並在地上撿到了一個書包掛件。經確認，掛件的確屬於寧冬冬。」

所以兩人的證詞顯得極為可信。

一道清朗又疲憊的聲音緊跟著響起。

「我們之前初步調查過幾位證人之間的關係，他們的生活背景和社會環境完全不同，甚至彼此間互不相識，完全是偶然間碰到一起的路人。跟死者，或者寧冬冬，在社交上也沒有重合範圍。因此，我們之前判斷，幾人的口供是真實可信的。」

說話的人用大拇指抵著自己的太陽穴，眉毛因為頭痛而深深糾在一起。他抬起頭看向穹蒼，迷惑不解道：「如果他們是做了偽證的話，那凶手是怎麼把他們聚集在一起的呢？凶手究竟是在針對寧冬冬，還是在針對劉璐？」

穹蒼踩著瓷磚邊緣處的黑色線條，在房間裡踱步，眾人視線追著她一起轉動。

「一般來說，下雨天的晚上，很難因為一次擦肩而過的機會，就記清楚對方的衣著跟長相，除非他的記憶力十分驚人。我更傾向於，他們是被叮囑，做出這樣的證詞。如果問得再細節、再強勢一點，或許能從他們的反應裡發現一些端倪。」

之前詢問口供的時候，他們的確掉以輕心了，並沒有對幾位證人生出懷疑，也就沒有多加試探。現在看來，如果穹蒼的觀點才是對的，那他們也是本案的嫌疑人之一。

「劉璐。」穹蒼停了下來，語氣很肯定地說：「還記得我們之前的假設嗎？凶手是劉璐認識的人。劉璐是一位社會記者，她可能會得罪很多人，還是從最基本的社會關係摸排開始吧。」

穹蒼身體前傾，曲起手指在桌面上敲了敲，正在快速記錄的青年立即抬起頭，緊張地看向她。

穹蒼說：「你去翻一下當天的監視器畫面，路口的、商家店鋪還有銀行的。我懷疑那天，凶手其實一直跟在劉璐身後。在兩人見面時，悄悄躲在暗處。案發地點沒有監視器畫面，就往前面找。將劉璐當天的行蹤完整調查出來。」

青年匆忙應聲：「是。」

穹蒼又面向眾人，有條不紊地吩咐道：「再去詢問一遍相關證人，要他們將細節全部說清楚。有收穫來告訴我。」

「好！」

「那寧冬冬呢？」

「放了。」穹蒼表情像是在笑，只是那笑意陰森森，看著讓人心頭發慌，「告訴他們幾個寧冬冬已經被放了，看看他們的反應。」

眾人比了個手勢，頗有點惡趣味地道：「懂！」

穹蒼輕輕一揚手：「去吧。」

眾人各自領了任務，準備散去忙活，一個穿著黃藍色外送衣的外送員背著個大包走過來，站在門口高聲問道：「外送是這裡的嗎？」

正在收拾桌上東西的警員整齊一致地抬起頭，先是看向外送員，再跟著領頭那人一起轉過身，像望著老母親一樣地望著穹蒼，感動涕零地呼喚：「隊長——！」

「我的我的。」賀決雲舉手認領，衝著那幫餓狼似的小子咋舌一聲，「我幫你們隊長點的。該忙的都去忙吧，別多想啊。」

眾人頓時心痛如絞，那股落空的期待全部化作憤慨射向賀決雲。幽幽發光的眼睛裡分明寫著「這個叛徒」、「出賣肉體，臭不要臉」、「居然在國家機關裡走潛規則，這個男人太黑暗了」之類的譴責。

賀決雲：「……」在三天的世界裡，他不應該是王者一般的存在嗎？

這群白痴NPC到底是誰建的？夾帶私貨了吧？

外送員頂著一群人灼熱的視線，發揮出自己畢生最高的服務水準，小心地上前把菜品擺好，然後一鞠躬、二鞠躬地退了出去。

賀決雲看得不忍心，給他一個。

沒過多久，被釋放的范淮也走過來，坐到桌邊和他們一起吃飯。

三人圍著會議室的大桌，關上門，悄悄在裡面吃晚餐。

工程師為了不浪費自己投入的精力，特意把食品外觀做得極為精緻。鏡頭不停從餐盤上掃過，那裊裊升起的白煙，把正在上班的社畜的魂都勾出來了。

『我依稀記得，Q哥批判過這種在副本裡吃東西的行為。』

『是什麼讓一個男人走上雙標的道路？是美色？是金錢？是愛情？都不是，是臭不要臉。』

『讓我看看有什麼菜……麻辣小龍蝦、炭燒牛排，那條清蒸東星斑是不是有點過分了！』

『我似乎知道了什麼。舔狗舔到最後，應有盡有。』

三人順利聚首，絲毫沒有面對副本的緊迫感，那閒適的氣氛，甚至可以再開杯酒調劑一下。

范淮吃了幾口，問道：「能把資料給我看看嗎？」

穹蒼隨手把旁邊的筆記本遞過去。

范淮兩手立著本子，以一種小學生標準的看書姿勢，將內容認認真真掃了一遍，然後說：「東西少了。」

穹蒼放下筷子問：「什麼東西？」

「筆記本和錄音筆。」范淮視線停在死者遺物那一條記錄上，用手指點住示意道：「劉璐的職業習慣，她不管去哪裡，都會帶著錄音筆和一本黑色手掌大小的筆記本。那天晚上我見到她時，她正在聽錄音筆裡的內容。它看起來跟普通的筆很像。你們清點清楚了嗎？」

穹蒼將本子接回來，確認了一遍內容，半闔的眼底暗芒閃過，開口仍舊不動聲色。

「錄音筆長什麼樣？」

范淮也記不太清楚了，畢竟時間太過久遠。

「劉璐一直用的是支黑色的錄音筆吧？但是不小心被我撞壞了，我就賠了一支給她。

我買的是粉紅色的，側面帶一個夾子，最頂上還有個小彈簧一樣搖來搖去的綠葉子，看起來不像錄音筆……」

穹蒼快速翻動書頁，從裡面抽出一張照片，按在桌上推過去。裡面是從劉璐身上找到的所有物品。

范淮看了一眼，很確定地說：「沒有。」

三人坐著都沉默下來，各懷心思，沒有開口。

對方會將錄音筆帶走，就說明，它是很關鍵的證物。可是從案發到現在已經過去了太長時間，凶手有足夠的機會去處理罪證，他們未必能找到。

而且，如果現實中這支筆已經消失了的話，哪怕他們掘地三尺，三天也無法將它復原。

三人草草將桌上的餐盒收拾了，帶著自己的資料，回到辦公區。

半個小時後，先前出去拉監視器畫面的警員回來了。

青年氣喘吁吁地在位置上坐下，將列印出來的圖片甩到桌上，一手不停扯著自己的衣領，帶著無法平穩的氣息，朝穹蒼豎起大拇指。

「隊長，妳猜得還真沒錯！」

穹蒼拆開外面包著的紙，埋頭翻查照片。截取的畫面圖元不夠清晰，只拍到了男人影影綽綽的半張臉。

青年靠過來講解說：「這是銀行大門的監視器拍到的。劉璐在領完錢離開後，過了一兩分鐘，一個穿白色帽T、深藍色寬鬆褲子的男人跟著離開了。他一直低著頭、腳步倉促、動作鬼祟，我覺得很可疑，所以我去調了別的位置的監視器畫面，順利拍到了他的臉。」

「確認了！」青年用手指戳著照片，眼中閃著興奮的光芒，「他是劉璐的同事，叫萬章，跟劉璐搭檔有一年多的時間。根據交通監視器畫面顯示，劉璐離開公司後，他就一直跟在劉璐身後。在離HY社區兩百公尺處的一個監視器，也拍到了他的身影。他在晚上九點左右出現，十點左右離開，有足夠的作案時間。現在最大的問題是——」

沒有證據。

監視器畫面只能作為間接證據。就算他們的推理再可信，也無法把萬章送上法庭。

穹蒼對著照片盯了許久，隨後若有所思地放下，點了點頭。

青年激動的心情在她長久的安靜中平復下來，一偏頭，這才發現范淮的存在。

「誒，小弟弟，你怎麼還在這裡？趕緊回去上課吧，學生不要耽誤課業。」

范淮頂著一張年輕的臉，聽到這句話百感交集。他翻著眼白瞥了那位青年一眼，默默轉過身背對住他。

青年感覺自己受到了無聲的嘲諷，忍不住摸了摸自己的臉。

沒關係，臉皮夠厚，可以當作無事發生。

緊接著，穹蒼放在桌上的手機震了起來。之前分派出去的警員效率很高，陸續有了結果。

穹蒼點開外放，男性粗獷的聲音從揚聲器裡傳出。

『隊長，我跟證人又核對了一遍細節。住在HY社區裡的那個市民，他說自己當時看見一個人影從凶殺現場的方向衝出來，穿著跟寧冬冬很相似的服裝，但他其實還漏了一個細節沒說，因為擔心是自己看錯眼了。他說，凶手有可能是個戴眼鏡的人，因為他當時看見了一道鏡片的反光。』

電話裡的人還沒說完，等在一邊青年立刻叫道：「萬章就是戴眼鏡的啊！他就是目前最可疑的人了！」

對面的人繼續說道：『如果是這樣的話，吳鳴跟丁陶幾個人的證詞就比較奇怪。我們現在正準備去見一見他們。』

「把寧冬冬也帶過去。」穹蒼將手機拿起來，與范淮交換了眼神，「告訴他們，目前已經有明確的證據證明寧冬冬是從另一條路上走的，看看他們的反應。」

男聲低沉笑了下：『好，那我現在過來接人。』

掛斷電話，穹蒼順手拎起放在地上的黑色書包，遞給范淮說：「背上你的書包，去門口等叔叔接你。」

范淮抽著嘴角嘀咕了一聲，把背帶掛在手臂上。

穹蒼指揮說：「背上。等等裝得無辜可憐一點。」

范淮有點抗拒，卻還是把書包正正經經背好。

警察很滿意，這樣才有高中生的樣子。

穹蒼瞥向那個看熱鬧不停點頭的年輕人。後者挽起袖子，躍躍欲試道：「是不是要馬上傳喚萬章？」

穹蒼手向下一壓，示意稍等片刻：「順便再申請一張搜查令，去他家裡看看，能不能找到一支粉紅色錄音筆。」

「好勒。」

一個支隊的人，要麼去劉璐的公司搜查她的工作記錄，要麼在做五位證人的背景覆核，再要麼去了萬章家裡進行地毯式搜索，只有賀決雲閒了下來。

老賀同仁顛顛地跑去門口買了兩杯奶茶外加一袋子水果，路過大廳時，順道收穫了一批忌妒又發酸的眼神。

然而如今的賀決雲已經不是從前的Q哥了。一個成熟的男人，在漫長的躺贏過程中，要麼學會沉默，要麼學會享受。現在他就喜歡這種潛規則的感覺。

被寵愛不好嗎？

萬章抵達時，審訊室已經快被賀決雲擺成茶話會。前面的桌子上擺滿了瓜果，兩人一手一杯奶茶，一派閒適地坐著等他進來。

萬章不由停下腳步，面帶遲疑地看向兩人，在短暫的觀察中，他敏銳地品出了兩人「徹夜決戰、不死不休」的堅定覺悟。

負責將他帶來的警員見他不動，推了他一把，示意他坐到對面的位置上去。

萬章臉色凝重，拖疊著向前，短短幾步竟走得異常沉重。

他想起那位警員路上透露給他，說寧冬冬已經被安全釋放，心下更是篤定警方已經有了重大發現。連日的擔憂與恐懼終於來臨，萬章失魂落魄地扶著桌角坐下。

他失去焦距的眼珠沒有規律地在半空轉了幾圈，像是終於下了決定，周身氣質放沉，整個人呈現出一種封閉的狀態來。

穹蒼放下奶茶，語氣隨意地問道：「萬章，是吧？你認識劉璐嗎？」

萬章低下頭不回答。

他知道警方的審訊手段非常高明，利用嫌疑人精神緊繃的心態，在不知不覺中設下陷阱。

他此時的狀態不夠理智，無法確保自己會不會在無意中透露出線索，乾脆消極迴避。

穹蒼抬起眼皮瞅著對方，繼續發問：「九月二十一號晚上，你去了哪裡？」

萬章打定了主意不吭聲不反應，面對她的詢問，連端坐的姿勢都沒有任何改變。

穹蒼詫異地挑了挑眉尾。

這都還沒正式開始，寒暄的固定流程已經進展不下去。萬章就差把「我是凶手」這四個字明明白白地寫在臉上。

穹蒼語氣不善地將照片丟出來，甩在他的面前：「劉璐死亡當天，你一直跟在劉璐身後，你為什麼要跟蹤她？」

「劉璐死亡的時候，你就在附近，你在那裡做什麼？」

「你不解釋嗎？你以為你不解釋就不會說錯話？」

「啞巴了？還是無法反駁，所以默認了？」

「……」

審訊室內只有穹蒼一個人的聲音。無論她說什麼，是誘導還是激化，萬章都保持緘默。

這場審訊變成了一出獨角戲。

穹蒼說得多了，漸漸也覺得沒趣，咳了一聲，點頭道：「行，那我就把凶案當天的事情，再分析一遍給你聽。」

她按照時間順序，將萬章是如何尾隨、潛藏、殺人、逃竄的過程說了一遍。

「衣服鞋子丟哪裡去了？上面應該染了劉璐的血吧？第一次殺人，害怕嗎？」

萬章聞言只是眼皮跳了跳，身上的肌肉因為長期維持一個動作而變得僵硬，導致動作不自然。他挪動了一下，仍舊一言不發。

在穹蒼說到後面的時候，萬章已經意識到了。警方會不停地跟他扯東道西，就證明他們手上並沒有明確的證據，他是安全的。

想通這一點，萬章放鬆了些。抖了抖肩膀，輕輕籲出一口氣。

穹蒼發現了他這個小動作，皮笑肉不笑地呵呵兩聲。

賀決雲適時地為她遞上奶茶，帶著點殷勤道：「喝杯水，消消氣。」

賀女士看著直播畫面上流過的各種吐槽，俐落點了關閉留言。

她個人是十分滿意賀決雲的表現的，以致於吃進嘴裡的葡萄都覺得更加香甜了。

別人在玩遊戲，她兒子在認真談戀愛。這是什麼？這就是男人的魅力。

她一高興，就忍不住想花錢，鑽石、名錶、首飾、項鍊……當然，這些都比不上贊助他們賀家的智商代表人來得有意義。

於是，網友們正在熱情地向三夭管理員，展示自己也可以做舔狗的決心與天資，猝不及防地被一排排的贊助通知壓到了地板上。

所有的贊助都寫著同一個ＩＤ：『賀哥有錢，是這麼這麼的有錢。』

我管你多有錢？在三夭的地盤上，哪個姓賀的敢說自己特別有錢？天花板還在上頭鎮著呢。

網友第一個反應是覺得這ＩＤ有點煩，擋到自己發揮的機會了，等看著那個ＩＤ的留言跟瀑布似地不停飄過，且像是沒有盡頭地飛流直下，從沉默到動搖，不出五分鐘的時間，立場澈底叛變。一群毫無節操的人哭天喊地地在哪裡叫爸爸，哭求他們認一認自己這個失散多年的兒子。

草率了，是他們不自量力。原來這就是金錢的力量！

穹蒼翻動著面前的筆記本，時不時抬頭看萬章一眼。

雙方已經這樣僵持了兩個多小時。

越到後面，萬章臉上忍不住流露出一些喜色。他雙手放在桌上，十指不停交叉疊動，等待自己走出警察局的那一刻。

快了，應該快了。這些人沒有證據，最多只能拘留他二十四個小時。

萬章舔了舔嘴唇。長時間的焦灼令他口腔乾澀。

穹蒼主動問：「要喝水嗎？」

萬章活動了下自己的脖子，錯開穹蒼的視線。

穹蒼無所謂地笑道：「你以為我是在跟你的意志力鬥爭？不，我只是閒著無聊，看著你，順便等人而已。」

萬章不搭腔，用手揉捏著自己的肩膀。

沒多久，穹蒼的手機響了起來。震動聲在安靜的房間裡尤為突兀，讓萬章原本就繃緊的理智發出微微的震顫。

穹蒼看清來電人，意味深長地睨了對面的人一眼，沒有避諱，直接開了擴音。

低沉的男聲在對面響起，背景音十分安靜，應該是在無人的角落。

『隊長，我們找到了劉璐的工作崗位，也翻閱了她留在桌面上的資料跟文章，去跟他們公司的負責人比對後，發現有些許出入。於是我們請技術人員調查了劉璐的電腦使用記錄，發現在九月二十二日早晨的時候，劉璐的電腦被刪除了幾個檔案，痕跡也被修改過。』

對面在彙報的時候，穹蒼的眼睛一直盯著萬章，表情似笑非笑。

萬章聽到與自己有關的內容，呼吸沉重了一點，但還是死咬著牙關，沒讓自己顯出過多異常。

他只在心底不停默念「沒有證據」四個字，以讓自己保持足夠的平靜。

青年繼續補充道：『另外，他們主編說，劉璐前段時間，旁敲側擊地跟他暗示過萬章收受賄賂、替人寫假文章的事。由於沒有證據，加上企業影響不好，主編找萬章談過話，把事情低調處理了。至於劉璐有沒有繼續追查，得罪萬章，他也無法確定。』

穹蒼兩手抵在下巴上，饒有興趣道：「聽見了嗎？」

萬章有些出神，聽見聲音才重新注意到她的存在，半綿下睫毛，跟個死人一樣，不予反應。

穹蒼掛斷電話，並沒有藉機向萬章發出咄咄逼人的審問。她的手指在螢幕上滑了幾道，然後選中一個號碼撥了過去。

一首十分具有年代的來電答鈴在空氣裡迴盪，折磨人般地響了兩次後終於結束。

『喂，隊長？』

穹蒼問：「你們那邊怎麼樣了？」

『哦！有收穫，正打算等等告訴妳呢。』青年中氣十足道：『丁陶已經承認他做了偽證。那天晚上，他喝得爛醉如泥，確實在街邊出現過，但其實什麼都沒看見。吳鳴還在負隅頑抗，說應該是自己認錯人了。還有一位女士，藉口自己孩子生病了，一直在搪塞我們，不接受我們的查問。目前來看，這三人串供的可能性很大，我們準備申請調查他們的通訊記錄，看看是不是有共同連絡人。』

穹蒼言簡意賅道：「好，我知道了。」

萬章有點焦躁不安。他乾咳清嗓，用力吞咽著嘴裡的唾沫。

穹蒼衝他笑道：「你是不是以為，只要自己做得完美，就可以逃出生天？遺憾的是，只要你做過就一定會留下痕跡。越不經意的地方，就越可能暴露你。」

她說得很耐心，像是在逗弄手上的獵物，消遣自己無聊的人生：「你猜我下一通電話會打給誰？」

萬章仰起頭，表示自己漠不關心。

穹蒼笑了下，兩手抱住胸口，身體後靠在椅背上，態度傲慢地開口：「其實你留下了一個很大的漏洞，或者說你對HY社區太不了解，所以犯了一個很大的錯誤。」

「那一天，你殺死劉璐，從她身上拿走了她的筆記本跟錄音筆，找地方將其銷毀。你以為這兩樣東西就是最後的證據。只要能確保把凶器、服裝、錄音筆處理乾淨，就沒有人可以證明當天殺人的凶手就是你。再加上你還有三個同謀，去幫你轉移警方的注意，你很安全……整個過程，你自己猜猜，你究竟是錯在哪裡。」

萬章眼神閃避，雖然沒有正面回應穹蒼，但從細節來看，他真的在思考這個問題。

穹蒼目光明亮如炬，一瞬不瞬地落在他臉上，似乎要將他臉上的面具剝離下來。她聲音變得幽涼，像秋夜裡淒婉的晚風：「那支粉紅色的錄音筆可愛嗎？那其實是寧冬冬剛送給劉璐的……」

不知道是提到了什麼，萬章的瞳孔有明顯的震顫，表情也在一瞬間閃過不自然。他極力掩飾，下一秒抬手抹了把臉。

穹蒼頓了頓，思忖後，試探著道：「你拿走了劉璐的錄音筆。」

她沒有放過萬章臉上每一處線條的變動：「……是一支粉紅色的錄音筆。」

萬章反應很快，他用力拍桌喊道：「妳在詐我？」

穹蒼加快語速，用清晰又響亮的聲音飛速說道：「你是她的同事，知道她出門習慣性會帶錄音筆。你害怕她在工作的時候，留下什麼對你不利的資訊，所以你把東西帶走了。但是你不知道，劉璐原先的錄音工具壞了——」

萬章嘴唇顫抖，避開她的探視，仰頭看著天花板。

「你不知道她的筆壞了，她現在用的，其實是寧冬冬送給她的那一支！所以你拿走的，是劉璐帶在身上、來不及丟棄的舊工具。」穹蒼字字有力，「但我們確實沒有在現場找到她丟失的錄音筆，是你的同謀拿走了它，卻沒有告訴你。你跟他們之間的關係並不可靠。」

萬章欲蓋彌彰地低吼道：「我不知道妳在說些什麼！」

穹蒼快速回撥剛才的那通電話，在鈴聲結束的第一時間叫道：「有一位證人從現場拿走了重要的證物！」

萬章紅著眼睛站了起來。

「一支粉紅色的錄音筆……」穹蒼腦海中閃過三人的證詞，下結論道：「是那位女性，那個帶小孩的婦女。馬上找到她！」

「知道了！」

三人粗重的呼吸聲彼此交錯，就像離弦的箭在射出的前一秒硬生生止住了，萬章腿部的肌肉從蓄力到放鬆只用了不到一秒的時間。最後一刻，殘存的理智將他拉住，讓他重新坐下。而眾人間最後的平和，只用一張薄紙堪堪遮住。

穹蒼放下手機，等待著結果的到來。

時間從這個時候開始拉得漫長，對萬章來說，每一秒都如同行走在刀尖上，分外煎熬。他的思維在自我安慰與恐慌之間鬥爭，幾乎要將他撕裂。

當震動再次響起的時候，萬章整個人如同被抵在砧板上的活魚，猛烈地彈跳起來。

「隊長。」對面的青年語氣很平靜，把手機拉遠。

揚聲器裡傳來沙沙的電流聲，隨後響起一道略微模糊的女聲。

『……萬章，怎麼是你？你來幹什麼？』

『妳走近一點，我有事想跟妳說。』

『不用了，你是不是在跟蹤我？我告訴你，你如果繼續這樣，我就對你不客……唔——你瘋——』

掙扎聲越來越輕微，並很快被雨水覆蓋。簡短的對話直接地重現了劉璐生前最後一個場景，加上前面可以證明時間的錄音，這是最無可辯駁的鐵證。

萬章沉沉呼出一口氣，在錄音被播放出來的瞬間，臉上最後一絲血色也終於退盡。警員從外面衝進來，將他雙手按住，幫他戴上手銬。

萬章本來是想掙扎反抗一下的，可等他動動手指，才發現自己已經渾身虛脫，提不起半點力氣。他的後背甚至在他沒察覺的時候，已經被一層冷汗打溼。

穹蒼閉上眼睛，感覺有什麼東西從她心口淌過。她輕聲問道：「寧冬冬呢？」

「哦，他剛剛回家了。我看時間不早了，就同意他回去了。」

范淮走到自己家門口的時候，遲疑了下。他看著大門兩側已經褪色的春聯，抬手按下門鈴。

這個時候，這個家庭還是平靜的，連門口擺設的花盆都透露著溫馨。他竟有點不忍打破這樣的溫馨。

過了一兩分鐘，裡面毫無聲響。

范淮後退兩步，以為是三天沒有建設這邊的模型。他低頭苦笑了一下，說不出心底是輕鬆多一點還是遺憾多一點，正欲轉身離去，就看見一道身影從樓梯轉角處出現。

范淮看著那張熟悉的臉，雙腳硬生生定在原地，沒來得及掩飾臉上的錯愕。

是江凌的臉，江凌的聲音。她還年輕的面孔上帶著慈愛的光，朝他微笑，像平常一樣說著最普通的話。

「回來啦。」

范淮鼻腔刹那間酸澀，叫這三個字哽得說不出話來。他用了許久才尋回自己的聲音，悶聲回了一句：「嗯，回來了。」

江凌走上來牽住他的手，帶著久違的溫熱，包在掌心。她摸出鑰匙，打開家裡的門：「怎麼不進去呢？你跑去哪裡了？我都找你好久了……」

鏡頭沒有拍到她的臉，在防盜門被推開的一瞬間，遊戲畫面變成黑色，所有的呢喃全部消失，只剩下「副本通關」四個字留在螢幕中間，昭示著一切已經結束。

對於求婚這件事情，賀決雲是很鄭重的。他當然是覺得越快越好，但在穹蒼面前完全不敢表現出來，怕把自己的焦慮傳染過去。他覺得最重要的是時機，時機把握不對，就可能變成一地雞毛。

三天的員工同樣非常重視。

作為無數篇同人文的創造者，關於求婚結婚之類的畫面他們曾暢想過不止一百八十次，對「究竟誰才是最浪漫的男人」這個榮譽稱號也曾展開過火花帶閃電般的激烈角逐，各不相讓，難分高下。甚至險些賠上友誼的小船。

在這群人發現賀泱雲憑藉不知名玄學成功上位後，就迫不及待地旁敲側擊，在他面前瘋狂舞動。恨不得就地化身為燈泡，散發出能持續五百年的光與熱。

賀泱雲每天一打開電腦，就能收到匿名人士寄來充滿情感的問候郵件。那些長達十幾頁的策劃提案，寫得比日常程式開發還要真情實意，也變態得多。

『親愛的賀經理，對不起，我今天早上遲到了，我已經進行深刻的反省。主要原因是，今天早上我起床的時候，我的女友告訴我，每天她睜開眼睛，從朦朧的睡夢中醒來，最期望看見的是……』

『尊敬的小老闆，感謝您一直以來的無私指導，讓我在三天工作的數年時間裡收益良多。但當我回憶我有限的人生時，在我記憶中最濃烈的一筆，卻是來自一個橙紅的午後，我和我的愛人……』

『您好，我智慧過人、善良溫柔的長官。我仍然記得，那是一個春天，我親愛的女朋友要去出差，體貼的您幫我核准了一天的假期……』

賀決雲每次看完郵件，身體都會忍不住顫抖，就這樣持續了一段時間後，他開始在自己不正常與員工不正常之間來回動搖。

……他就是太善良，才會讓那群小子鬧成這樣。

賀決雲在後臺發了個傳送無關郵件將扣季度獎金的警告，置頂提示，精神小夥們的瘋狂舉動才終於收斂了些。

賀決雲按著自己的額頭，長長吐出一口氣。

煩悶。都淨搗亂。

他靠在老闆椅上，閉上眼睛，腦海中不由又浮現出這兩天一直盤旋著的畫面。

比起求婚這種長遠的事，他覺得維繫好雙方感情才是迫在眉睫的任務。為此，他已經獨自煩惱了很長時間，卻因為思維胡亂始終沒能思考出對策，畢竟，讓熱戀期間的人保持冷靜是一種過分的要求。

具體說來，其實也不是什麼大事。

穹蒼前段時間很忙，受邀回A大上幾節公開課，為了保證效果，她一直在看書寫教案，抽空還要去學校做實驗。

賀決雲去捧過一次場。整個大課堂座無虛席，甚至還有不少學生站在走道上。賀決雲選的位置有些遠了，需要通過牆上的投影屏才能看清楚穹蒼的臉。

他戴了一頂帽子，十分低調地將自己藏在暗處。雖然他沒有穹蒼那麼聰明，但也是經歷過精英教育的高學歷人群，聽穹蒼上課倒是津津有味。

到這裡一切還是很正常，沒什麼。看見自己的女朋友如此受歡迎，賀決雲內心洋溢著驕傲與高興。

在課程即將結束的時候，一位年輕的老師跑了上去。他站在講臺上，兩手撐著桌面，就穹蒼布置的拓展題與她展開了討論。

兩人說話都是不急不緩的語調，探討起問題來邏輯清晰，時不時還會插一個輕鬆的玩笑，很有吸引力，學生聽得入神，乾脆就坐著沒走。

賀決雲看著投影儀裡那個男人的臉，越看越覺得不對勁。

哪怕戀愛經驗稀薄，求知的眼神與求愛的眼神他還是能分得清的。那個男人含情脈脈地盯著穹蒼，就差把表白直接打在臉上。

聊過幾句，青年大膽起來，用手指指住試題的時候，狀似無意地將身體靠近過去。如果不是穹蒼禮貌性地後退了半步，兩人可能就要貼在一起了。

男人說話的態度也拿捏得十分親近，好像兩人已經認識了許久。

這種假公濟私與穹蒼搭話，拉近雙方距離的行為，堪稱無恥。

賀決雲兩指壓了壓帽檐，將自己陰鷙的目光隱在陰影下，他拿出手機，傳了一則訊息給穹蒼，問她什麼時候回家。可惜臺上的人因為講得太過入神，沒注意到手機提示。

賀決雲滿心煩躁，將手機收起來，身上開始散發出冷氣。

有類似感覺的人，顯然不止賀泱雲一個。賀泱雲在耐心等待的時候，就聽見旁邊兩個女生按捺不住興奮的語氣，湊著腦袋低聲討論。

「趙老師真的好帥啊！他跟穹蒼大神好配！長得那麼帥，而且很紳士。」

「別說了，穹蒼有男朋友的。」

「妳說Q哥嗎？他看起來傻傻的，而且不知道真人長什麼樣子。我覺得他跟穹蒼大神沒有共同語言吧。」

「錯覺吧。能在凶案解析工作的人學歷都不低，不能光拿大神做對照組。那一般的聰明人看起來也會傻傻的。」

「但趙老師不是一般的聰明人啊！」

「這倒也是……」

多虧賀泱雲多年來的高素質教養，否則他肯定會當場起身，把好幾句髒話吼到那兩個女生的身上。

賀泱雲不高興了，賀泱雲有脾氣了。賀泱雲……只能把苦往心裡咽。

他斜眼狠狠瞪了兩人一眼，再忍不住，起身走向講臺。

穹蒼話正說到一半，抬頭看見賀泱雲，立刻停止話題。她隔著半個教室朝賀泱雲點了點頭，收拾起手邊的教材，不帶留戀地說：「今天就先這樣吧，我要回家了。這個問題，等下一堂課再講解給你們聽。」

旁邊穿著白襯衫的青年明顯有些失望，又很快揚起一個笑臉，溫和問道：「什麼時候一起吃頓飯吧。」

前排的學生聽見了，扯著長音大聲起鬨。

穹蒼遠遠瞄了賀決雲的臉色一眼，敷衍道：「再說吧。」

後來穹蒼就跟賀決雲一起走了。

回憶戛然而止，賀決雲抬手拂了把臉，心中暗嘆一聲。他坐直身體，伸長手臂，從辦公桌上抄過一瓶飲料，擰開後灌進嘴裡。

就因為只是小事，所以他不好跟穹蒼借題發揮。錯的不是他女朋友，是學校太危險。

賀決雲沒什麼心情，腦海裡各種稀奇古怪的東西占了一地，幾個小時下來都在消極怠工。他看著桌上一堆沒多少進展的檔案，乾脆發揮老闆的權力，正大光明地曠工回家。

不到十分鐘的時間，他已經站在熟悉的家門口。

賀決雲輕車熟路地去了書房，一邊走一邊解下西裝外套，在他準備擰開門把的時候，聽見了穹蒼清亮的嗓音。

賀決雲愣了下，推開門與裡面的人打了個照面，穹蒼也流露出些許驚訝，手裡握著滑鼠，仰頭茫然地看著他。

賀決雲眨了眨眼睛：「不是，妳怎麼在家裡啊？」

穹蒼已經恢復了正常的樣子，面無表情道：「改成線上課程，就回來了。」

「哦……」賀泱雲反應過來，心裡是有點高興的。他嘴角翹了翹，怕被穹蒼看出來，抬手擋住半張臉，隨口說了句：「這樣啊。」

穹蒼問：「你要用書房嗎？」

賀泱雲忙說：「不用不用，我去隔壁房間，妳先上課吧。」

賀泱雲把門關上，穹蒼繼續設定直播間。

雖然還沒到正式上課的時間，線上旁聽人數已經快破千了。留言區特別熱鬧，一群人全在刷撒花的貼圖以及各種問候。在賀泱雲出現的時候，他們停了一下，然後又開始刷問號。

「為什麼要改成線上課程？」穹蒼淡淡掃了一眼，回答說：「因為家裡安靜，我不喜歡上課的時候被打擾。」

一群學生在底下喊：『我們不會打擾妳的！』

『老師，我們上課很乖的！』

『哪種程度叫打擾呀？我們可以改啊。』

「嗯。」穹蒼隨意應了一聲，「家裡比較方便。」

她把教材翻出來開始講課。剛開了個頭，書房門再次被敲響。

穹蒼停下聲音，看向門口，賀泱雲端著個水果盤走進來，放到桌上。

鏡頭拍到了他的手，手指細長，骨節分明，一截袖口挽了上去，露出他手腕上的銀色手錶。

穹蒼點了點頭：「謝謝。」

留言區閃過一些文字：

『這是什麼名錶？』

『不是什麼名錶，幾萬塊吧。好像是今年的新款。一個大眾品牌。』

『Q哥的手挺好看的。所以Q哥能入鏡嗎？』

穹蒼見賀決雲出去了，乾脆地回絕道：「不能，他低調。」

『Q哥好像也不是很有錢啊。』

『雖然是三天的工作人員，但畢竟是一個打工的，能多有錢？』

『陰陽怪氣什麼呢？以Q哥的薪水，想買幾十萬的錶也是可以的，但是有必要嗎？用那些錢提升點生活品質不好嗎？真以為誰都被消費主義洗腦了？』

『房子好像也不是很大的樣子。Q哥不會還沒大神有錢吧？』

『開玩笑，大神缺錢？』

穹蒼看得心煩，把幾個帳號噤聲了。

因為學生太多，很多外校的人也想來聽課，穹蒼就選了三天公開的平臺，沒對直播間增加任何限制，於是進來了許多看熱鬧的社會人士。這群人課不好好聽，光在哪裡閒聊，嚴重影響上課氣氛。

管理員見她上手封人，明白了她的意思，主動接過任務，開始無情地封號。

穹蒼組織了下語言，就著剛才的問題繼續往下說，

沒過五分鐘，賀決雲再次躡手躡腳地進來，從她身後路過，拿走書桌上的筆記型電腦。

鏡頭剛好拍到他窄瘦的腰身，隔著修身的白色襯衫，也能看出他身上極具爆發力的肌肉。

『好腰！』

『讓Q哥入鏡吧！』

『我合理懷疑Q哥在搶鏡頭。』

『做三天的員工真好，可以隨時曠工回家。』

『男人的制服誘惑啊。』

『我來了，磕CP？我可以！』

穹蒼不悅地皺了皺眉毛，停止講課。

她瞥向房間右上角，發現直播間線上人數已經快逼近十萬人了，應該是網友聞訊趕來，在下面插科打諢。

難怪把好好一個教育板塊，玩成了娛樂板塊。

穹蒼正要開口訓斥，輕微一聲，門被推開了一條縫。賀決雲站在外面，與她面面

相覷。

穹蒼看著他謹慎的表情有點想笑，主動問道：「怎麼了？」

賀決雲小聲道：「打擾到妳了？」

「沒有。」穹蒼面不改色地說：「讓他們寫題目呢。」

「哦。」賀決雲擠進來一點，問：「妳在哪個直播間啊？」

穹蒼說了房間號碼，賀決雲快速記下，說：「好，沒事了，妳繼續上課吧。」

房間再次恢復安靜，穹蒼點了幾下滑鼠，把課題翻到下一頁，轉動著眼珠用餘光看了留言區一眼。

『……喜歡安靜？』

『不喜歡被打擾？啊？』

『女神，妳到底喜歡這個男人什麼啊？他有什麼優點？』

穹蒼語氣冷下來，跟夾著冰霜似的：「喜歡他什麼？喜歡他身材好，長得帥，又有錢。不行嗎？如果再聊無關的話題，就把你們全部封鎖。這裡是上課的地方，想聊天找別的地方。」

『老師，妳還是回A大上課吧？』

『老師，妳可以把直播間鎖起來，把密碼上傳到校園論壇裡，就不會有那麼多網友了。』

「不去A大上課了。」穹蒼掀起眼皮瞅了門口一眼，確認賀決雲不會聽見，才小聲道：「男朋友鬧彆扭，這兩天要顧家。」

等賀決雲看見這些血雨腥風的討論時，已經是第二天了。

第二天中午，他坐在沙發上更新聞，宋紓直接彈了個網頁連結給他。怕他不接，還接二連三傳了好幾則。

賀決雲正要發怒，順手點進去一看，發現裡面居然是影射自己的。

貼文中有幾張照片。前兩張是男人自拍的腹肌圖，中間兩張是豪車跟豪宅，最後兩張是極為油膩的自拍照。

『@穹蒼，我有錢、有身材，而且帥氣，甚至比他高一個等級。妳跟著我，我保證對妳更好。一個打工仔有什麼好的？哥哥每天帶妳坐豪車。』

賀決雲看了兩遍，被這則貼文氣笑了，一時間竟然找不到吐槽的地方。

這人是網路上一個有名的富二代網紅，交過不少女朋友，靠著「壕」無人性吸引了一批粉絲。留言區一群人在喊老公，還有一群網友在跟他對罵，吵得烏煙瘴氣。

黑紅也是紅，這種被高度討論的熱度明顯讓他很受用。

賀決雲退到主頁搜尋了一下，發現還有好幾個人也發了類似的貼文，明晃晃地想做小三搶女人。有些是開玩笑的，有些是蹭熱度的，有些的確是認真。

賀決雲頓時怒了，翹起一條腿搭在茶几上，眼神陰冷地看著那幾個頭貼，將他們化作實體，在手心來來回回捏了個粉碎。

……有時候，天涼王破也不是沒有道理。這群人就該去街上乞討，體會一下正常人的生活。

宋紓：『老大你放心，我們已經跟進了！我們三天怎麼能輸？這群臭不要臉的傢伙，就是在打三天的臉！三天的打工仔也不是他們能欺騙的！他以為自己是誰啊？』

賀決雲這次沒有拒絕，他深吸了口氣，轉了一個大紅包給宋紓。

宋紓：『哇！謝謝老闆！愛你！』

賀決雲：『滾！』

賀決雲正要上手跟對方對嗆，點了下更新，看到了穹蒼的貼文。

就在剛剛，穹蒼分享了那則貼文，並寫道：『根據我這兩天學習中醫的經驗來看，你的面相寫著腎衰。@中醫王XX，是嗎，老師？』

被她標記的那個醫師也出現了，簡單回覆道：『確實有一點。』

網友沒忍住，在底下一片哄笑，用各種嘲諷的貼圖嗆爆對方，瞬間搶占了熱門內容。

那個男人惱羞成怒，連續發了好幾則辱罵的貼文，然而網友十分好脾氣地勸他及時就醫，還以德報怨地為他推薦當地知名的男科醫院。

『腎虛就要去看病！』

『我懷疑那肌肉是整出來的。整形行業太發達了。』

『這一刻，我散發著聖父的關懷，畢竟你都腎虛了，我怎麼好意思再罵你？』

『雖然你是男人，但我允許你說不行。』

賀決雲那點沒發出來的怒氣，全被底下的回覆清空了。他悶笑兩聲，就見三天官方也發了一則貼文。

『三天自創立以來，一向緊跟國家號召，走著貼近群眾的發展路線。包括企業的管理層，也始終銘記三天精神。《凶案解析》的主要負責人賀先生，躬先表率，參與專案組一線研發，且屢次親身體驗專案執行情況……』

配圖是一張賀決雲穿著西裝的側臉照，那是年會的時候，他站在璀璨燈光下被抓拍的照片。照片上的人，側臉線條硬朗分明，睫毛纖長，目光明亮。唇角帶著微微的笑意，陽光又溫柔。

『是我有眼不識泰山啊！』

『我被三天精神深深感動了，嘴角不由留下了一行熱淚。』

『我認真讀懂了三天精神……所以這是Q哥，是嗎？是嗎！』

『下個月我要看見這個人的企業破產。三天，不要讓我失望，你現在是龍頭大哥了，要自己學會霸總的技能了。』

『帥嗎？上輩子做錦鯉換來的。』

穹蒼從書房走出來，對著他「咦」了一聲。

賀決雲立刻冷下臉，表現出怒不可遏的樣子。

穹蒼笑道：「你還真的生氣了？沒事看什麼社交軟體？」

「我當然生氣了！他們這樣說我就算了，一群拜金主義者的自我狂歡而已。可是他們這麼說……就是在侮辱妳，憑什麼啊！也不撒泡尿照照鏡子！」

他說到後面，先前壓下去的怒火又被勾了起來，差點要跳到網路對面跟那幾個人線上打架。

穹蒼淡淡說了句：「那就結婚吧。」

「這是能解決的辦法嗎？結婚——結婚……」賀決雲說到一半，驟然卡住，等把那兩個字細細咀嚼了一遍，並吞進肚子裡，臉色開始一寸寸地漲紅，瞪大眼睛，不敢置信地望著穹蒼。

就這？這怎麼可以？

賀決雲腦子裡彷彿有一萬把機關槍在亂射，把他的理智射成一個滿是窟窿的竹籃。

穹蒼好笑道：「怎麼了？」

「啊——」賀決雲叫了一聲，撲過去捂住她的嘴，也不管是不是失態，吼道：「收回去！妳給我把剛才那句話收回去！」

穹蒼挑了挑眉毛，用眼神詢問他是什麼意思。

賀決雲慌了神，想起什麼，把穹蒼按到沙發上，心急如焚道：「妳等著，坐著別動啊，絕對不許動！」

他快速跑回自己房間，趴在地上，往床底下掏了兩把。

自從上次把東西放在床頭櫃裡，被穹蒼發現之後，他就換了個保險的地方藏東西。參照了賀先生的建議，他選擇了床底，一個穹蒼伸手碰不到地方。

賀決雲順利摸到一個天鵝絨的盒子，攥在手心裡走出來。他停在門口咳了一聲，然後才一步一步挪動到穹蒼面前。

穹蒼目光停留在他手上，又若無其事地移開，當作什麼都不知道，站了起來。兩人面對面站著，莊重肅穆，彷彿交接的是什麼革命任務。

賀決雲幾次掙扎，都沒能開口說出第一句話。

我喜歡妳？俗套。

嫁給我吧？沒有鋪陳。

那到底要怎麼鋪陳？春花秋月還是山盟海誓？

賀決雲很慌張，一慌張他就想撓頭，把自己原本整齊的黑髮抓得一團亂。

穹蒼等了半天，實在等不下去，又不敢像上次一樣打斷他說話，低頭偷笑了出來。

賀決雲當即紅了眼，強裝聲勢道：「別笑！」

穹蒼頷首：「好。」

大概過了有一世紀那麼長。

賀決雲從盒子裡拿出戒指，手指有些發顫，很認真地說：「妳能嫁給我嗎？我願意以後都聽妳的……」

穹蒼說：「可以。」

賀決雲也顧不上太多，趕緊幫她戴了上去。

銀色的戒圈套在對方手指上的時候，賀決雲一顆心重重落下了，一直發熱的大腦也得以回溫。

他努力思考半晌，也沒想起自己剛才都說了什麼，見穹蒼在低頭觀賞戒指，呆呆地問了一句：「這流程是不是有點問題？」

穹蒼覺得他再糾結下去，會把自己的小腦袋燒了，忍俊不禁道：「不是你的問題，是我我我太不矜持了。」

賀決雲張了張嘴，沒發出聲音。他的雙眼有些水潤，一把將穹蒼抱進懷裡，下巴抵在她的肩頸上，低沉道：「我會對妳好，我一定是這世上對妳最好的人。」

穹蒼柔聲應道：「嗯。」

——《案件現場直播》全系列完——

高寶書版集團
gobooks.com.tw

YS 039
案件現場直播 04 遲來的正義

作　　者　退　戈
特約編輯　眭榮安
責任編輯　吳培禎
封面設計　單　宇
內頁排版　賴姵均
企　　劃　何嘉雯

發 行 人　朱凱蕾
出　　版　英屬維京群島商高寶國際有限公司台灣分公司
　　　　　Global Group Holdings, Ltd.
地　　址　台北市內湖區洲子街88號3樓
網　　址　gobooks.com.tw
電　　話　(02) 27992788
電　　郵　readers@gobooks.com.tw（讀者服務部）
傳　　真　出版部(02) 27990909　行銷部 (02) 27993088
郵政劃撥　19394552
戶　　名　英屬維京群島商高寶國際有限公司台灣分公司
發　　行　英屬維京群島商高寶國際有限公司台灣分公司
法律顧問　永然聯合法律事務所
初　　版　2024年08月

本著作物《案件現場直播》由北京晉江原創網絡科技有限公司授權出版。

國家圖書館出版品預行編目(CIP)資料

案件現場直播. 4, 遲來的正義/退戈著. -- 初版. --
臺北市：英屬維京群島商高寶國際有限公司臺灣分公司, 2024.08
　冊；　公分. --

ISBN 978-626-402-065-7(平裝)

857.7　　113012168